Taal vitaal

NEDERLANDS VOOR BEGINNERS

Taal vitaal tekstboek

door
Josina Schneider-Broekmans

concept en redactie
Stephen Fox

met medewerking van
Bernd Morsbach, Marion Binneveld-Wich,
Dick Broekmans, Annemarie Diestelmann,
Erik Mijnsberge, Arabella Seegers

illustraties
Ofzcarek!

omslagontwerp
Martin Wittenburg

Nederlandse bewerking
Caroline Kennedie (UTN)

met medewerking van
Lidy Zijlmans, Liesbet Korebrits (UTN)

redactie en lay-out
Julia de Vries (redactie Intertaal)

Taal vitaal bestaat uit:

Tekstboek	ISBN 90 5451 2652
Werkboek	ISBN 90 5451 2660
Docentenhandleiding	ISBN 90 5451 2784
Cd bij het tekstboek	ISBN 90 5451 2792
Cd bij het werkboek	ISBN 90 5451 2814
Set werkboek + werkboek cd	ISBN 90 5451 2679

ISBN 90 5451 2652

2e druk 2001

Licentie-uitgave van Taal vitaal – Niederländisch für Anfänger, met toestemming van
Max Hueber Verlag, Ismaning.

Voorwoord

Taal vitaal is een basisleergang Nederlands voor anderstaligen. De leergang is bedoeld voor hoger opgeleide (jong) volwassenen en kan zowel binnen als buiten het Nederlandse taalgebied worden ingezet.

Taal vitaal brengt de vaardigheden van cursisten tot een niveau dat nodig is om te communiceren in alledaagse taalgebruiksituaties. In termen van het *Common European Framework of Reference* van de Raad van Europa betekent dat niveau A2 (*basic user*).

Taal vitaal bevat veel materiaal dat zelfstandig door de cursisten kan worden doorgewerkt. De ondersteuning van een docent bij het leerproces is echter in veel gevallen onmisbaar en bovendien speelt de interactie tussen cursisten tijdens de lessen een belangrijke rol in het leerproces.

Taal vitaal bestaat uit een tekstboek, een werkboek, een docentenhandleiding en twee cd's waarop de teksten en oefeningen staan die zijn aangegeven met 1

Taal vitaal bevat 20 lessen. Elke les is opgebouwd rond een thema en kent de volgende onderdelen:

Basiswoorden	hiermee wordt het hoofdthema van de les geïntroduceerd.
Aandacht voor	biedt aan de hand van een dialoog of een tekst de leerstof van de les aan.
Een stapje verder	verdiept en oefent de aangeboden leerstof.
Extra	breidt het thema van de les uit.
Nederland – *ander*land	bevat informatieve leesteksten over Nederland en Vlaanderen.
Samenvatting	geeft een beknopt overzicht van de grammatica en praktische zinnen van de les.

Let op!

Het tekstboek vormt de basis voor communicatief onderwijs. Grammatica speelt daarin een ondergeschikte rol. Daarom biedt het tekstboek alleen grammaticale ondersteuning (in de vorm van een klein kader) wanneer dat zinvol is voor de communicatie. Uitgebreidere uitleg van de grammatica is te vinden in het werkboek.

Binnen de lessen worden de volgende symbolen gebruikt:

geeft aan dat in tweetallen of groepjes wordt gewerkt. De cursisten hebben hier de gelegenheid het geleerde in de praktijk te brengen.

geeft aan dat de betreffende tekst op cd staat. Het getal naast het symbool is het nummer van de *track* op de cd.

geeft aan dat het gaat om een luisteroefening. Bij deze oefeningen is het vooral belangrijk dat de vragen worden beantwoord, niet dat alles letterlijk wordt verstaan. Het is goed de vragen te lezen en dan pas naar de tekst te luisteren, zodat het onderwerp vooraf bekend is.

geeft aan dat hier gelegenheid is om een eigen woordenlijst aan te leggen. De cursisten bepalen hier zelf welke woorden ze nog willen leren. Ze kunnen daarbij een woordenboek gebruiken of overleggen met een medecursist of de docent.

Inhoud

Inhoud

Inhoud

Inhoud

Dag!

Basiswoorden: begroetingen

1 Wat hoort bij elkaar?

Vul in. Kies bij elk plaatje de juiste begroeting.

Goedemorgen! ◎ Goedemiddag! ◎ Dag! ◎ Goedenavond!

Aandacht voor: kennismaken, voorstellen

Luisteren

Wat hoort bij elkaar? Kies bij elke foto het juiste gesprek.

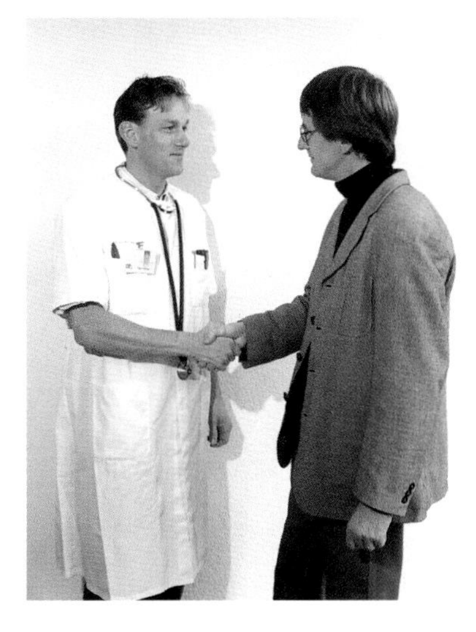

In het ziekenhuis

Op een camping

Op kantoor

Op de Nederlandse les

Aandacht voor: kennismaken, voorstellen

3 Dialogen 1

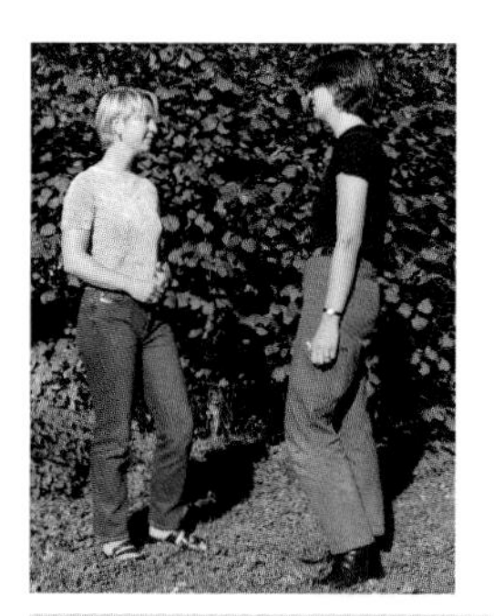

1

Marijke:	Dag, ik ben Marijke.
Lieve:	Hallo, ik ben Lieve.
Marijke:	Lieve? Dat klinkt nogal Belgisch; kom je uit België?
Lieve:	Ja, dat klopt. Ik ben Belgische.
Marijke:	En waar kom je vandaan?
Lieve:	Ik ben geboren in een dorpje vlakbij Gent, maar ik woon nu in Antwerpen. En waar kom jij vandaan?
Marijke:	Uit Amsterdam.

2

Mirjam de Vries:	Goedemorgen. Bent u de nieuwe collega?
Maarten de Jong:	Ja, ik ben Maarten de Jong.
Mirjam de Vries:	Mirjam de Vries.
Maarten de Jong:	Hallo.
Mirjam de Vries:	Komt u uit het zuiden?
Maarten de Jong:	Ja, uit Maastricht.

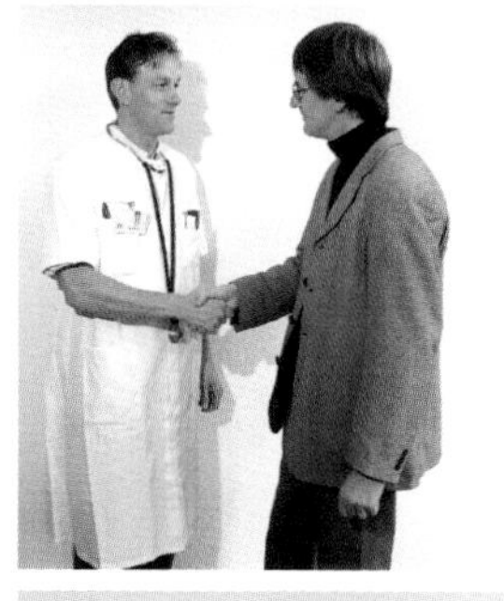

3

René Meurs:	Goedemiddag. Bent u meneer Smit?
Jan Rietman:	Nee, ik ben Jan Rietman. Dat is meneer Smit.
Heiko Schmidt:	Ja, ik ben Heiko Schmidt.
René Meurs:	O ja, Schmidt; komt u uit Duitsland?
Heiko Schmidt:	Nee, ik kom uit Oostenrijk.

4

Venanzio Ragni:	Goedenavond, zit hier al iemand?
mevrouw Vos:	Nee hoor, deze stoel is nog vrij.
Venanzio Ragni:	Dank u. Ik ben Venanzio Ragni.
mevrouw Vos:	Mevrouw Vos. Prettig met u kennis te maken.
Venanzio Ragni:	Woont u ook hier in Utrecht?
mevrouw Vos:	Nee, ik kom uit Zeist.

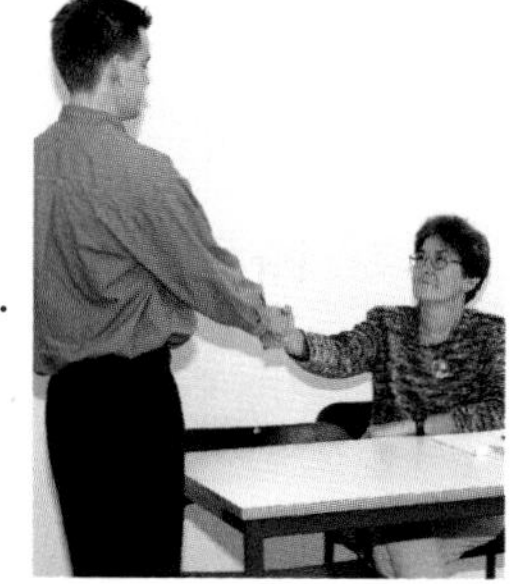

4 Schrijf op.

naam	Waar komt hij/zij vandaan?
Marijke	Zij komt uit Amsterdam.
Lieve	Zij is geboren in ... maar ze woont in ...
Maarten	Hij ...

Aandacht voor: kennismaken, voorstellen

5 Vul in.

Gebruik de uitdrukkingen uit de dialogen.

	begroeting	vraag naar herkomst
informeel		
formeel		

6 En u?

Stel uzelf aan de andere cursisten voor.

Dag, ik ben ...
– Hallo, ik ben ...
En waar komt u/kom je vandaan?
– Ik kom uit ..., maar ik woon in ...

Let op!

je komt → kom je?
u komt → komt u?

Les 1

7 Vertel het aan de groep.

Stel uw buurman/buurvrouw voor aan de groep: Hoe heet hij/zij? Waar komt hij/zij vandaan? Waar woont hij/zij?

Dit is Marieke/mevrouw de Groot en ze komt uit ...

Dat is Dirk/meneer Jagers en hij komt uit ...

Aandacht voor: kennismaken, voorstellen

8 Wat hoort bij elkaar?

hij	stad
komen	dat
Nederlander	daar
dorp	zij
Duitse	gaan
hier	u
je	Duitser
dit	Nederlandse

9 Vul in.

Kies bij elk plaatje de juiste tekst.

- Woont u in Lelystad?
- Tot ziens!
- Waar kom je vandaan?
- Cuyper. Prettig met u kennis te maken.

10 Dag, bent u ...?

Schrijf op een papiertje een naam en een woonplaats (fictief). Geef het papiertje aan de docent. De docent geeft u nu een ander papiertje: uw nieuwe naam en woonplaats.

➲ *Dag, bent u mevrouw Thomas uit Deventer?*
– Ja, dat klopt. /
– Nee, ik ben … en ik kom uit …

11 Vertel het aan de groep.

➲ *Dit is … en hij/zij komt uit …*

Een stapje verder: het alfabet

13 Luister nog een keer naar het alfabet. 2

Kruis aan. Welke letters klinken anders in uw taal? Zeg die letters na.

A	B	C	D	E	F	G	H	I	J	K	L	M	N	O	P	Q	R	S	T	U	V	W	X	Y	Z

Kunt u deze Nederlandse afkortingen uitspreken?

EU ◎ I.Q. ◎ tv ◎ VVV ◎ KLM ◎ G.G.D.

PTT ◎ a.u.b. ◎ ANWB ◎ KNMI

Welke andere Nederlandse afkortingen kent u?

Kunt u dat spellen?

Vraag een medecursist naar zijn/haar naam.

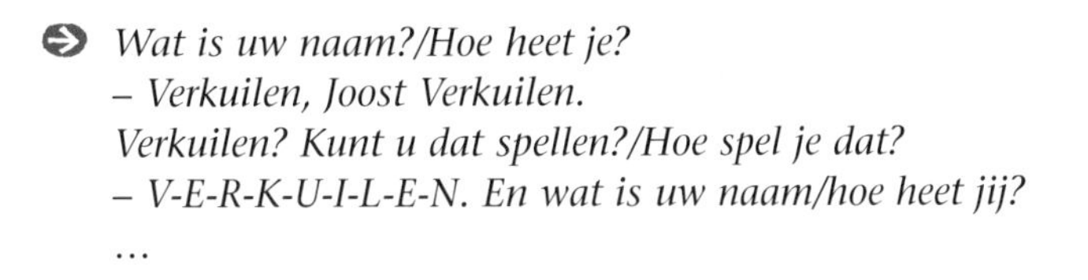

Wat is uw naam?/Hoe heet je?
– Verkuilen, Joost Verkuilen.
Verkuilen? Kunt u dat spellen?/Hoe spel je dat?
– V-E-R-K-U-I-L-E-N. En wat is uw naam/hoe heet jij?
...

Les 1

Extra: Europa

16 Vul in.

Kies bij elke letter de juiste landen.

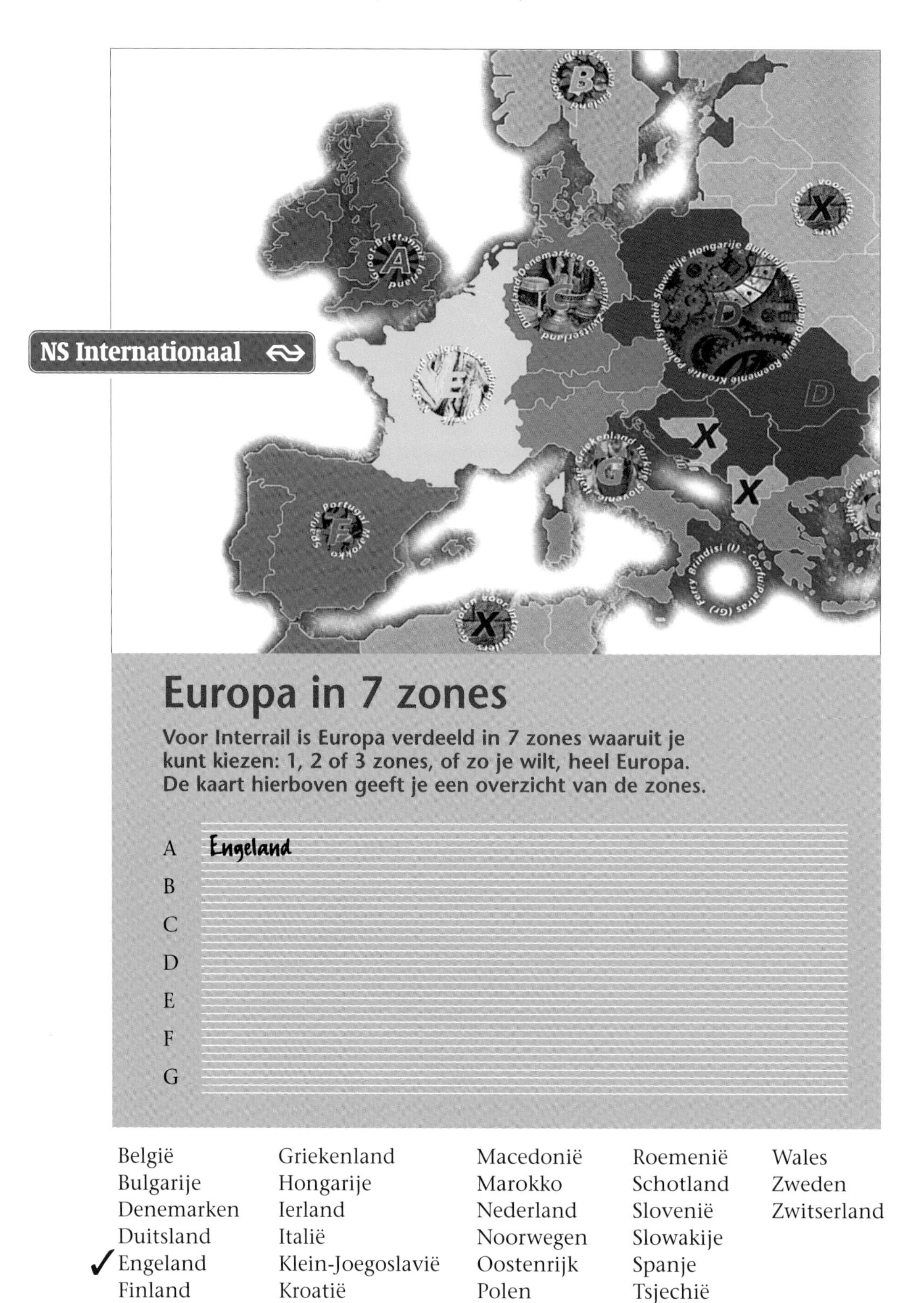

Europa in 7 zones

Voor Interrail is Europa verdeeld in 7 zones waaruit je kunt kiezen: 1, 2 of 3 zones, of zo je wilt, heel Europa. De kaart hierboven geeft je een overzicht van de zones.

A Engeland
B
C
D
E
F
G

België	Griekenland	Macedonië	Roemenië	Wales
Bulgarije	Hongarije	Marokko	Schotland	Zweden
Denemarken	Ierland	Nederland	Slovenië	Zwitserland
Duitsland	Italië	Noorwegen	Slowakije	
✓ Engeland	Klein-Joegoslavië	Oostenrijk	Spanje	
Finland	Kroatië	Polen	Tsjechië	
Frankrijk	Luxemburg	Portugal	Turkije	

Samenvatting

Grammatica

Pronomen personale (singularis)

	Vorm met nadruk
ik	
je	jij
u	
hij	
ze	zij
het	

Hulpwerkwoorden

	zijn	**kunnen**
ik	ben	kan
je/jij u	bent	kunt/kan
hij / ze/zij dit/dat	is	kan

Presens

wonen, komen, heten, gaan

ik	woon/kom/heet/ga
je/jij u hij / ze/zij het	woon**t**/kom**t**/hee**t**/gaa**t**

Interrogatieve zin

Ben Kun/Kan Woon Kom Ga	je ...?	Ben**t** Kun**t**/Kan Woon**t** Kom**t** Gaa**t**	u ...?

Nationaliteiten

Nederland**er**/Nederland**se**
Duits**er**/Duit**se**

Preposities

aan, in, met, naar, op, tot, uit, vlakbij

Interrogativa

waar ... vandaan? hoe?

Les 1

Uitdrukkingen

Informeel		**Formeel**
Hallo!	Dag!	Goedemorgen/Goedenavond!
Waar kom je vandaan?		Waar komt u vandaan?
Ben je Nederlander?		Bent u Nederlander?
Kom je uit Nederland?		Komt u uit Nederland?
Hallo.		Prettig met u kennis te maken.
Hoe heet je?		Wat is uw naam?
Hoe spel je dat?		Kunt u dat spellen?
	Dat klopt!	

Ga niet weg zonder te groeten

Hoe gaat het?

Basiswoorden: hoe het met iemand gaat

1 Antwoorden op de vraag: Hoe gaat het met u/je?

Zet de volgende uitdrukkingen in de goede volgorde (positief → negatief).

positief

Het gaat wel.

negatief

Uitstekend. Goed. Fantastisch! Niet zo goed. Het gaat wel.
Prima! Hartstikke goed! Niet zo best. Slecht. O, best!

2 Luisteren 3

Kruis aan. Hoe gaat het met de volgende personen?

	☺	😐	☹
Gerard	✓		
Leonie			
Mirjam			
Joop			

➲ *Met Gerard gaat het uitstekend.*
Met Leonie gaat het …

Aandacht voor: kennismaken (2), iemand voorstellen

3 En u?

Loop door de klas en vraag uw medecursisten hoe het met hen gaat.

➲ *Hoe gaat het met u/je?*
– Prima. / O, best. / Met mij gaat het goed. / ...

4 Luisteren 4

a) Wat hoort bij elkaar?
Kies bij elke dialoog de juiste beschrijving.

a. Een patiënt stelt zijn vrouw voor.
b. Een vrouw stelt een nieuwe collega voor.
c. Een toeriste stelt haar vriend voor.
d. Een cursiste stelt een andere cursist voor.

b) Luister nog een keer. Zeggen de volgende personen „u“ of „jij“ tegen elkaar?

	u	je/jij
1. Tom en Marijke		
2. Jan Hendrix en Maarten de Jong		
3. René Meurs en Petra Schmidt		
4. Venanzio Ragni en meneer Field		

Aandacht voor: kennismaken, iemand voorstellen

5 Dialogen 4

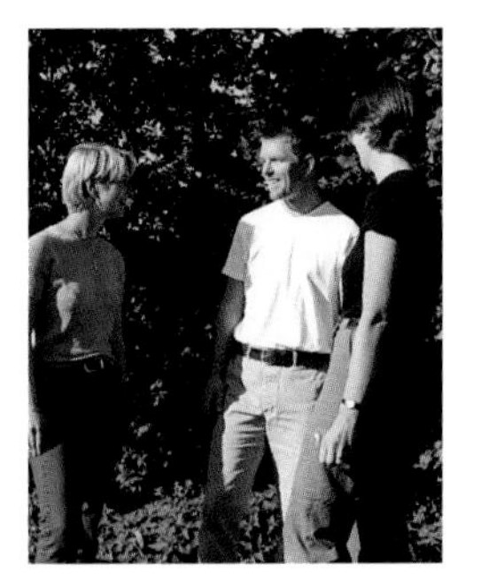

1

Marijke:	Hallo Lieve. Hoe gaat het vandaag?
Lieve:	Prima hoor! Marijke, dit is mijn vriend Tom. Tom, dit is Marijke. Ze komt uit Amsterdam.
Tom:	Hoi Marijke. Ben je hier ook op vakantie?
Marijke:	Nee, ik werk hier. Jullie boffen met het weer, zeg!
Tom:	Pardon? Wat zeg je?
Marijke:	Ik bedoel, jullie hebben geluk, het is lekker weer!
Tom:	Ah ja, dat klopt!

2 ...

Jan Hendrix:	Goedemorgen!
Mirjam de Vries:	Goedemorgen, Jan, hoe is het met jou?
Jan Hendrix:	Goed, en met jou?
Mirjam de Vries:	Ook goed. Jan, dit is Maarten de Jong, onze nieuwe collega.
Jan Hendrix:	Hallo, ik ben Jan Hendrix. Welkom op de afdeling.
Maarten de Jong:	Dank je wel.

3 ...

René Meurs:	Hoe gaat het met u?
Heiko Schmidt:	Nou, niet zo best. Meneer Meurs, mag ik even voorstellen, dit is mijn vrouw.
René Meurs:	Prettig met u kennis te maken. Spreekt u Nederlands?
Petra Schmidt:	Ja, een beetje. Mijn dochter woont hier in de buurt.

4

Venanzio Ragni:	Goedenavond, mevrouw Vos. Hoe gaat het met u?
mevrouw Vos:	Goed, dank u. En met u?
Venanzio Ragni:	Ook goed.
mevrouw Vos:	Meneer Ragni, mag ik u even voorstellen? Dit is meneer Field.
Venanzio Ragni:	Goedenavond, hoe maakt u het?
meneer Field:	Goed, dank u. Leert u ook Nederlands?
Venanzio Ragni:	Ik probeer het!

6 Wie is dat?

Tom	Zij werkt op de camping waar Tom en Lieve zijn.
Venanzio Ragni	Hij is een collega van Mirjam de Vries.
Marijke	Hij is de vriend van Lieve. Hij is met haar op vakantie.
Petra Schmidt	Hij zit op dezelfde les als mevrouw Vos en probeert Nederlands te leren.
Jan Hendrix	Zij is de vrouw van Heiko en heeft een dochter in Nederland.

Aandacht voor: kennismaken, iemand voorstellen

7 Vul in.

Gebruik de uitdrukkingen uit de dialogen.

	vragen hoe het met iemand gaat	reactie
informeel		
formeel		

	voorstellen	reactie
informeel		
formeel		

Les 2

8 Rollenspel

Maak groepen van drie. Schrijf een dialoog op als op pagina 18.
Speel de situatie na.

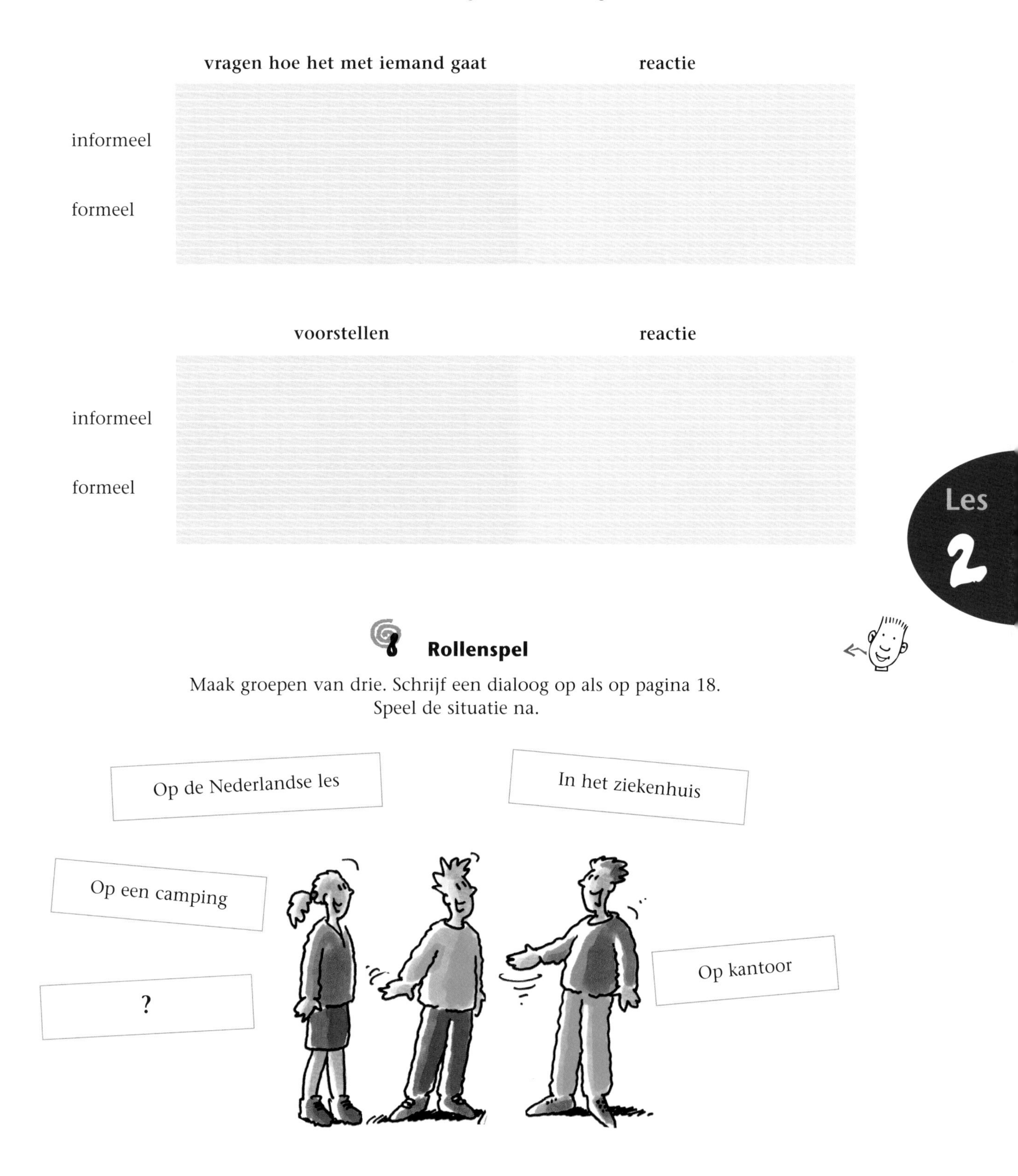

Aandacht voor: kennismaken, iemand voorstellen

9 Wat hoort bij elkaar?

jij hebt	vriendin
komen	zij zijn
hij/zij is	vakantie
werk	jullie hebben
nieuw	gaan
vriend	oud

10 Vul in.

Kies bij elk plaatje de juiste tekst.

- Prettig met u kennis te maken.
- Hoe is het met Janny en Toon?
- Hoi, hoe gaat het ermee?
- Goed. En met u?

11 Luisteren 5

a) Zijn de volgende personen vrienden, kennissen of kennen ze elkaar niet?

	vrienden	kennissen	kennen elkaar niet
Mevrouw Oost en meneer Huizen			
Saskia en mevrouw De Ven			
Adriaan en Hella			
Erik en meneer Zandstra			

b) En hoe gaat het met hen? Luister nog een keer.

Mevrouw Oost	Het gaat niet zo goed met haar.	Adriaan	....
Meneer Huizen	Het gaat goed met hem.	Hella	....
Saskia	....	Erik	....
Mevrouw De Ven	....	Meneer Zandstra	....

Een stapje verder: 'je/jij' of 'u'?

12 Wat hoort bij elkaar?

Kies bij elke tekst de juiste foto.

'Ik zeg tegen vrienden, bekenden en andere jonge mensen gewoon 'je'! Tegen oudere mensen die ik niet ken, zeg ik natuurlijk 'u'. Ja, en tegen mijn oma zeg ik ook 'u'!'

'Automatisch 'je' en 'jij' zeggen vind ik niet correct. Mijn generatie zegt liever 'u', soms ook tegen familie. Ik zeg alleen 'je' als ik iemand goed ken.'

'Op kantoor zeggen alle collega's 'je' en 'jij' tegen elkaar. Ook tegen nieuwe collega's die zich met hun voornaam voorstellen. Dat is bij ons normaal.'

'Bij ons in het ziekenhuis zeggen de collega's 'je' en 'jij' tegen elkaar. Maar tegen mijn patiënten zeg ik natuurlijk 'u'.'

1 Mevrouw Huf, huisvrouw

2 Elly de Ridder, arts

3 Ed Paré, administratief medewerker

4 Maaike Heemstra, studente

13 En wat vindt u? Zeggen we 'u' of 'je/jij' in de klas?

Geef uw mening. Geef ook een argument voor uw mening.
Gebruik de volgende woorden:

vriendelijk

onvriendelijk

leuk

beleefd

onbeleefd

mening		argument
Ik vind ... beter Ik ben voor ... Ik ben tegen ... Dat vind ik niet	, want	het/dat is ... het/dat klinkt ...

Extra: de getallen

14 1 – 100 6

	1 een	**6** zes	**11** elf	**16** zestien
	2 twee	**7** zeven	**12** twaalf	**17** zeventien
0 nul	**3** drie	**8** acht	**13** dertien	**18** achttien
	4 vier	**9** negen	**14** veertien	**19** negentien
	5 vijf	**10** tien	**15** vijftien	**20** twintig

21 eenentwintig	**30** dertig	**70** zeventig
22 tweeëntwintig	**40** veertig	**80** tachtig
23 drieëntwintig	**50** vijftig	**90** negentig
24 vierentwintig enz.	**60** zestig	**100** honderd, honderd (en) één enz.

15 Luisteren 7

Kruis aan. Welke getallen hoort u?

15/50 89/98 13/33 70/17 88/80 19/90 60/16 44/40

16 Luisteren 8

Van welk spoor vertrekt de trein?

naar	vertrek	spoor
Rotterdam	10.55	
Utrecht	11.05	
Groningen	11.12	
Keulen	11.15	
Zandvoort aan Zee	11.18	
Parijs	11.24	

17 Hoe gaat het verder?

1 — 3 — 5 — ...
6 — 12 — 24 — ...
11 — 22 — 44 — ...
98 — 87 — 76 — 65 — ...
...

22 + 16 = ...	(+ = en / plus)
3 x 5 = ...	(x = keer / maal)
99 : 3 = ...	(: = gedeeld door)
75 – 23 = ...	(– = min)

Extra: de getallen

18 Maak een adressenlijst.

Noteer de namen, adressen en telefoonnummers van de medecursisten.

➔ *Hoe heet u/je?*
– (Ik heet) …
Kunt u/kun je dat even spellen?
– Ja, …

➔ *En wat is uw/je adres?*
– Mijn adres is …
Kunt u/kun je dat even spellen?
– Ja, …

➔ *Wat is uw/je telefoonnummer?*
– Mijn telefoonnummer is 020/3934459.
Hebt u/Heb je misschien ook een fax?
– Nee, ik heb geen fax. En wat is uw/jouw telefoonnummer?
Mijn telefoonnummer is … / Sorry, ik heb geen telefoon.

naam	adres	(kengetal) telefoonnummer

19 Van wie is dat nummer?

Neem uw adressenlijst. Vraag aan de medecursisten: Van wie is dat nummer?

➔ *67819. Van wie is dat nummer?*
– Dat is mijn nummer/het nummer van …

Nederland – *anderland*

Het geheim van de postzegel. Nu verkrijgbaar op het postkantoor.
Een velletje postzegels met 10 verschillende, leuke boodschappen.
Wie gaat u verrassen?

Samenvatting

Grammatica

Pronomen personale

	zijn	hebben
singularis		
1 ik	ben	heb
2 je/jij	bent	hebt
u	bent	hebt/heeft
3 hij	is	heeft
ze/zij	is	heeft
het	is	heeft
pluralis		
1 we/wij	zijn	hebben
2 jullie	zijn	hebben
u	bent	hebt/heeft
3 ze/zij	zijn	hebben

Pronomen personale: niet subject

singularis	
1 me/mij	Met mij gaat het goed.
2 je/jou	Hoe gaat het met je?
u	
3 hem	
haar	Ik geef haar het telefoonnummer.
het	
pluralis	
1 ons	
2 jullie	
u	
3 ze/hun (indirect object)	Hij geeft hun het adres.
ze/hen (direct object en na prepositie)	We zien hen op de Nederlandse les.

Pronomen possessivum

singularis
1 mijn
2 je/jouw
uw
3 zijn
haar
} adres

pluralis
1 ons/onze
2 je/jullie
uw
3 hun
} kantoor / collega

Modale hulpwerkwoorden

	mogen	moeten
singularis		
1 ik	mag	moet
2 je/jij	mag	moet
u	mag	moet
3 hij	mag	moet
ze/zij	mag	moet
het	mag	moet
pluralis		
1 we/wij	mogen	moeten
2 jullie	mogen	moeten
u	mag	moet
3 ze/zij	mogen	moeten

Preposities

met, van

Negatie

Cees *rookt* **niet**. → bij een *verbum*
Ik heb **geen** *fax*. → bij een *substantief*

Interrogativa

Wat? Wie?

Les 2

Uitdrukkingen

Informeel		Formeel
Hoe gaat het (ermee)? / Hoe is het met je/jou?		Hoe gaat het met u? / Hoe maakt u het?
Prima	Uitstekend!	Goed, dank u.
..., dit is ...		Mag ik u even voorstellen?
Hoi/Dag.		Prettig met u kennis te maken. / Hoe maakt u het?
Sorry? (Wat zeg je?)		Pardon? (Wat zegt u?)
Spreek je Nederlands?		Spreekt u Nederlands?
Dank je wel. / Bedankt.		Dank u wel.
	We zijn op/met vakantie.	
	Jullie boffen (met ...)!	
	Het is lekker weer!	

Hoe is ze?

Basiswoorden: karaktereigenschappen

1 Wat hoort bij elkaar?

Kies bij elk plaatje de juiste omschrijving.

slordig · druk · sportief · romantisch · pessimistisch · grappig

2 Hoe zijn ze?

Jelle

➲ *Volgens mij is Jelle/Rina ...*
Hij/Zij is (niet) ...

Rina

Basiswoorden: karaktereigenschappen

3 Wat voor type bent u?

Doe deze persoonlijkheidstest.

Ben je ...?

- ☐ druk — ☐ stil
- ☐ netjes — ☐ slordig
- ☐ grappig — ☐ serieus
- ☐ sportief — ☐ niet sportief
- ☐ optimistisch — ☐ pessimistisch
- ☐ realistisch — ☐ romantisch, gevoelig

4 Zet deze woorden in de goede volgorde.

een beetje	
1 heel (erg)	
helemaal niet	
niet zo	slordig
vrij/nogal	...
erg	
best wel	

5 En u?

Vraag een medecursist.

Bent u/Ben je sportief?
– Ja, best wel.
Bent u/Ben je romantisch?
– Ja, ik ben vrij romantisch. /
– Nee, ik ben niet zo/helemaal niet romantisch.

6 Vertel het aan de klas.

Joachim en ik zijn allebei romantisch.
We zijn ..., maar niet ...
Hij/Zij is (nogal ..., maar ik ...)

Aandacht voor: iemand beschrijven

7 Dialoog: Twee vriendinnen op kantoor. 9

Sanne: Wie is dat?
Carla: Wie bedoel je?
Sanne: Ik bedoel dat blonde meisje bij het kopieerapparaat.
Carla: Het meisje naast Ina?
Sanne: Ja, dat slanke meisje.
Carla: Dat is mijn nieuwe collega.
Sanne: Een nieuwe collega? Hoe heet ze?
Carla: Renée Schols.
Sanne: En waar komt ze vandaan?
Carla: Uit een klein plaatsje in de buurt van Rotterdam.
Sanne: En hoe is ze? Ze kijkt zo serieus.
Carla: Ze is erg aardig, maar inderdaad wel een beetje stil.
Sanne: Tja, niet iedereen is zoals jij!
Carla: Dat klopt!

8 Vul in en beantwoord dan de vragen.

naam	karaktereigenschappen	uiterlijk
Renée Schols		
Carla		/

1. Wie is dat blonde meisje? *De nieuwe collega.*
2. Hoe heet ze?
3. Waar komt ze vandaan?
4. Wat voor type is ze?
5. Hoe ziet ze eruit?
6. Wat voor type is Carla?

Let op!

de grote man/vrouw
het kleine kind/meisje

Kees is **een** aardige man. / Nellie is **een** aardige vrouw.
maar: Jeroen is **een** aardig_ kind. / Renée is **een** aardig_ meisje.

!

A-Z

9 Brainstormen.

Welke andere woorden gebruikt u voor personen?
Gebruik een woordenboek of vraag het aan de docent.

vriendelijk gezellig beleefd lief ...

Hoe zeg je ... in het Nederlands?

Een stapje verder: familie en vrienden

10 Vul het juiste woord in.

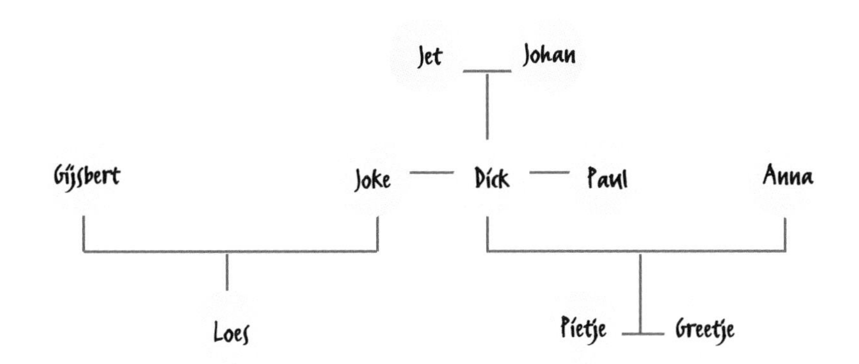

1. Dick is de ...man........... van Anna. Zij is zijn ....
2. Johan is de .... van Dick en Jet is zijn ....
3. Pietje is de .... van Dick en Anna. Greetje is hun ....
4. Joke is de .... van Dick. Paul is zijn ....
5. Joke is de .... van Pietje en Greetje en Paul is hun ....
6. Pietje is de .... van Joke en Paul. Greetje is hun ....
7. Joke is de .... van Anna en Paul is haar ....
8. Johan is de .... van Pietje, Greetje en Loes. Jet is hun ....
9. Pietje is de .... van Loes en Greetje is haar ....

vader · broer · zoon · oom · neef · opa · zwager
moeder · zus · dochter · tante · nicht · oma · schoonzus

Les 3

11 Luisteren  10

U hoort drie personen: Anna, Dick en Loes. Ze vertellen over hun beste vrienden.
Luister naar de informatie. Vul het schema in.

	naam van de beste vriend(in)	relatie	Hoe is hij/zij?
Anna			
Dick			
Loes			

Een stapje verder: familie en vrienden

12 Wie is uw beste vriend(in)?

a) Geef antwoord op de vragen.

1. Hoe heet uw beste vriend?
2. Hoe heet uw beste vriendin?
3. Wat is uw relatie met hem/haar?
4. Hoe is hij/zij?

mijn vriend(in) · een klasgenoot · mijn buurvrouw/-man · mijn vrouw/man · mijn collega · een familielid

b) Stel de vragen aan vijf medecursisten. Noteer de antwoorden.

➔ – *Mijn beste vriend(in) is mijn ... / is een ... / is ...*
– *Zijn/haar naam is ...*

naam van de cursist	beste vriend(in)	Hoe is hij/zij?

13 Vertel het aan de klas.

➔ *Helga's beste vriendin is haar zus, Monika.*
– *Monika is optimistisch en erg aardig.*
Is ze ook nog sportief?
– *Nee, ze is niet sportief/ze doet niet aan sport.*

Een stapje verder: familie en vrienden

14 Weet u dat misschien?

Werk in tweetallen.

Cursist A: U werkt met deze pagina.
Cursist B: U werkt met pagina 176.

Cursist A: U werkt op Schiphol. U hebt zes nieuwe collega's. U weet niet alles van hen. Vraag uw partner naar de ontbrekende informatie.

Voornaam	Paolo	Joke	Margriet	Laura	Danny	Joe
Achternaam		Verbeek	van den Berg			Highland
Komt uit ...		België		Spanje	Zwitserland	
Hoe is hij/zij?	sportief, grappig		stil, gevoelig		druk, pessimistisch	

Vraag naar: achternaam, herkomst en eigenschappen.

➜ *Wat is Paolo's achternaam?*
Komt Paolo uit Frankrijk? / Waar komt Paolo vandaan?
Is Laura sportief? / Hoe is Laura?

15 Geef antwoord op de vragen.

a) Maak tweetallen. Geef samen met uw partner antwoord op de vragen.

1. Komen Paolo en Laura allebei uit Italië?
2. Komen Joke en Margriet allebei uit Nederland?
3. Zijn Joke en Margriet allebei stil?

➜ *Komen Paolo en Laura allebei uit Italië?*
– Ja, ze komen allebei uit Italië. / – Nee, dat klopt niet. Ze komen ...

b) Maak met uw partner drie nieuwe vragen. Gebruik het schema.

Extra: iemand beschrijven

16 Vul de ontbrekende woorden in.

Ruud / Hij is ....

Loes / Zij is klein.

Monique / Zij is slank.

Willem / Hij is ....

Gijsbert / Hij heeft blauwe ogen.

Tamara / Zij heeft bruine ogen.

Joke / Zij is donker.

Pietje / Hij is ....

Jan / Hij is ....

Greetje / Zij heeft lang haar.

Dick / Hij heeft .... haar.

Jos / Hij is .... /ziet er goed uit.

Anna / Zij is erg .... /leuk/aantrekkelijk.

Paul / Hij heeft een snor.

Johan / Hij heeft een baard.

Atie / Zij draagt een bril.

kort · mooi · groot · kaal · dik · blond · knap

A-Z

17 Welke andere woorden horen er nog bij?

Gebruik een woordenboek of vraag het aan de docent.

jong/oud .../...

Extra: het uiterlijk beschrijven

18 Wat hoort bij elkaar?

a) Vul in. Kies bij elke beschrijving het juiste plaatje.

1 'Peter, mijn man, is niet zo groot maar ook niet klein. Hij is kaal, maar hij heeft een lange baard en mooie bruine ogen – en ik houd van hem!' ▢

2 'Mijn zussen? Nou, die zijn groot en slank, niet zo dik als ik! Ze hebben allebei bruine ogen en kort, blond haar; ik vind ze erg knap. Wat zeg je? Een tweeling? Ja, dat klopt, maar er is één verschil: Sanne draagt een bril en Els niet.' ▢

3 'Hoe ik eruit zie? Nou, ik ben een beetje dik, maar dat valt bij mijn lengte niet zo op. Mijn haar is kort en – o ja, ik heb een snor. Die snor staat me goed, volgens mijn vriendin.' ▢

Les 3

b) Beschrijf nu de andere twee personen.

19 Beschrijf een persoon.

a) Zoek in dit boek een plaatje van een persoon. Maak een beschrijving van die persoon.

b) Maak tweetallen. Geef uw partner het plaatje bij uw beschrijving. Lees uw beschrijving voor. Uw partner controleert of uw beschrijving klopt. Vul elkaar aan.

c) Wissel van rol.

wen

ʒeleden kwam mijn oudste dochter
ıieuwe vriend. Ze had een relatie
! verdriet had gebracht en was
n geweest. Mijn man en ik waren
: weer gelukkig was. Haar vriend
iek over op ons. Je kon goed met
ıral voor hem innam, was de
ze dochter omging. De hele tijd
wat voor haar kon doen.
ıf en toe een beetje té vond, maar
iet lang en waren erg verliefd.
:, werd de aandacht die hij voor
ker dan minder. Hij leek wel
ıar. Toen ik er heel voorzichtig een
zei ze dat ze dat nu juist zo fijn
acht voor haar alleen. In die tijd
ons op. Ze maakte zich zorgen
Op de een of andere manier kreeg
ıt ze elkaar bijna niet meer zagen.
ıet Annemarie, gebeurde er altijd
iets waardoor ze op het
laatste moment was
verhinderd. Ook andere
vrienden en vriendinnen
zagen haar nooit meer.
Ze tenniste niet meer, en
was van jazzballet
afgegaan. Ze kwam zelfs
niet meer op verjaar-
dagen. Ook wij zagen
haar nog zelden. Dat
deed me veel verdriet
want we hadden een
goed contact. Toen
gingen Annemarie en
Simon samenwonen.
ıogelijk, hun telefoon stond altijd op
ɔk als ze thuis waren. 'Simon vindt
dt gebeld,' zei mijn dochter. Als ze
na een paar minuten al Simons
at het gesprek nu wel lang genoeg
en leefde Annemarie langzamer-
Ze ging naar haar werk en meteen
ıoment van haar vrije tijd bracht ze
: daar tijdens één van hun zeldzame
ond Simon op, pakte haar bij haar

die
niet
ch-
ken

Liefs

Lieve Gerda,
je bent een collega uit duizenden. Je hebt me enorm geholpen de afgelopen tijd. Dat zal ik nooit vergeten!
Liefs van Yvonne uit Wassenaar

Liefste mama,
bedankt voor al uw zorgen, en voor uw vriendschap die heel veel voor me betekent. U bent een fantastische moeder!
Bianca uit Ede

Beste Riet en Antoon,
jullie hebben me veel hulp en steun gegeven in het afgelopen jaar. Jullie zijn buren uit duizenden!
Groetjes van Jo uit Naarden

Liefs

Els,
bedankt voor alle liefs en gezelligheid de afgelopen dertig jaar.
Van je gekke man Gert

Tante Peggy,
jij bent de allerliefste, de mooiste en gezelligste tante die er bestaat.
Heel veel liefs en kusjes van Romy

Joke,
wat fijn dat we zo'n grappig zusje hebben als jij! Blijf zo als je bent!
Lien en Toni

Samenvatting

Grammatica

Artikel

de man/vrouw **het** kind	**een** man/vrouw/kind
definiet	*indefiniet*

Adjectief

Hij/Zij is (vrij) **sportief**.
We zijn niet **romantisch**.

Adverbia

Ik ben **best wel** realistisch.
Hij/Zij is **vrij** sportief.

Vorm van het adjectief

de grote man/vrouw	**een** grote man/vrouw
het grote kind/meisje	**een** groot_kind/meisje !

Conjunctie

Ze is aardig **maar** wel een beetje stil.

Preposities

op, bij

Pronomen demonstrativum

dit / dat
deze / die

Uitdrukkingen

Volgens mij ...
Ik ben nogal slordig. Ben je ook een beetje slordig?
Wie bedoel je?
Hoe zeg je ... in het Nederlands?
Ze doet niet aan sport.

Wie is dit?	Wie zijn dit?
Hoe heet ze?	Hoe heten ze?
Hoe ziet ze eruit?	Hoe zien ze eruit?

Hoeveel?
Basiswoorden: getallen

100	honderd	**1000**	duizend
200	tweehonderd	**1246**	twaalfhonderd zesenveertig
388	driehonderd achtentachtig	**3271**	drieduizend tweehonderdeenenzeventig

1.000.000 een miljoen
2.350.000 twee miljoen driehonderdvijftigduizend

1998 negentienhonderd achtennegentig
2002 tweeduizend twee

2 Luisteren 12

Kruis aan. Welke getallen hoort u?

114 884 651 150 400 458 650 890 87 17 99 107

a) Schrijf nu zelf vijf getallen van drie cijfers op.
b) Maak tweetallen. Lees de getallen voor aan uw partner. Hij/zij schrijft de getallen op.
c) Vergelijk het resultaat. Wissel van rol.

3 Quiz: Wie kent Nederland?

Hoeveel provincies heeft Nederland? ❏ 12 ❏ 20 ❏ 23
Hoeveel inwoners heeft Nederland? ❏ 15 miljoen ❏ 16 miljoen ❏ 21 miljoen
Hoeveel mensen spreken Nederlands? ❏ 21.000.000 ❏ 27.000.000 ❏ 34.000.000
Hoeveel inwoners per vierkante kilometer heeft Nederland? ❏ 155 ❏ 442 ❏ 360
Hoeveel Nederlandse toeristen breken een been tijdens de wintersportvakantie?
❏ 1000 ❏ 2880 ❏ 6500

4 Vertel het aan uw partner.

➲ *Ik denk/Ik geloof dat Nederland … provincies heeft.*
En wat denkt u/denk jij?
– Ik denk …/ – Ik weet het niet!

Let op!

een man	➠	twee mannen	-en
een vrouw	➠	twee vrouwen	
een inwoner	➠	veel inwoners	-s
een kaartje	➠	zes kaartjes	
een baby	➠	twee baby's	-'s
een foto	➠	veel foto's	

Aandacht voor: getallen gebruiken

5 Waar of niet waar?

Kijk naar het plaatje. Geef antwoord op de vragen.

	waar	niet waar
1. Twee mannen en één vrouw hebben geen kaartje.		
2. Er is maar één baby te zien.		
3. Er zijn drie vrouwen met een hoed.		
4. Er is maar één man met een bril.		
5. Er zijn twee vrouwen met kort blond haar.		

Kijk naar het plaatje. Vertel aan een medecursist: hoeveel mensen/mannen/vrouwen/kinderen ziet u in de trein?

Er is één ... / Er zijn ...

6 Dialoog: Bent u Nederlandse? 13

- Is deze tas van u?
- Ja.
- Kunt u hem misschien op de grond zetten? Ik wil hier graag zitten.
- Oh, natuurlijk, neemt u me niet kwalijk!
- Het geeft niet hoor.

...

- Bent u Nederlandse?
- Ja, dat klopt. En u? Waar komt u vandaan?
- Eigenlijk uit Amerika, maar ik woon sinds twee jaar in Amsterdam.
- Goh, wat spreekt u goed Nederlands!
- Dank u wel. Is dat uw dochtertje?
- Ja, ze reist voor de eerste keer met de trein en ze vindt het erg leuk. Hebt u ook kinderen?
- Ja, ik heb er drie, twee zonen en een dochter! O, daar komt de conducteur!
- Uw plaatsbewijzen, alstublieft!

Een stapje verder

7 En u?

Teken de stamboom van uw familie (zie pagina 29). Maak tweetallen. Vraag uw partner naar zijn/haar gezin/familie. Noteer de antwoorden. Wissel daarna van rol.

➲ *Hoeveel broers en zussen hebt u/heb je?*
– Ik heb … / Ik heb geen …
Hebt u/Heb je kinderen?
– Ja, ik heb … kinderen. / Nee, ik heb geen kinderen.
Hebt u/Heb je een hond, een kat of een ander huisdier?
…

Let op!
Ik heb **geen** broer.
tante.
kinderen.
hond/kat.

8 Vertel het aan de klas.

➲ *Achim heeft een broer. Hij heet Florian. Hij heeft ook …*
Hij heeft geen …, maar hij heeft … en …

9 Zoek iemand die …

a) Geef antwoord op de vragen.

1. Hebt u familie in Nederland?
2. Hebt u vrienden in Nederland?
3. Bent u slordig?
4. Bent u sportief?
5. Bent u romantisch?
6. Hebt u kinderen?
7. Hebt u huisdieren?
8. Hebt u een fax?

b) Stel de vragen aan twee medecursisten. Noteer de antwoorden.

➲ *Hebt u … / Heb je …?*
– Ja, ik heb … / Nee, ik heb geen …
Bent u … / Ben je …?
– Ja, ik ben …/Nee, ik ben niet …

Een stapje verder

10 Weet u dat misschien?

Maak tweetallen.

Cursist A: U kijkt op deze pagina.
Cursist B: U kijkt op pagina 177.

Bekijk de foto van de familie Mulder. Kunt u alle personen op de foto beschrijven? Schrijf eventueel enkele steekwoorden op.

Cursist A: Vraag aan uw partner of dezelfde personen op zijn/haar foto staan.

Formuleer vragen op deze manier:

Staat er een man met een snor op uw/jouw foto?
– Ja, inderdaad. / Nee, op mijn foto staat geen man met een snor.

Zijn er vier kinderen op uw/jouw foto te zien?
– Ja, inderdaad. / Nee, ik zie er maar drie.

Is er een vrouw met een bril op uw/jouw foto?
– Ja, er is een vrouw met een bril. / Nee, ik zie geen vrouw met een bril.

Staat er een oude vrouw met een kat op uw/jouw foto?
– ...

Extra: de tijd

11 Vul in.

Kies het juiste getal.

1 minuut = ... seconden	1 uur = ... minuten	1 dag = ... uur
1 half uur = ... minuten	1 kwartier = ... minuten	1 week = ... dagen
1 maand = ... weken	1 jaar = ... maanden	1 eeuw = ... jaar

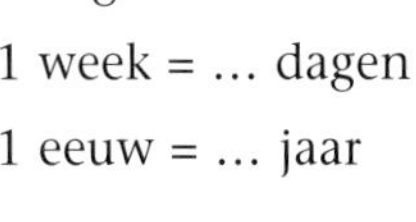

12 Hoe laat is het?

Het is drie uur.

Het is kwart <u>over</u> drie.

Het is half vier.

Het is kwart <u>voor</u> vier.

Het is vijf (minuten) <u>voor</u> vier.

Het is bijna vier uur.

vanmorgen

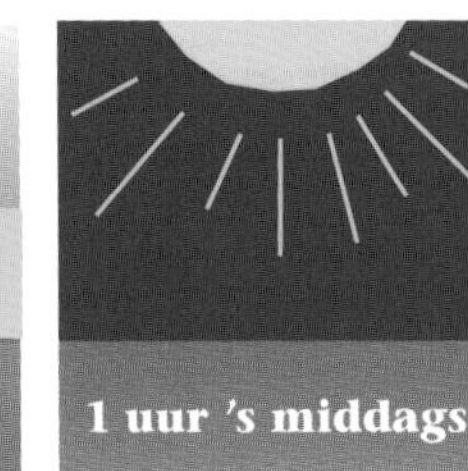

vanmiddag

vanavond

vannacht

Extra: de tijd

13 Wat hoort bij elkaar?

Kies bij elke tekst de juiste klok.

1. Pardon meneer, kunt u mij zeggen hoe laat het is?
   – Ja, het is bijna zeven uur.
   Dank u!
2. Wanneer vertrekt de volgende trein naar Den Bosch?
   – Over twintig minuten, om vijf over elf.
3. Marijke, hoe laat begint de film?
   – Om acht uur, dus we hebben nog maar tien minuten!
4. Mag ik u iets vragen? Hoe laat komt de trein uit Amsterdam aan?
   – Ik geloof om kwart voor twaalf, op spoor negen.
5. Hoe laat begint de cursus Nederlands?
   – Die begint om half acht en duurt precies anderhalf uur.
   ’s Ochtends of ’s avonds?
   – ’s Avonds, mevrouw.
   Dank u wel voor de informatie!

A B C D E

14 Luisteren 14

Lees de informatie. Luister naar de tekst en controleer: is deze informatie juist?

geopend	Artis Amsterdam	Van Gogh Museum	Grachtenrondvaart
dagen	maandag t/m zondag	dinsdag t/m zondag	dagelijks
tijd	9.30 – 17.30 uur	10.00 – 17.00 uur	9.00 – 18.00 uur

Les 4

Nederland – *ander*land

Statistieken

72% van alle Nederlandse mannen tussen de 15 en 65 jaar heeft een baan van 12 uur per week of meer, tegenover 45% van de vrouwen. Hier wat cijfers van andere Europese landen.

Zweden:	73% van de vrouwen werkt *(hoogste cijfer in Europa)*
Denemarken:	67% van de vrouwen werkt
Finland:	58% van de vrouwen werkt
Duitsland:	55% van de vrouwen werkt
Italië:	36% van de vrouwen werkt
Spanje:	31% van de vrouwen werkt *(laagste cijfer in Europa)*

Zo'n 64% van alle Nederlandse mannen heeft een volledige baan (35 uur per week of meer). Bij vrouwen ligt dit rond de 18%.

11% van alle Nederlandse mannen werkt parttime (tot 35 uur per week), tegenover zo'n 35% van de vrouwen.

Ongeveer 24% van alle Nederlandse mannen werkt niet. Bij vrouwen is dat 46%.

Bron: CBS, cijfers uit 1996

Wie zijn de grootste fietsfanaten?

Zestien miljoen fietsen werden er in Europa in 1994 verkocht. Nederland behaalde daarmee de vijfde plaats met 1,2 miljoen fietsen en Duitsland staat bovenaan met een totaal van 5,2 miljoen fietsen. Maar als je per land kijkt naar het aantal verkochte fietsen per inwoners, dan zijn wij de grootste fietsfanaten.

1. Nederland	1 fiets per 12,7 inwoners
2. Denemarken	1 fiets per 15 inwoners
3. Duitsland	1 fiets per 15,5 inwoners
4. Frankrijk	1 fiets per 21 inwoners
5. België/Luxemburg	1 fiets per 24 inwoners
6. Engeland	1 fiets per 25 inwoners
7. Portugal	1 fiets per 26 inwoners
8. Italië	1 fiets per 30 inwoners
9. Spanje	1 fiets per 35,5 inwoners
10. Griekenland	1 fiets per 43 inwoners

Bron: NSS marktonderzoek, raming RAI

Samenvatting

Grammatica

Het substantief: pluralis

een man	➠	twee mannen	-en
een vrouw	➠	twee vrouwen	
een inwoner	➠	veel inwoners	-s
een kaartje	➠	zes kaartjes	
een baby	➠	baby's	-'s
een foto	➠	foto's	

Er – voorlopig subject

Er is één man in de trein.
Er zijn zeven vrouwen in de trein.

Er + numerale

Hebt u ook kinderen?

– Ja, ik heb **er** drie.
– Nee, ik heb geen kinderen.

De tijd

Het is vijf uur.
Het is half zes.
Het is kwart over zes.

Adverbia

's morgens / 's ochtends
's middags
's avonds
's nachts

Zoals het klokje thuis tikt, tikt het nergens

Uitdrukkingen

Ik denk/geloof dat ...
Neemt u me niet kwalijk, mevrouw!
O, pardon/sorry!
Dat geeft niet!
Hoe laat is het?
Kom je op maandag of op dinsdag?
De trein vertrekt om kwart voor twaalf.
Het museum is van donderdag tot en met zondag geopend.

Ik sta om zes uur op!

Basiswoorden: het dagelijks leven

1 Vul in.

Kies bij elk plaatje de juiste activiteit.

....

ontbijten ◎ beginnen met je werk ◎ zich aankleden
naar bed gaan / gaan slapen ◎ douchen ◎ opstaan

2 Wat doet u eerst?

eerst	dan	daarna	tenslotte
...	...	...	...
	...	...	

3 Welke andere activiteiten horen er nog bij?

Gebruik een woordenboek, vraag het aan een medecursist of aan de docent.

zich wassen naar school/kantoor/het werk gaan lunchen
boodschappen doen ...

Aandacht voor: over je dagindeling praten

4 Dialoog: Daar denk ik heel anders over 15

…

Loes: Nou, ik sta iedere dag om zes uur op.
Maar in de vakantie wil ik lekker uitslapen!

Riet: Ben je gek?! Je kunt toch niet de hele dag in bed blijven liggen!

Loes: Jawel!

Riet: Juist in de vakantie kan je zo veel doen!

Loes: Ik heb altijd veel te doen.

Riet: Ja, maar ik bedoel leuke dingen doen.

Loes: Ja, lekker om een uur of tien opstaan, op het terras ontbijten, douchen en me dan op mijn gemak aankleden – en daarna nog gezellig een kopje koffie drinken. Dat vind ik nou leuk!

Riet: Oh nee hoor! Wij gaan al om een uur of negen op stap: naar de stad, over de markt lopen, boodschappen doen of winkelen …

Loes: Hou maar op; ik word al moe als ik het hoor!

Riet: En wat doen jullie 's middags?

Loes: Gewoon niks. Lekker luieren, krantje lezen en overleggen waar we 's avonds gaan eten.

Riet: Nou, volgens mij kunnen wij beter niet samen op vakantie gaan!

Loes: Ja, zeg dat wel!

> Let op!
> ik sta op (opstaan)
> ik kleed me aan
> (zich aankleden)

5 Spreektaal

a) Welke uitdrukkingen in deze dialoog vindt u heel informeel? Schrijf die uitdrukkingen op.

b) Loes en Riet zijn het niet altijd eens. Welke uitdrukkingen gebruiken ze?
Schrijf die uitdrukkingen op.

c) Lees de volgende uitdrukkingen. Welke uitdrukkingen in de dialoog betekenen ongeveer hetzelfde?

Ik vind van niet. · Daar ben ik het niet mee eens. · Dat vind ik wel.
Daar denk ik heel anders over.

Een stapje verder

6 Zo ziet mijn dag eruit. 16

Ruth

Nou, ik sta om half zeven op en dan ga ik douchen. Ik kleed me aan en maak het ontbijt klaar voor mijn man en de kinderen. Zelf drink ik alleen een kopje thee. Om acht uur ga ik naar kantoor. Ik begin om half negen. Om tien uur drink ik samen met mijn collega's koffie.
Meestal werk ik tot twaalf uur. Daarna ga ik naar huis, ik eet iets en dan begin ik aan het huishouden. De kinderen komen om een uur of drie naar huis. We eten altijd om kwart over zes. Na de afwas kijken we soms tv en we gaan ook wel eens uit. Ik ga meestal om een uur of elf naar bed.

7 Waar of niet waar?

a) Schrijf drie zinnen op over Ruth (waar of niet waar).
b) Maak tweetallen. Geef de zinnen aan uw partner. Welke zinnen zijn waar en welke zijn niet waar?

Let op!
hij/zij staat op
hij/zij kleedt zich aan

Ruth staat om … op.
– Dat klopt/is waar. / Dat klopt niet/is niet waar.
Ze gaat meestal om … naar kantoor.
…

8 Frequentie

Zet de woorden in volgorde: van frequent naar niet frequent.

soms nooit altijd vaak af en toe meestal

9 Luisteren 17

Luister naar de tekst. Hoe laat doet Mieke dat meestal?

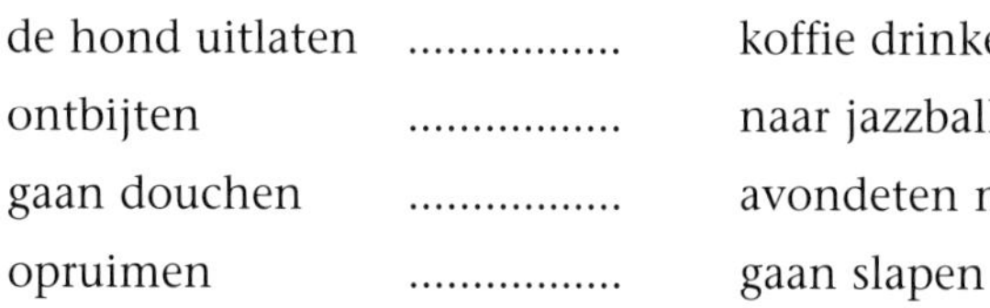

opstaan	6.45	boodschappen doen	....
de hond uitlaten	....	koffie drinken	....
ontbijten	....	naar jazzballet gaan	....
gaan douchen	....	avondeten maken	....
opruimen	....	gaan slapen	....

Mieke

Vertel nu hoe laat Mieke wat doet.

Mieke staat meestal om kwart voor zeven op.

10 En u?

Vraag nu aan een medecursist hoe zijn/haar dag eruit ziet.

Hoe laat staat u/sta je op?
– Ik sta meestal om … uur op.
En dan?

Extra: het ontbijt

11 Wat is dit?

Kijk naar het plaatje. Zet de volgende woorden op de juiste plaats.

melk · ham · boter · koffie · yoghurt · jam · het ei · hagelslag
suiker · honing · het fruit · thee · ontbijtkoek · pindakaas
muesli ✔ boterham · kaas · het sinaasappelsap · broodjes

12 Luisteren 18

a) Luister en vul in. Wat eten en drinken Tom en Janneke door de week? En in het weekend?

	Tom	Janneke
door de week		
in het weekend		

b) Maak tweetallen. Cursist A vertelt wat Tom eet en drinkt, cursist B vertelt wat Janneke eet en drinkt. Controleer elkaar.

Door de week eet/drinkt Tom meestal …
Maar in het weekend eet hij …

13 En u?

a) Noteer: Wat eet en drinkt u bij het ontbijt?
b) Maak tweetallen. Vraag uw partner wat hij/zij eet en drinkt bij het ontbijt. Noteer het antwoord.

Wat eet/drinkt u/jij bij het ontbijt?
– Ik eet altijd/nooit … / Soms/af en toe/vaak/meestal eet ik …
En in het weekend?
– Dan eet ik …

14 Vertel het aan de klas.

Anna eet meestal …, maar nooit …

Koffie

Voor Nederlanders is koffie heel belangrijk. Als u bij een Nederlander op bezoek gaat, dan krijgt u vaak meteen een kopje koffie of thee. Dat betekent niet dat u snel weer weg moet, maar juist dat u van harte welkom bent.

U krijgt bij ieder kopje één koekje en daarna gaat de koektrommel dicht. Nederlanders vinden dat helemaal niet onhartelijk van zichzelf.

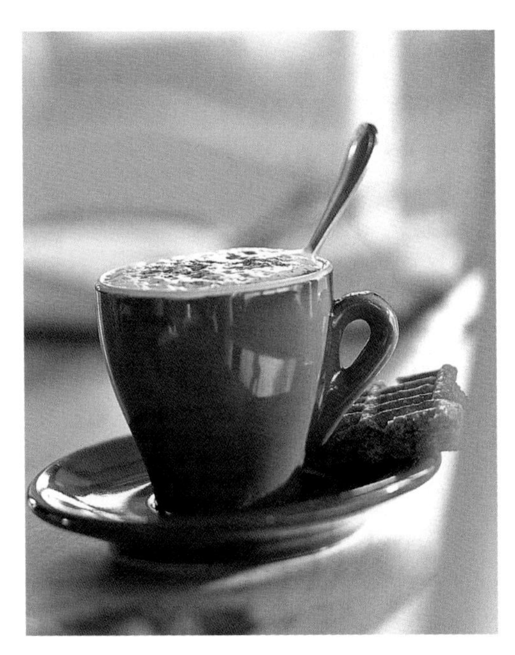

Meestal krijgt u na uw eerste kopje nog een tweede kopje, ook weer met één koekje.

Als u geen koffie meer wilt, dan kunt u dat gewoon zeggen ('Nee, dank u, straks misschien').

Als Nederlanders iets met elkaar willen bespreken, zeggen ze bijvoorbeeld: 'Zullen we even een kopje koffie drinken?' Dat zeggen ze vaak ook als ze thee nemen.

uit Doe maar gewoon *door Hans Kaldenbach*

Samenvatting

Grammatica

Separabele verba

opstaan:	Ik **sta op**.
	Hij / Ze/Zij **staat op**.

Het pronomen reflexivum

zich wassen:	Ik was **me**.
	Hij / Ze/Zij wast **zich**.

Modaal hulpwerkwoord

	willen
singularis	
1 ik	wil
2 je/jij	wil(t)
	wil je?
u	wilt
3 hij	wil
ze/zij	wil
het	wil
pluralis	
1 we/wij	willen
2 jullie	willen
u	wilt
3 ze/zij	willen

Les 5

Adverbia

Ik kijk 's avonds **nooit/soms/af en toe/vaak/meestal/altijd** tv.

Er + prepositie

Hoe ziet haar dag **eruit**?

Uitdrukkingen

Informeel	**Formeel**
Ben je gek?	Ik vind van niet.
Jawel!	Dat vind ik wel.
Nee hoor!	Daar ben ik het niet mee eens.
Hou maar op!	Daar denk ik heel anders over.
Zeg dat wel!	Daar ben ik het (helemaal) mee eens.

Hoe ziet uw/je dag eruit?
Ik ga om een uur of elf naar bed.
Ik word al moe als ik het hoor!
We gaan ook wel eens uit.
Wat eet u/je door de week/in het weekend?

Wat heb je gisteren gedaan?

Basiswoorden: gezegd, gegaan, ...

1 Wat hoort bij elkaar?

Kies bij elk plaatje de juiste tekst.

1. Je hebt toch 'zit' gezegd!
2. Hij heeft naar een Nederlandse specialiteit gevraagd. – Gekke toeristen!
3. Ben je met de fiets gekomen? – Ja, hoezo?
4. Hij is om acht uur, kwart over negen, tien uur en half elf naar bed gegaan.

2 Vul in.

Zoek in de tekst de vormen van het perfectum. Welke infinitief hoort erbij?

infinitief	perfectum
zeggen	hebt gezegd

Aandacht voor: over vandaag en gisteren spreken

Heb je ook wel eens zo'n dag gehad?

1
Vandaag ben ik niet op tijd opgestaan,
Waarom ben ik ook zo laat naar bed gegaan?

2
Vlug mijn kleren aangetrokken.
Nellie, waar zijn m'n sokken!

3
Heb je tenminste al koffie gezet?
Mijn hemel, ik wil terug naar m'n bed.

4
Nee, ik heb nog niets gegeten.
Ja, ik ben de hond vergeten.

5
Toen een kwartier naar m'n sleutels gezocht.
Waarom heb ik er nooit één als reserve gekocht?

6
Op het natte tuinpad uitgegleden.
Jan! Je bus is net weggereden!

7
Dus heb ik toen maar de fiets genomen,
Maar ben toch tien minuten te laat gekomen.

8
U wilt weten of dat alles is geweest?
Nee hoor, een lekke band, wat een feest!

9
Goed, zoiets is vlug gerepareerd,
Maar dat heb ik nooit perfect geleerd.

10
Een collega heeft me toen een lift gegeven.
Ach, waarom ben ik niet gewoon in bed gebleven!

Wat hoort bij elkaar?

Tekening **A** *hoort bij strofe ...*

Les 6

Aandacht voor: over vandaag en gisteren spreken

5 Het perfectum.

a) Zoek in het gedicht het participium van de volgende verba.

eten	gegeten	nemen	
geven		repareren	
kopen		zetten	
leren		zoeken	

b) Welk hulpwerkwoord staat bij deze participia?

6 Zoek in het gedicht ...

a) Er staan nog meer participia in het gedicht.
Kunt u die vinden?

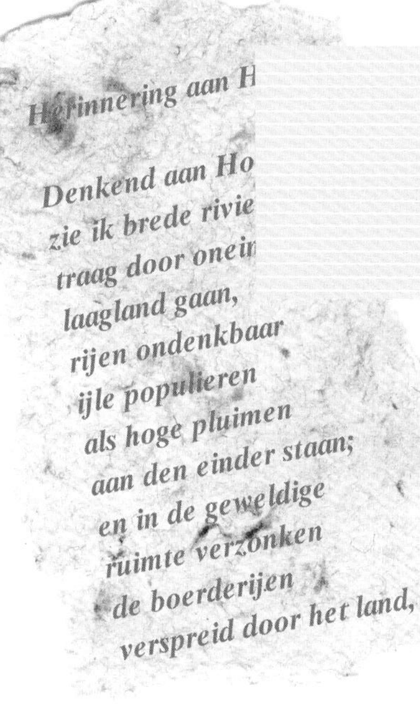
Herinnering aan H
Denkend aan Ho
zie ik brede rivie
traag door onei
laagland gaan,
rijen ondenkbaar
ijle populieren
als hoge pluimen
aan den einder staan;
en in de geweldige
ruimte verzonken
de boerderijen
verspreid door het land,

b) Welk hulpwerkwoord staat bij deze participia?

gisteren
eergisteren
het afgelopen weekend
twee weken geleden
vorige week/vorig jaar

A-Z

7 Welke andere verba zijn voor u nog belangrijk?

Een stapje verder

8 Luisteren  20

a) Wat is Tineke vergeten?

MAANDAG 12-5-00

09.00	het huis opruimen
10.00	boodschappen doen
11.00	
12.00	lunchen met de kinderen
13.00	
14.00	uurtje slapen
15.00	
16.00	naar de speeltuin met Tonnie
17.00	
18.00	eten koken
19.00	Janneke opbellen!
20.00	naar de bioscoop met Hans

b) Vertel nu wat Tineke maandag heeft gedaan. ➔ *Om negen uur heeft ze het huis opgeruimd.*
…

Les 6

9 En u?

a) Schrijf op wat u gisteren hebt gedaan.

b) Maak tweetallen. Vraag uw partner wat hij/zij gisteren heeft gedaan. Wissel van rol.

➔ *Wat hebt u/heb je gisteren gedaan?*
– Nou, ik …

gisteren

09.00	
10.00	
11.00	
12.00	
13.00	
14.00	
15.00	
16.00	
17.00	
18.00	
19.00	
20.00	

Een stapje verder

10 Vraag het aan een medecursist.

a) Geef antwoord op de vragen. Noteer uw antwoorden.
b) Maak tweetallen. Stel de vragen aan uw partner. Noteer zijn/haar antwoorden.

Bent u/Ben je vandaag/in het weekend ...	ik	medecursist
te laat gekomen?		
op tijd opgestaan?		
met vrienden op stap geweest?		
naar de les gefietst?		
Hebt u/heb je vandaag ...		
de krant gelezen?		
iets vergeten?		
iets gekocht?		
iemand ontmoet?		

➲ *Bent u/ben je op tijd opgestaan?*
– Ja, ik ben om ... opgestaan. /
– Nee, ik ...

11 Vertel het aan de klas.

➲ *Ik ben vandaag op tijd opgestaan maar Brigitte niet.*

12 Wie verzint het beste smoesje?

Waarom ben je gisteren niet naar de les gekomen?

Extra: ik vertel over mijn leven

13 Wat hoort bij elkaar?

Kies bij elke foto de juiste zin.

1

2

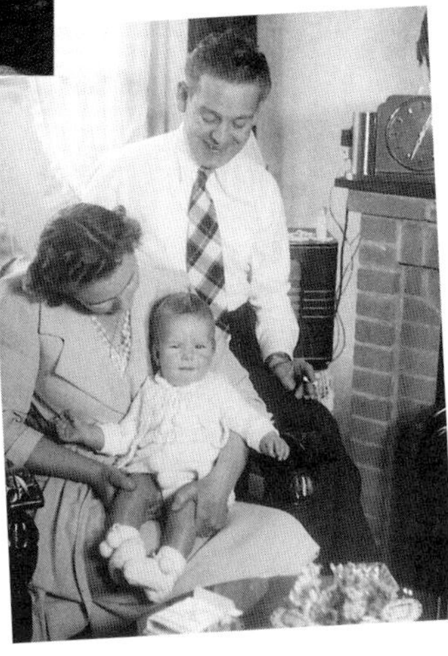

3

Ik ben geboren in 1952.
Van 1958 tot 1973 heb ik op verschillende scholen gezeten.
In 1970 heb ik mijn eindexamen gedaan.
Mijn man heb ik in 1971 ontmoet.
Wij zijn getrouwd in 1974.
Onze oudste zoon is in 1979 geboren.
We zijn in 1983 naar een klein dorp verhuisd.
Onze tweede zoon is in 1986 geboren.
Tot 1989 ben ik thuis bij de kinderen gebleven.
In 1989 heb ik een nieuwe baan gekregen.
Wij hebben in 1995 ons huis verbouwd.
En in 1999 zijn we 25 jaar getrouwd!

5

4

14 En u?

Schrijf ongeveer vijf zinnen over uzelf op een blaadje (zonder uw naam te noemen). Geef uw blaadje aan de docent. Iedere cursist krijgt een blaadje van een andere cursist. Lees voor wat erop staat. De anderen moeten raden over wie het gaat.

De verjaardagskalender

Veel Nederlanders hebben een verjaardagskalender in hun huis. Meestal hangt die aan de binnenkant van de wc-deur. Op die kalender staan de verjaardagen van familie en vrienden. U hoort er echt bij als u op deze kalender staat.
Als er een verjaardag is, dan wordt het hele gezin gefeliciteerd met de verjaardag van zoon of dochter, dus niet alleen de jarige. Alleen de jarige krijgt een cadeau.

uit Doe maar gewoon
door Hans Kaldenbach

Samenvatting

Grammatica

Het perfectum

met hebben

ik	heb	
je/jij	hebt	
hij / ze/zij	heeft	
het		
u	hebt/heeft	gehad / geslapen / ontmoet
we/wij		
jullie	hebben	
ze/zij		

met zijn

ik	ben	
je/jij	bent	
hij / ze/zij	is	
het		
u	bent	geweest / opgestaan
we/wij		
jullie	zijn	
ze/zij		

Les 6

Adverbia

gisteren
gisteravond
eergisteren
het afgelopen weekend
twee weken geleden
vorige week/vorig jaar

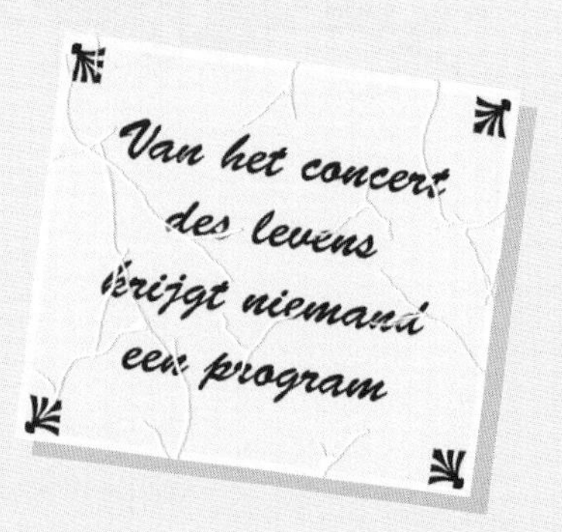

Uitdrukkingen

Ik ben iets vergeten.
Ik heb iemand ontmoet.

Ik ben bij ... op de koffie geweest.

Ik ben in 19... geboren.
Ik heb mijn examen in ... gedaan.
Mijn man/vrouw heb ik in ... ontmoet.

En wat voor werk doe jij?

Basiswoorden: beroepen

1 Kunt u deze mensen vinden?

de dokter	de lerares	de opticien
de politieagent	de groenteboer	de dominee
de tuinman	de secretaresse	de orgelman
de kapper	de verkoopster	de fietsmonteur

➔ *Nummer drie is de dokter.*

Basiswoorden: beroepen

Vul in.

Hij is ...	Zij is ...
(politie)agent	(politie)agente
assistent	....
....	docente
leraar	lerares
tekenaar	....
apotheker	apothekeres
verkoper	verkoopster
groepsleider	....
kapper	kapster
....	verpleegster
boekhouder	....
chauffeur	chauffeuse
dominee	domina
(secretaris)	secretaresse
groenteboer	(groenteboer)
monteur	monteur
opticien	....
....	dokter/arts
bakker	....
....	ambtenaar

Of: Hij/Zij is werkloos.
Hij/Zij is werkzoekend.

Luisteren 21

Wat zijn hun beroepen?

1. Hij is ....
2. Zij is ....
3. Hij is ....
4. Zij is ....
5. Hij is ....
6. Zij is ....
7. Hij is ....
8. Zij is ....
9. Hij is ....

Aandacht voor: over je werk praten

4 Dialoog: Op een feestje. 22

Ruud: Dit zijn Paco en Luisa, Spaanse vrienden van mij.
Marijke: O, wat leuk. Waar komen jullie vandaan?
Luisa: Uit Zaragoza.
Marijke: Zijn jullie voor het eerst in Nederland?
Paco: Nee hoor. Ik ben vaak op Schiphol.
Ruud: Paco werkt namelijk bij de KLM.
Marijke: O ja? Werk je aan boord?
Paco: Nee, ik werk meestal buiten, ik ben monteur.
Marijke: En bevalt het jullie hier in Nederland?
Luisa: Ja hoor. Alleen het weer hè...!
Marijke: Ik heb net het nieuws gehoord: morgen wordt het beter, zeggen ze.
Luisa: Goed, we blijven optimistisch!
Marijke: En jij Luisa, jij bent zeker ook niet voor de eerste keer in Nederland?
Luisa: Nee, ik heb in Nederland gestudeerd.
Marijke: Daarom spreek je zo goed Nederlands!
Luisa: Nou, dat valt wel mee.
Marijke: En wat doe jij, werk je ook bij de KLM?
Luisa: Nee, ik ben verpleegster, maar we hebben twee kleine kinderen.
Dus momenteel ben ik huisvrouw!
...

5 Wat denkt u: hoe gaat het gesprek verder?

a) Marijke: Nou, dan kan je de hele dag doen wat je wilt!
Luisa: Ja, maar zeg het niet te hard. Mijn man denkt dat ik veel te doen heb!

b) Marijke: Dan heb je je handen vol!
Luisa: Ja, zeg dat wel!

c) Marijke: Wil je later als de kinderen groter zijn weer gaan werken?
Luisa: Ja, over een jaar of twee zoek ik een parttime baan.

Een stapje verder

6 Waar werken de mensen van pagina 58?

op kantoor · op school · in een ziekenhuis · buiten · in een fabriek · in een winkel/warenhuis · in een restaurant · thuis · bij een bedrijf

De dokter werkt in het ziekenhuis.
De politieagente werkt ...

7 Weet u dat misschien?

Maak tweetallen.

Cursist A: U kijkt op deze pagina.
Cursist B: U kijkt op pagina 176.

	beroep	waar	hoe lang?
Jan-Willem			7 jaar
Mariska		in een supermarkt	
mevrouw De Wit	verpleegster	in een ziekenhuis	
Hendrik	leraar	werkloos	
meneer Heeskens	opticien		17 jaar
Rieke			3 jaar
uw partner			

Wat voor werk doet Jan-Willem?
– Hij is ...

En waar werkt hij?
– ...

Hoe lang werkt hij daar?
– Hij werkt daar nu (al) ... jaar.

8 En wat doen uw medecursisten?

a) Geef antwoord op de vragen.

1. Wat voor werk doet u/Wat studeert u?
2. Waar werkt/studeert u?
3. Hoe lang werkt/studeert u daar al?
4. Vindt u uw werk/studie leuk?

b) Stel de vragen aan drie medecursisten. Noteer de antwoorden.

c) Vertel nu aan de klas wat uw medecursisten doen.

Brigitte is huisvrouw. Ze werkt al ... jaar thuis.

Een stapje verder

9 Wie doet wat?

een huisman | een buschauffeur | een politieagent | een secretaresse | een dominee

spreekt met mensen · geeft bekeuringen · telefoneert · schrijft/beantwoordt brieven · leest · stofzuigt · verkoopt kaartjes · geeft raad · kookt · doet boodschappen · rijdt · snijdt brood · zet koffie · doet het huishouden · staat in de file · helpt met huiswerk

10 Luisteren 23

Een secretaresse vertelt aan een nieuwe collega wat ze allemaal doet. Kruis aan wat ze **niet** doet.

schrijft brieven	maakt schoon	doet boodschappen
heeft koffiepauze	telefoneert	helpt een collega
spreekt met mensen	leest	staat in de file

11 En u?

a) Wat doet u op uw werk? Schrijf op.

b) Maak tweetallen. Vraag uw partner wat hij/zij doet op zijn/haar werk.

Wat doet u/doe je allemaal op uw/je werk?
– Ik spreek met mensen en beantwoord brieven en …

c) Vertel nu aan de klas wat uw partner precies op zijn/haar werk doet.

Anna kookt, maakt schoon en helpt haar kinderen.

Extra: personeelsadvertenties

12 Wat hoort bij elkaar?

Woorden die je vaak in personeelsadvertenties tegenkomt.

functie	• informatie over de baan of de sollicitatiewijze
taken	• hoe je moet solliciteren (schriftelijk of persoonlijk b.v.) en tot wanneer
functie-eisen	• werkuren per week, salaris, pensioenregeling, aantal vakantiedagen enz.
salaris	• het werk dat je moet doen
arbeidsvoorwaarden	• dat wat men van de sollicitant verwacht, b.v. opleiding, ervaring enz.
inlichtingen	• het geld dat je regelmatig voor het werk krijgt
sollicitatiewijze	• dat wat het werk inhoudt, soms 'functieomschrijving' genoemd

13 Vul in.

Lees de personeelsadvertenties en vul de informatie in.

①

Voor het Ziekenhuis ten Bos in Amstelveen zoeken wij

VERPLEEGKUNDIGE (m/v)
(32-36 uur per week)

Gevraagd Diploma A-verpleegkundige of HBO-V, met opleiding brede basis. De verpleegafdeling bestaat uit 40 bedden. Er werkt een enthousiast team. U helpt bij het onderzoek en de behandeling van patiënten en verricht ook administratieve taken.

Geboden Een collegiale werksfeer, honorering afhankelijk van ervaring, volgens FWG 45/50, tot maximaal € 2.350,- bruto per maand bij een 36-urige werkweek. Arbeidsvoorwaarden volgens de CAO-ziekenhuiswezen.

Schriftelijke sollicitaties binnen 10 dagen richten aan
Ziekenhuis Ten Bos
Postbus 912, 5723 OP Amstelveen.
Meer informatie bij Helen den Uyl,
telefoon (090) 234 83 00.

②

Je eigen baas.
25° in de schaduw en wij noemen het werk!

Wil jij een zomer lekker in het buitenland zijn, veel mensen leren kennen en je talen verbeteren? Solliciteer dan naar onderstaande functie.

Kinderanimator (m/v)

Wij verwachten een enthousiaste, flexibele en servicegerichte instelling. Verder spreek je goed Engels en één van de volgende talen: Frans, Duits of Italiaans. Uiteraard bieden wij vooraf een uitgebreide training. Wij bieden: € 545 netto per maand, accommodatie, verzekering, volledige reiskostenvergoeding. Ben je tussen 18 en 88 jaar en beschikbaar in de periode van april tot oktober?

Schrijf of bel dan voor een uitgebreide functieomschrijving en een sollicitatieformulier naar

Fun Holidays, t.a.v. Nicole van Hoorn
Postbus 443, 9932 LF Meppel
telefoon (075) 994 25 50.

	①	②
functie		
taken		
functie-eisen		
salaris		
arbeidsvoorwaarden		
inlichtingen		
sollicitatiewijze		

Nederland – *ander*land

Wim van der Meij

Wim van der Meij (1949) is beeldend kunstenaar, om precies te zijn: etser.
Het onderwerp van bijna al zijn etsen is het Nederlandse landschap met zijn polders, steden, rivieren, bomen en schepen.
Zijn etsen zijn tot in de kleinste details uitgewerkt en geven door compositie en standpunt een interessant beeld van de typische landschappen.
Wim van der Meij is geboren en opgegroeid in de Bollenstreek (Zuid-Holland). Hij is in 1977 met zijn opleiding begonnen en heeft cursussen aan de Vrije Academie en een avondcursus aan de Koninklijke Academie in Den Haag gevolgd, waar hij in 1983 eindexamen heeft gedaan. Sinds 1986 is hij als zelfstandig etser werkzaam, eerst in Alphen a/d Rijn, en daarna in Zutphen. Wim van der Meij heeft geëxposeerd in o.a. Den Haag, Amsterdam, Haarlem en Alkmaar en neemt deel aan belangrijke kunstmarkten.

‘Tijdens fiets- en wandeltochten heb ik altijd een schetsboekje of een fototoestel bij de hand: op deze wijze verzamel ik „gegevens“ voor mijn etsen – een schaduw, een zonovergoten zandpad of een sloot die meent dat hij een miniatuur IJssel is. In het atelier voeg ik de karakteristieke elementen samen tot een compositie die ik interessant vind. De meeste landschappen die ik op deze manier maak, bestaan dus niet in werkelijkheid.’

Samenvatting

Grammatica

Beroepen

mannelijk	vrouwelijk
agent	agente
leraar	lerares
apotheker	apothekeres
verkoper	verkoopster
chauffeur	chauffeuse
(secretaris)	secretaresse
groenteboer	(groenteboer)

Hij werkt daar **al** zeven jaar.

Die niet werkt
zal ook niet eten

Les 7

Uitdrukkingen

En bevalt het jullie hier in Nederland?
Jammer dat het weer niet zo meewerkt!
Zijn jullie voor het eerst in Nederland?
Dat valt wel mee.
Dan heb je je handen vol! – Ja, zeg dat wel!
Over een jaar …
Wat voor werk doet u/doe je?
Ik werk bij een bedrijf/op school/op kantoor/in een fabriek/in een winkel.

Ik heb trek in patat!

Basiswoorden: eten en drinken

1 Maak groepen van de volgende woorden.

Wat past bij een café, wat bij een snackbar/patatkraam? Wat past bij allebei?

het pilsje · het glaasje fris · uitsmijter · bitterballen · frikadel · het gebak
cola · spa · koffie · soep · het ijsje · patat · fooi · tosti · thee · borrel

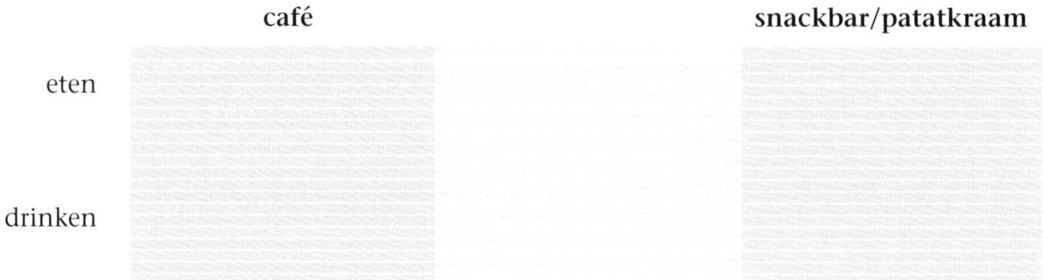

	café		snackbar/patatkraam
eten			
drinken			

Basiswoorden: eten en drinken

2 Luisteren 24

Kruis aan. Bestellen de mensen op het terras iets/niets te eten of te drinken.

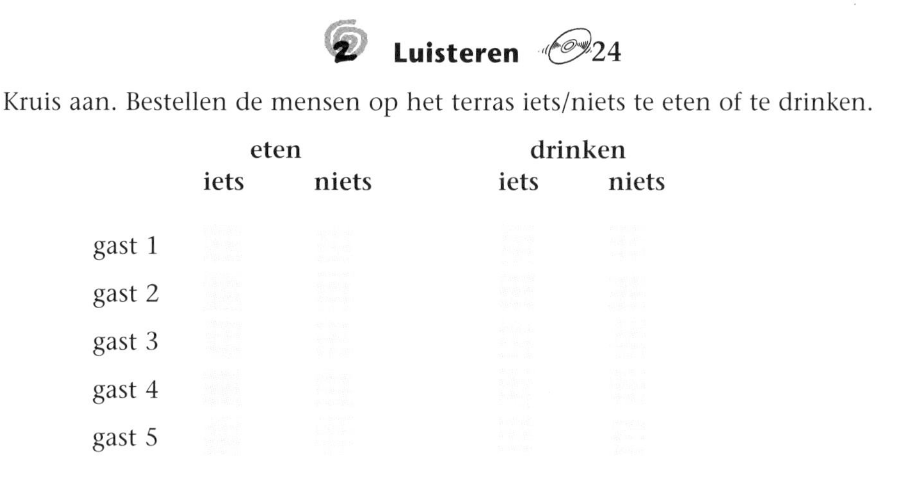

	eten		drinken	
	iets	niets	iets	niets
gast 1				
gast 2				
gast 3				
gast 4				
gast 5				

Vertel nu over alle gasten:

Gast nummer één drinkt iets maar hij eet niets.

3 En u?

Hebt u wel eens in Nederland of in België gegeten? Hebt u iets bij een snackbar/patatkraam gehaald of hebt u in een eetcafé gegeten? Vraag het ook aan uw medecursisten.

Hebt u/Heb je wel eens in Nederland of in België gegeten?
– Ja, maar pas één keer. / Ja hoor, vaak. / Nee, nog nooit.

Wat hebt u/heb je gegeten? Weet u/je dat nog?
– Ik heb … gegeten.
En wat hebt u/heb je gedronken?
– Ik heb … gedronken.

Aandacht voor: iets bestellen

Dialoog: Bij een patatkraam 25

Greetje:	Ik krijg langzamerhand trek.
Jaap:	Zullen we ergens gaan zitten?
Greetje:	Nou, dat hoeft voor mij niet. Ik heb trek in patat.
Jaap:	Ik ook wel. Kijk eens, daar op de hoek is een patatkraam.
	...
verkoper:	Meneer?
Jaap:	Twee patat graag, één met mayonaise en één met pindasaus.
verkoper:	Groot, middel of klein?
Jaap:	Wat wil jij, Greetje?
Greetje:	O, dat maakt niet uit; doe maar middel.
Jaap:	Oké, één middel dan met mayonaise en voor mij een grote portie met pindasaus.
verkoper:	Anders nog iets?
Jaap:	Nee, verder niets.
verkoper:	Dat is dan 3,20.
Jaap:	Alstublieft.
verkoper:	Vijf en vijf is tien – en bedankt hoor!
Jaap:	Dag!

Patat	**klein**	**middel**	**groot**
Zonder	0.90	1.25	1.60
Mayonaise, ketchup, curry	0.10		
Pindasaus	0.25		
Shoarma			
Broodje shoarma	3.40		
Broodje shoarma + kaas	3.75		
Broodje kip	3.90		
Diverse uitsmijters	3.20		
Snacks			
Frikandel	0.70		
Braadworst	1.50		
Bal gehakt	1.50		
Bamihap, nasihap	1.13		
Diverse frisdranken	1.02 blik		
Koffie	1.02		
Thee	1.02		
Melk	0.90		
Milkshakes	**klein**	**middel**	**groot**
vanille, banaan, chocolade frambozen, mango	1.36	1.82	2.27

Aandacht voor: iets bestellen

Dialoog: In een café 26

Pieter: Heb je ook zin in een kopje koffie?
Ellen: O ja, goed idee.
Pieter: Om de hoek heb ik een gezellig café gezien.
Ellen: Ja, dat ken ik. Daar ben ik vorige week nog geweest.

...

ober: Mevrouw, meneer, zegt u het maar ...
Ellen: Twee kopjes koffie graag.
Pieter: Wat heeft u voor gebak?
ober: Vandaag hebben we appelgebak en boterkoek.
Pieter: Geeft u mij maar een stukje appelgebak – en een spa, alstublieft.
ober: U ook nog iets erbij, mevrouw?
Ellen: Ik neem ook appelgebak.

...

Pieter: Kunnen we afrekenen?
ober: Ja, ik kom zo.

...

ober: Zo, twee appelgebak en twee koffie: dat wordt dan zes vijftig bij elkaar, alstublieft.
Pieter: En mijn spa nog!
ober: O ja, die ben ik vergeten. Dat wordt dan zeven vijfenzeventig, alstublieft.
Pieter: Alstublieft. Doet u maar acht.
ober: Dank u wel en een prettige dag nog!
Pieter: Dank u wel. Tot ziens!

AFTERNOON TEA 12.00
15.00 uur – 18.00 uur complet

thee naar keuze
- sandwiches
- taarten
- chocolade
- scones, jam & cream

SOEPEN

tomatensoep met basilicum	2.72
Chinese bamisoep	4.54
boerensoep	2.72

KOUD

salade met geitenkaas	5.22
salade met avocado	4.08

BROODJES

tartaar	2.27
rosbief	2.50
oude kaas	2.27
gekookte ham	2.38
paté	2.50

GEBAK

taartpunten vanaf 2.00

U kunt ook een kijkje nemen in de gebakvitrine!

KOFFIE/THEE/WATER

koffie	1.25
cappuccino	1.36
koffie verkeerd	1.25
thee	1.13
mineraalwater met en zonder prik	1.25
appelsap	1.25

TAPBIER

Heineken pils	1.25
De Koninck	2.00

WIJN

Huiswijn wit 2.00
Pinot blanc per glas
Gascogne
Huiswijn rood 2.00
Roussillon per glas

Aandacht voor: iets bestellen

6 Zet de volgende zinnen in de goede volgorde.

Het gaat om een beschrijving van dialoog 4.

- De vrouw is het ermee eens.
- Ze bedanken en zeggen gedag.
- Ze bestellen iets te eten/drinken.
- Twee mensen lopen op straat.
- Ze willen betalen.
- Ze gaan iets eten/drinken.
- De man doet een voorstel.
- De verkoper vraagt of ze nog iets willen.

7 Soms zeg je het anders ...

Welke bestelling is informeel, welke formeel? Kunt u zeggen waarom? Schrijf op. Welke woorden, uitdrukkingen en zinnen uit de dialogen zijn formeel en welke zijn informeel.

formeel	informeel

8 Vul in.

Welk woord hoort erbij?

snackbar · café · terras · ijsje · pilsje · gebak

1.	koud	zomer	zoet	....
2.	biljarten	vrienden ontmoeten	borreltje drinken	....
3.	dorst	bitter	glas	....
4.	vlug iets eten	vette vingers	niet zo duur	....
5.	zoet	fruit	slagroom	....
6.	mensen zien	in het zonnetje zitten	iets drinken	....

Een stapje verder

9 Wie zegt wat?

Doet u maar (voor mij) ...

Dat was het?

Ik wil graag afrekenen.

Negen euro bij elkaar.

Wilt u nog iets drinken?

Ik neem ...

Wat neem jij?

Alstublieft.

Hebt u een keuze gemaakt?

Ik kom zo bij u.

Heeft het gesmaakt?

Smakelijk eten!

Dank u wel.

Laat maar zitten.

gast

ober/serveerster

Een stapje verder: een voorstel doen

10 Wat hoort bij elkaar?

Ik ben moe.	Zal ik dan maar een voorstel doen?
Ik heb nog maar tien euro.	Zullen we ergens gaan eten?
Er is daar bijna nooit plaats.	Zal ik dan wat uit de muur halen?
Ik heb trek in Italiaans.	Zal ik iets bij „Carlo“ gaan halen?
Ik heb honger.	Zullen we ergens gaan zitten?
Ik weet niet wat ik wil.	Zullen we naar een café gaan?
Ik heb zin in een pilsje.	Zal ik opbellen en proberen een tafel te reserveren?
…	…

11 Zoek in de dialoog …

Met *'zal/zullen'* kan je een voorstel doen. Er zijn ook andere manieren om een voorstel te doen. Zoek ze in de dialogen op pagina 68 en 69.

12 Rollenspel

Eén cursist heeft een patatkraam, een tweede is ober in een café. De andere cursisten willen een hapje eten en wat drinken! Gebruik het bord op pagina 68 of de kaart op pagina 69. Smakelijk eten!

Extra: geld

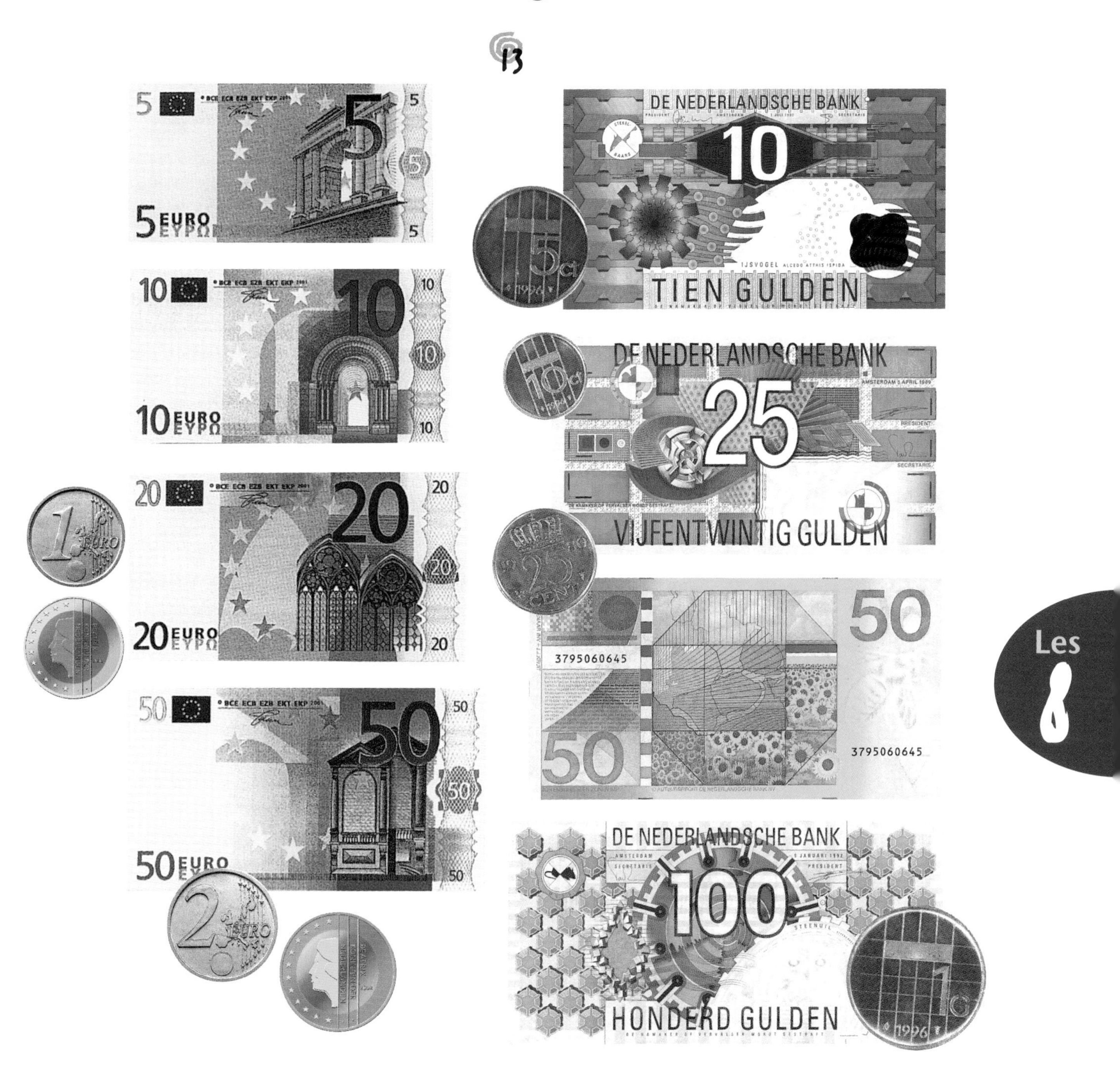

Binnenkort wordt ook in Nederland de Euro het nieuwe betaalmiddel. Tot die tijd is de eenheid van het Nederlandse geld de gulden (fl. of f). Er zijn munten van vijf cent (een stuiver), van tien cent (een dubbeltje), vijfentwintig cent (een kwartje), één gulden (een 'piek'), twee gulden vijftig (een rijksdaalder of 'riks') en vijf gulden. Munten worden bij de Nederlandse Munt in Utrecht geslagen. Op iedere munt staat de afbeelding van de Koningin. Naast munten bestaan er bankbiljetten van tien, vijfentwintig, vijftig, honderd, tweehonderdvijftig en duizend gulden. De Nederlandse bankbiljetten zijn goed van elkaar te onderscheiden doordat elk biljet zijn eigen kleur heeft. Blinden kunnen de biljetten uit elkaar houden door verschil in grootte en voelbare herkenningstekens.

Vlaanderen – *ander*land

Land van fijnproevers

Vaak zie je in Nederland patatkramen met het opschrift 'Vlaamse friet', maar Vlaanderen heeft natuurlijk heel wat meer te bieden wat eten betreft. Vlamingen genieten van een rijke tafel en een lekker glas bier of wijn. Er bestaan bijvoorbeeld ongeveer 450 soorten Belgisch bier. Maar dat kunnen er ook nog meer zijn. Het is namelijk traditie dat voor belangrijke gebeurtenissen zoals een huwelijk een nieuw of speciaal bier wordt gebrouwen.
Als centrum van de wereldhandel heeft Vlaanderen al vroeg kennis gemaakt met allerlei exotische producten. Al in de 16de eeuw hebben kooplieden aardappelen, tomaten, chocolade en allerlei kruiden en specerijen in het land gebracht. Bovendien heeft Vlaanderen een rijke groentetraditie. Groenten als asperges, spruitjes, witloof, doperwten, kropsla of worteltjes zijn hier ontwikkeld of verfijnd.

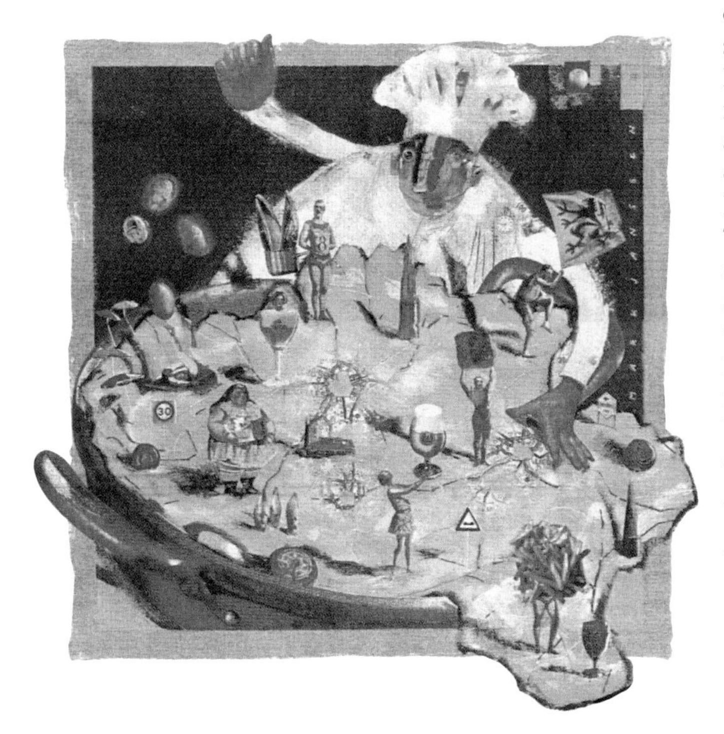

Tot voor kort was ook in Vlaanderen de Franse keuken dominant. Nu zetten steeds meer toprestaurants typisch Vlaamse gerechten op de kaart: tomaat met garnalen, konijn met pruimen, stoverij of hutspot. Vaak krijg je er frieten bij – en dat is echt heel wat anders dan in heet vet gebakken stukjes aardappel.
Kwaliteit, service en goede smaak vindt de Vlaming belangrijk, niet alleen in het restaurant maar ook bij de slager of de bakker. Op zondag staat hij graag in de rij om bij zijn favoriete banketbakker croissants, broodjes, taartjes en gebak te kunnen kiezen. Het aanbod van de meeste patisserieën is groot, en ook dat is vaak sterk regionaal gekleurd: een Antwerpse bakker heeft een ander assortiment dan zijn Brugse collega.

'Wij Nederlanders hebben altijd vanuit een calvinistisch standpunt gegeten. ... Maar de Belgen zijn katholiek.'

'Als het om lekker eten gaat hebben de Belgen altijd met de rug naar Nederland en met het gezicht naar Frankrijk gestaan.'

Naar publicaties van het Ministerie van de Vlaamse Gemeenschap en de Europese Commissie
Citaten: Jo Wijnen, 'Het goede leven in België', Dagblad de Limburger

Samenvatting

Grammatica

Diminutieven

de pils	het pilsje	+ **je**
het glas	het glaasje	
de borrel	het borreltje	+ **tje**
het café	het cafeetje	
de fooi	het fooitje	

Zullen we ergens **gaan zitten**?

Wil je nog **iets**? Nee, ik wil **niets**.

Hulpwerkwoord

	zullen
singularis	
1 ik	zal
2 je/jij	zal/zult
	zal je?/zul je?
u	zult/zal
3 hij	zal
ze/zij	zal
het	zal
pluralis	
1 we/wij	zullen
2 jullie	zullen
u	zult/zal
3 ze/zij	zullen

Geld maakt niet gelukkig

Uitdrukkingen

Zullen we ergens gaan zitten?
Ik heb trek in patat.
Twee patat, graag.
Dat maakt niet uit.
Doet u/Doe maar (voor mij) ...
Eén patat met, alstublieft.
Kunnen we afrekenen?
Doet u maar (veertien).
Smakelijk eten.
Ze is het ermee eens.

Informeel	**Formeel**
Bedankt/Dank je wel.	Dank u wel.
Alsjeblieft.	Alstublieft.

Pardon, weet u misschien waar...?

Basiswoorden: plaatsbepalingen

1 Waar staat de toerist(e)?

op het plein ◎ in de telefooncel ◎ bij de bushalte ◎ voor de VVV
achter het standbeeld ◎ onder de brug ◎ naast het stadhuis ◎ tussen de auto's
aan de gracht ◎ tegenover de kerk

1. *Hij staat in de telefooncel.*
2. *Zij ...*
3. ....
4. ....
5. ....
6. ....
7. ....
8. ....
9. ....
10. ....

Basiswoorden: richting

2 Wat bedoelt hij?

Kies bij elk plaatje de juiste richtingaanduiding.

daar · links(af) · rechts(af) · rechtdoor · over · terug

3 Zoek de tegenstelling.

rechtsaf	ver weg
rijden	om de hoek
naar boven	aankomen
rechtdoor	linksaf
in	naar beneden
vlakbij	uit
vertrekken	naartoe
vandaan	lopen

Aandacht voor: de weg vragen

4 Dialoog: Een toerist in Delft. 27

toerist: Hallo, ik zoek de VVV.
passant: Sorry, wat zeg je?
toerist: Kun je me zeggen waar de VVV is?
passant: Oh, dat weet ik ook niet. Ik woon hier niet.
Je kunt het maar beter even
aan iemand anders vragen.
toerist: Oké, bedankt! Dag.
passant: Doei!
toerist: Pardon mevrouw, bent u hier bekend?
passant 2: Ja zeker.
toerist: Weet u misschien waar de VVV is?
passant 2: Even kijken hoor. Ja, die is hier vlakbij.
toerist: Pardon?
passant 2: Ik bedoel, nog maar een klein stukje lopen, dan bent u er al.
Wacht even, ik heb toevallig een plattegrond bij me.
toerist: Oh, dat komt goed uit!
passant 2: Kijk, we staan nu hier, in de Nieuwstraat. U loopt een klein stukje rechtdoor.
Dan de tweede straat rechts, de eerste links en dan komt u op de Markt.
Daar is de VVV – precies tegenover de Nieuwe Kerk.
toerist: Dank u wel, mevrouw!
O ja, weet u misschien ook welke bus ik moet nemen naar het station?
passant 2: Eens kijken, er zijn drie lijnen: lijn 60 en 61 en lijn 7. En de bushalte is vlak naast het stadhuis.
toerist: Fijn, dank u wel.
passant 2: Graag gedaan hoor – en nog veel plezier in Delft!
toerist: Dank u. Dag!

5 Vul in.

Kies een uitdrukking uit de dialoog.

Hoe kunt u ...?	informeel	formeel
1. iemand aanspreken		
2. de weg vragen		
3. zeggen dat u iets niet verstaat		
4. bedanken		
5. afscheid nemen		

6 Verwijzen

Naar welk(e) woord(en) in de dialoog verwijzen de onderstreepte woorden?

1. Oh, <u>dat</u> weet ik ook niet.
2. Ja, <u>die</u> is hier vlakbij.
3. Nog maar een klein stukje lopen, dan bent u <u>er</u> al.
4. Dan de tweede straat rechts, de <u>eerste</u> links en dan komt u op de markt.

Aandacht voor: de weg vragen

7 Zijn er bezienswaardigheden?

a) Geef antwoord op de vragen.
b) Stel de vragen aan drie medecursisten. Noteer de antwoorden.
c) Wat hebben de medecursisten verteld over hun stad? Vertel het aan de groep.

1. Is er bij u/jou in de stad een VVV?
2. Zijn er bij u/jou in de buurt interessante bezienswaardigheden? Welke?
3. Is het bereikbaar met de fiets, auto, bus, tram, metro of met de trein? Of kun je er het beste naartoe lopen?

➔ *Jens woont in ... en daar zijn veel bezienswaardigheden.*
Er is geen VVV, maar wel een mooie kerk.
Het is bereikbaar met de ..., maar je kunt er het beste met de ... naartoe gaan.
Je kunt er het beste naartoe lopen.

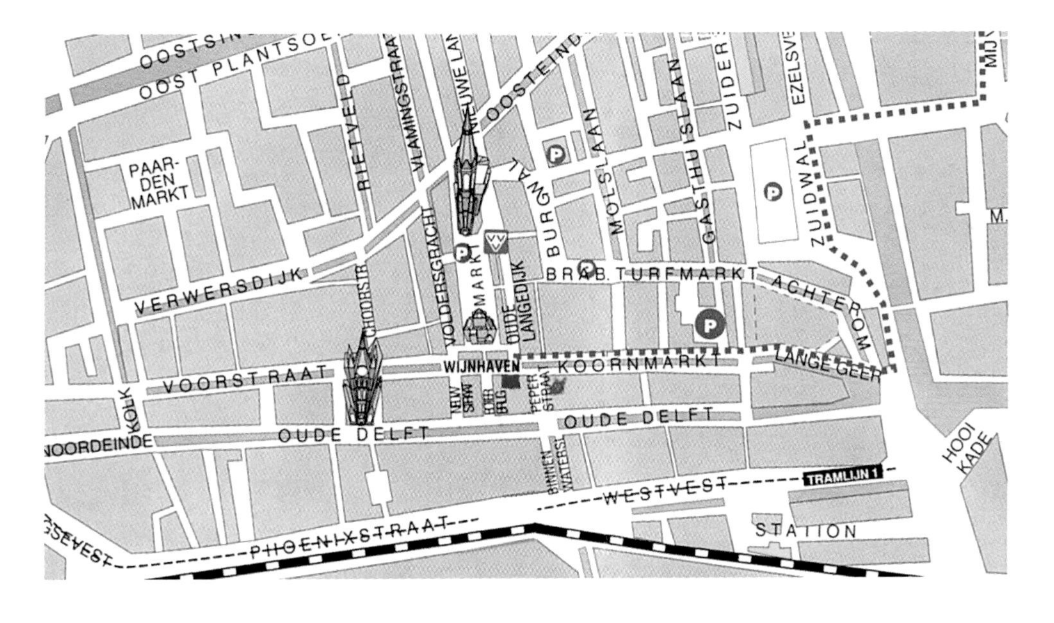

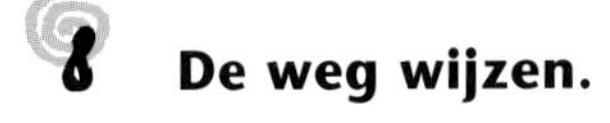

8 De weg wijzen.

Pardon, waar is de/het (dichtstbijzijnde) ...?

Die/Dat is (hier/daar)
- aan uw linkerhand/rechterhand.
- aan de linkerkant/rechterkant.
- linksaf/rechtsaf.
- rechtdoor.
- om/op de hoek.
- naast het hotel.
- tegenover de bank.
- in de Nieuwstraat.
- twee huizen verder(op).

– U gaat
- alsmaar rechtdoor.
- de volgende straat links.
- de tweede rechts.

– U komt dan
- langs een hoge flat/ziekenhuis.
- bij een kruispunt.

– U rijdt
- over de brug.
- langs het water.
- door de tunnel.

Een stapje verder

9 Weet u dat misschien?

Maak tweetallen.

Cursist A: U kijkt op deze pagina.
Cursist B: U kijkt op pagina 178.

Cursist A: U staat voor het station en zoekt:
1. het stadhuis 2. de Voorstraat 3. het museum 4. een hotel.
Uw partner weet waar dat is. Gebruik de volgende zinnen:

Pardon mevrouw/meneer, waar is ...?
weet u waar ... is?
ik zoek ...

– U gaat ... en dan ...
U komt dan bij/langs/door ...
Dan gaat u ...

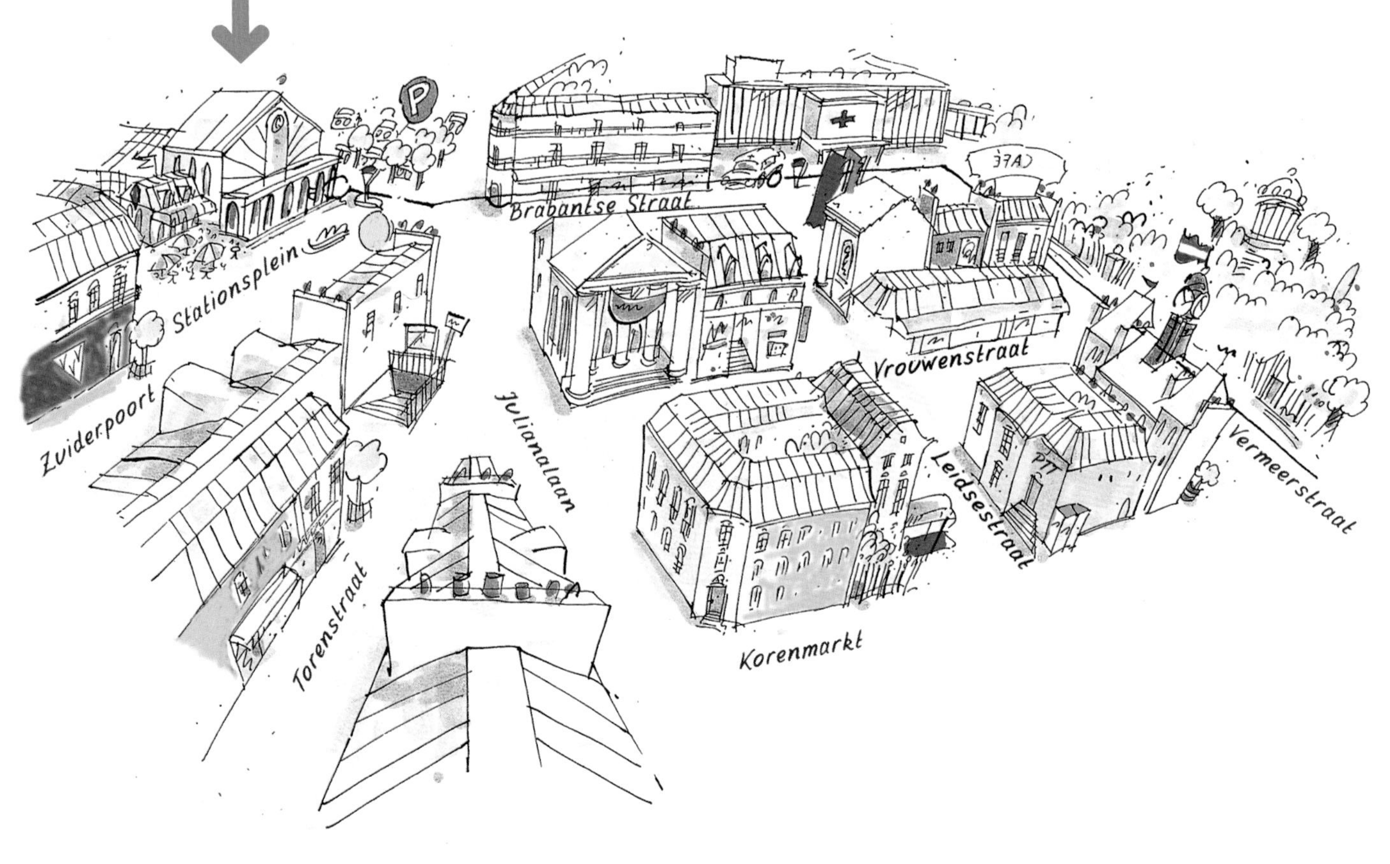

10 Luisteren 28

Een toeriste staat voor het station. Ze vraagt om inlichtingen.
Kijk naar het plaatje. Geef op het plaatje aan waar ze naartoe wil.

Waar is 1. een telefooncel? 2. het Vondelplein? 3. het politiebureau?

Extra: kleuren

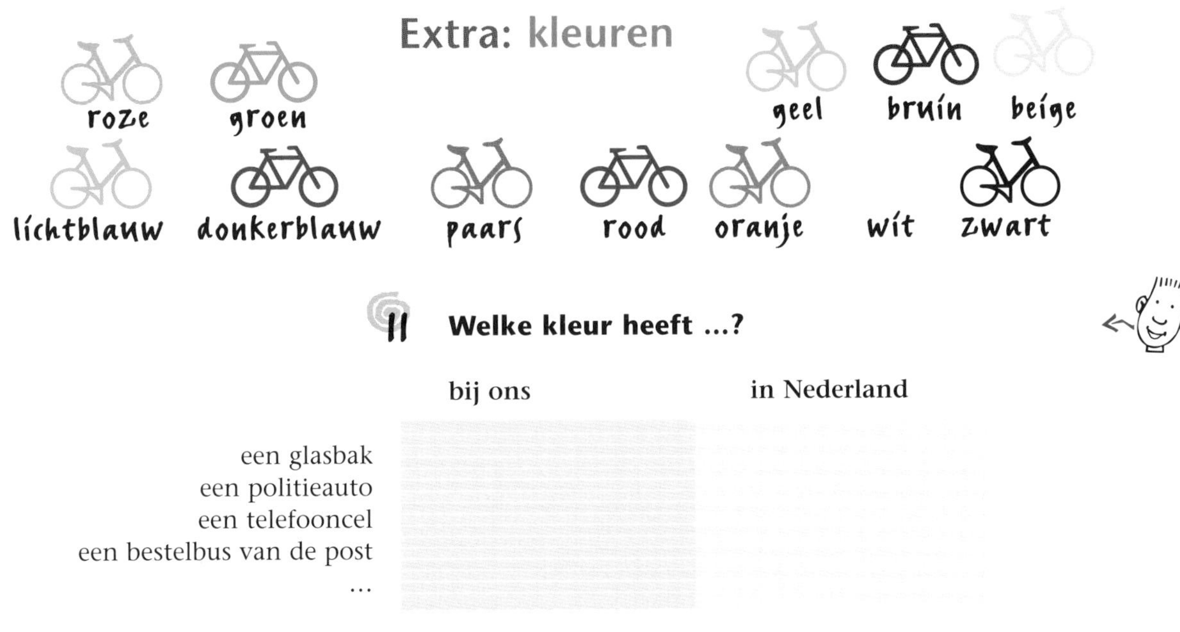

11 Welke kleur heeft ...?

	bij ons	in Nederland
een glasbak		
een politieauto		
een telefooncel		
een bestelbus van de post		
...		

➔ *Bij ons zijn de glasbakken beige en in Nederland groen.*
– Wij hebben ook groene glasbakken!

12 Waar is de fiets?

Let op!
rood → een **rode** fiets
geel → een **gele** auto

naast de geldautomaat ◦ onder de boom ◦ in de gracht ◦ achter de bank
voor het postkantoor ◦ tegen de glasbak ◦ tussen twee brommers ◦ op het trottoir

1. De groene fiets staat onder de boom.
2. De rode fiets ligt ...

13 En u?

a) Geef antwoord op de vragen.
b) Bedenk nog drie vragen.
c) Stel de vragen aan vijf medecursisten.

1. Wat is uw lievelingskleur?
2. Welke kleur heeft uw fiets?
3. Welke kleur heeft uw tas?
4. ...

Nederland – *ander*land

Toerisme in Nederland

Dat Nederland veel meer te bieden heeft dan tulpen en klompen, weten de meeste toeristen, die er ooit geweest zijn.
De grote steden hebben elk hun eigen karakter. Amsterdam trekt in eerste instantie de meeste toeristen met zijn historisch centrum, musea, grachten en prachtige huizen. Maar ook de steden Den Haag, Delft, Haarlem, Utrecht, Groningen en Maastricht hebben elk hun historische gebouwen en monumenten, musea, tradities en evenementen. (In totaal heeft Nederland met bijna 1000 musea de grootste museumdichtheid ter wereld.) Rotterdam, wereldhavenstad nummer één kenmerkt zich door opvallende moderne architectuur, zoals de kubuswoningen, de gebouwen langs de Maasboulevard en de Erasmusbrug, bijgenaamd 'de Zwaan'.
Nederland is natuurlijk ook hèt bloemenland. De bollenvelden in Noord- en Zuid-Holland, met narcissen, hyacinten en tulpen, zijn wereldberoemd en trekken jaarlijks vele honderdduizenden toeristen. Het bloemenseizoen begint in maart en eindigt in september. Gedurende het hele jaar trekken de bloemencorso's en de bloemenveilingen van Aalsmeer en Naaldwijk veel bezoekers.
Per jaar bezoeken meer dan 6,5 miljoen toeristen uit alle delen van de wereld ons land. Ruim een derde van de bezoekers is afkomstig uit Duitsland. Het toerisme levert Nederland jaarlijks 16 miljard euro aan omzet op; de buitenlandse toeristen alleen besteden meer dan 4 miljard euro per jaar in Nederland. Dat is meer dan de exportwaarde van b.v. de bloemen en planten en maakt toerisme tot een belangrijke economische factor.

Naar een publicatie van het Ministerie voor Buitenlandse Zaken

Samenvatting

Grammatica

Preposities

achter	bij	in	naast	onder
op	tegen	tussen	voor	tegenover

Adverbia

daar	links(af)	rechts(af)	
rechtdoor	terug	boven	beneden

Syntaxis

Weet u **waar** de VVV **is**?

Imperatief

Wacht (u) even.
Kijk, we staan nu hier, in de Nieuwstraat.

er – plaatsbepaling

Een klein stukje lopen, dan bent u **er** al.

Er zijn vele wegen die naar Rome leiden

Uitdrukkingen

Pardon mevrouw/meneer,	bent u hier bekend?	– U gaat ... en dan ...
	waar is ...?	U komt dan bij/langs/door ...
	weet u waar ... is?	Dan gaat u ...
	ik zoek ...?	
		– Even kijken, hoor.
		– Wacht even.
		– Oh, dat weet ik ook niet, ik woon hier niet.
Dank u wel (, mevrouw/meneer)!		

Lekker met de trein!

Basiswoorden: vrijetijdsbesteding

1 Wat hoort bij elkaar?

reizen · fietsen · zwemmen · naar de bioscoop gaan · tuinieren · tennissen · winkelen · naar het theater/een concert gaan · lezen · wandelen · televisie kijken · naar muziek luisteren

2 Schrijf nu een paar dingen op die u (niet) leuk vindt/graag doet.

+	–
Ik vind tuinieren leuk.	Ik vind computeren niet leuk.
Ik ga graag naar de bioscoop.	Ik ga niet graag naar het theater.
Ik fiets graag.	Ik winkel niet zo graag.

Basiswoorden: vrijetijdsbestedingen

3 Zoek iemand die graag ...

naam van de cursist

naar de bioscoop gaat.
auto rijdt.
tuiniert.
zwemt.
winkelt.
fietst.
voetbalt.
brieven schrijft.
uit eten gaat.
schaatst.
computert.
...

Uit is in.

Lekker een bioscoopje pikken.

- Met de trein direct naar hartje centrum.
- Geen parkeerproblemen.
- Eventueel met de nachttrein terug.
- OV Reisinformatie: 0900-9292 (75 ct/min).

ieder z'n trein

➔ *Gaat u/Ga je graag naar de bioscoop?*
– Ja, ik ga heel graag naar de bioscoop.
– Nee, ik ga niet (zo) graag naar de bioscoop.

Let op!
vergelijken:
graag ➔ liever

4 Vertel het aan de klas.

Wat doen uw medecursisten (niet) graag?
Schrijf twee zinnen op zoals in het voorbeeld en lees die dan aan de anderen voor. Gebruik informatie uit oefening 3.

➔ *Richard rijdt graag auto, maar hij vindt tuinieren niet leuk.*
Vera rijdt niet zo graag auto, ze gaat liever met de trein.

Aandacht voor: een standpunt innemen

5 Dialoog: Met de trein of met het vliegtuig? 29

Erik: En, ga je mee naar Wenen?
Ria: Nou, Wenen is erg leuk, maar ik denk het niet.
Erik: Waarom niet?
Ria: Dat weet je toch!
Erik: Je wilt niet vliegen?
Ria: Precies!
Erik: Waarom doe je daar nou zo moeilijk over?
Ria: We kunnen toch ook lekker met de trein gaan!
Waarom moeten we eigenlijk vliegen?
Erik: Omdat je er zó bent met het vliegtuig.
Ria: Maar het is ...
Erik: En de trein doet er de hele dag over;
zonde van de tijd!
Ria: We kunnen toch ook de nachttrein nemen.
Erik: Nee hoor, dat is niks voor mij!
Ik doe geen oog dicht in die trein.
Ria: Maar je weet toch dat ik bang ben om te vliegen!
Erik: Ik ben toch bij je!
Ria: Nou, sorry, maar daar wordt het echt niet beter van!
Erik: En ík heb geen zin om de hele dag in de trein te zitten!
Ria: Ja, maar in de trein kun je naar muziek luisteren, eten, slapen, lezen,
lekker koffie drinken ...
Dat kan allemaal niet in een vliegtuig.
Erik: Doe niet zo gek! Natuurlijk kan dat in een vliegtuig ook.
Ria: Ja, maar niet als je er zó bent!

6 Vul de argumenten uit de dialoog in.

vóór vliegen	tegen vliegen	vóór de trein	tegen de trein
	Ria is bang.		

7 Waar of niet waar?

a) Schrijf vijf zinnen op (waar of niet waar) over het gesprek tussen Erik en Ria.
b) Maak tweetallen. Lees de zinnen voor. Uw partner zegt of de zinnen waar of niet waar zijn.

➔ *Ria vliegt graag.*
– Ja, dat is waar. / Nee, dat is niet waar.

Een stapje verder: argumenten geven

8 Luisteren 30

a) Een enquête: reizigers op een NS station geven antwoord op de vraag: 'Gaat u vaak met de trein?' Luister en kruis het juiste antwoord aan.

reiziger	Ja, regelmatig.	Af en toe.	Nee, (bijna) nooit.
1			
2			
3			
4			
5			

b) Luister nog een keer. Geef aan waarom ze (niet) met de trein gaan.

+		−	
... omdat	het sneller gaat.	... omdat/hoewel	het (te) lang duurt.
	het gezellig is.	1	het (te) duur is.
	ik in de trein kan werken.		de verbinding slecht is.
	het milieuvriendelijker is.		de trein (te) vol is.
	je geen parkeerplaats hoeft te zoeken.		je van het spoorboekje afhankelijk bent.

➔ *De eerste persoon gaat niet met de trein omdat het volgens haar te duur is.*

9 En u?

a) Geef antwoord op de vragen.
b) Stel de vragen aan vijf medecursisten. Noteer de antwoorden en de argumenten.

1. Gaat u vaak met de trein?
2. Waarom (niet)?
3. Wat is uw favoriete vervoermiddel?
4. Waarom?

➔ *– Ja, regelmatig. / Af en toe. / Nee, (bijna) nooit.*
– Omdat ...

10 Vertel het aan de klas.

➔ *Anja gaat niet met de trein omdat de verbinding zo slecht is. Je moet twee keer overstappen!*
Gerd vliegt graag omdat je er zó bent.

Een stapje verder: woordenschat

11 Maak groepen.

U hebt in de eerste tien lessen al veel verba geleerd. U kunt die verba zó herhalen: maak er groepen van zoals hieronder:

dingen die je op je werk en thuis doet

dingen die je op je werk doet

dingen die je thuis doet

... of zo:

dingen die je 's morgens doet

dingen die je 's morgens, 's middags en 's avonds doet

dingen die je 's middags doet

dingen die je 's avonds doet

... of kunt u met een medecursist andere groepen bedenken?

A-Z

12 Aan welke woorden denkt u bij ...?

Extra: het ordinale

13 31

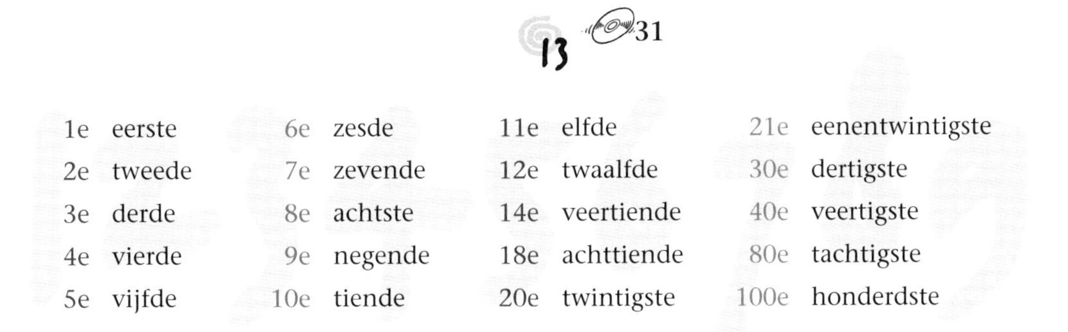

1e	eerste	6e	zesde	11e	elfde	21e	eenentwintigste
2e	tweede	7e	zevende	12e	twaalfde	30e	dertigste
3e	derde	8e	achtste	14e	veertiende	40e	veertigste
4e	vierde	9e	negende	18e	achttiende	80e	tachtigste
5e	vijfde	10e	tiende	20e	twintigste	100e	honderdste

14 Een puzzel

Zet de letters op de juiste plaats.
U vindt dan een woord uit deze les.

1. De negende letter is een b.
2. De veertiende letter is een d.
3. De derde letter is een ij.
4. De elfde letter is een s.
5. De zeventiende letter is een g.
6. De zesde letter is een ij.
7. De vijftiende letter is een i.
8. De twaalfde letter is een t.
9. De zevende letter is een d.
10. De tiende letter is een e.
11. De vierde letter is een e.
12. De tweede letter is een r.
13. De zestiende letter is een n.
14. De eerste letter is een v.
15. De dertiende letter is een e.
16. De vijfde letter is een t.
17. De achtste letter is een s.

15 Doe het nu zelf!

a) Bedenk een woord of een naam.
b) Maak tweetallen. Geef elkaar steeds één letter van het woord. Wie raadt het eerst het woord van de ander?

 *Mijn woord heeft dertien letters.*
De vierde letter is een …

Nederland – *ander*land

Sport in Nederland

In Nederland doet men veel en graag aan sport. Voetbal is volkssport nummer één. Met ongeveer één miljoen leden is de voetbalbond de grootste organisatie in het land. Maar ook op het gebied van schaatsen, tennis, volleybal, paardensport en wielrennen spreekt Nederland een aardig woordje mee.

Als we het over fietsen hebben: Nederland beschikt over zoveel fietspaden, dat het in principe mogelijk is het gehele land op de fiets te verkennen. Borden en paddestoelen (dat zijn kleine stenen zuiltjes) wijzen de weg. Op speciale bordjes staan de fietsroutes van de ANWB* aangegeven. De fietspaden zorgen ervoor, dat je als fietser met de grootst mogelijke veiligheid aan het verkeer kunt deelnemen. Niet voor niets wordt de fiets het nationale vervoermiddel genoemd! Maar er wordt ook veel in, op en aan het water gesport! De lange kustlijn biedt volop gelegenheid om watersporten zoals surfen, zwemmen, zeilen en vissen te beoefenen. Ook landinwaarts zijn er veel watersport-mogelijkheden: op veel sloten, ringvaarten en meertjes kan men met een zeilboot, kano of motorboot tochten maken door schitterende natuurgebieden.

In de winter verandert dan het scenario: schaatsen is in Nederland heel populair. Als er voldoende ijs ligt, halen de mensen hun schaatsen uit de kast en maken lange tochten over de bevroren sloten.
De beroemdste tocht is de Elfstedentocht in Friesland, een tocht langs elf Friese steden. In 1997 werd hij voor de vijftiende keer gereden. Een unieke gebeurtenis, die niet elk jaar voorkomt, want het moet wel heel behoorlijk vriezen voordat het ijs op dit 220 kilometer lange traject dik genoeg is. 16.000 schaatsers, honderdduizenden toeschouwers en elf mooie Friese steden maken de Elfstedentocht tot een evenement dat je niet mag missen.

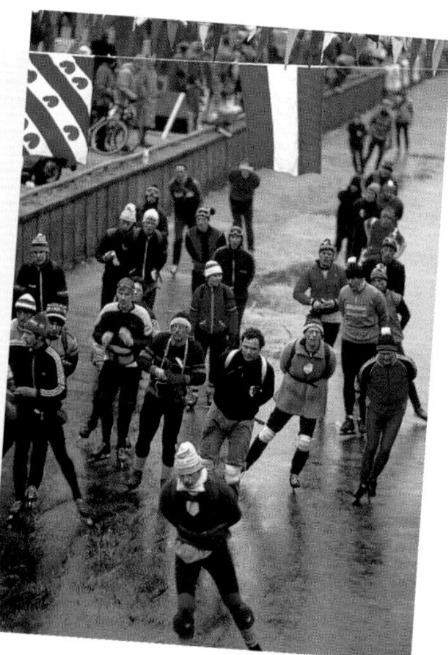

**Algemene Nederlandse Wielrijdersbond, de naam van de Koninklijke Nederlandse Toeristenbond.*

Samenvatting

Grammatica

Ik lees (niet) graag.
Ik vind tuinieren (niet) leuk.

Leest u (ook) graag?

Syntaxis

Ik ga vaak met de trein **omdat** ik het gezellig vind.
Ze gaat met de trein, **hoewel** het langer duurt.

Het ordinale

1e	**eerste**	6e	zes**de**	11e	elf**de**	21e	eenentwintig**ste**
2e	twee**de**	7e	zeven**de**	12e	twaalf**de**	30e	dertig**ste**
3e	**derde**	8e	acht**ste**	14e	veertien**de**	40e	veertig**ste**
4e	vier**de**	9e	negen**de**	18e	achttien**de**	80e	tachtig**ste**
5e	vijf**de**	10e	tien**de**	20e	twintig**ste**	100e	honderd**ste**

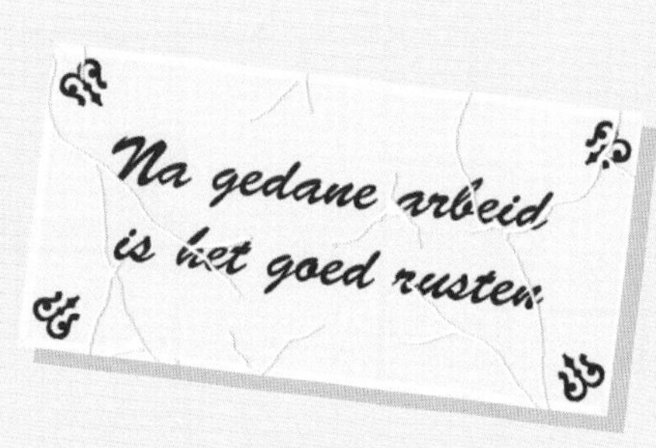

Uitdrukkingen

Positief beoordelen

Het/dat is leuk/lekker.
Ik vind ... leuk/lekker.
Ik … graag.
Ik houd van ...
Dat is (echt) iets voor mij!
Het is de moeite waard.

Negatief beoordelen

Het/dat is niet (zo) ...
Ik vind ... niet (zo) ...
Ik … niet (zo) graag.
Ik houd niet (zo) van ...
Dat is niets voor mij!
Het is zonde van de tijd.

Ik denk het niet.
Doe niet zo moeilijk/gek!
Ja, maar …
Daar wordt het echt niet beter van!
Omdat je er zó bent.
Ga je vaak met de trein?

1 Kies bij elke foto de juiste omschrijving.

1

2

3

4

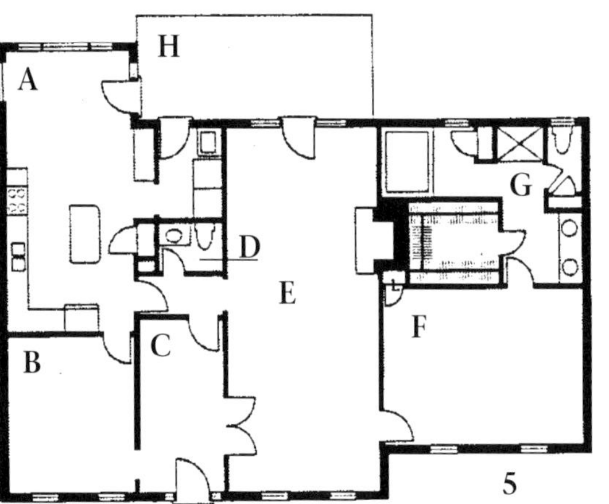

5

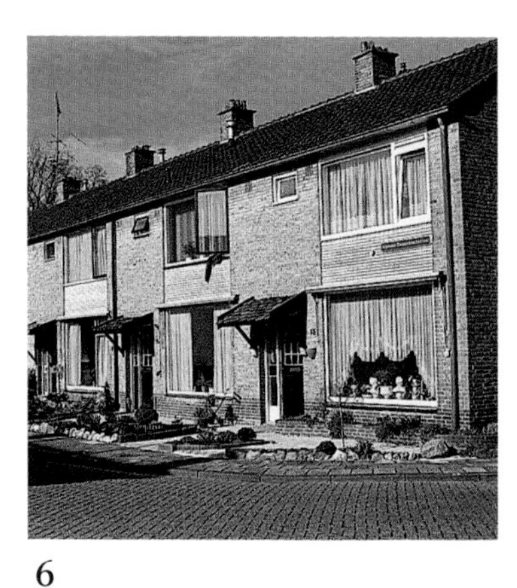
6

de 3-kamerwoning	bestaat uit drie kamers, een keuken, een badkamer en een toilet. Een 3-kamerwoning bevindt zich in een flatgebouw.
de flat	is een woning in een flatgebouw. Alle kamers van een flat zijn op dezelfde etage. Ook een gebouw met zulke woningen kan je een flat noemen.
het vrijstaande huis	is een huis met één of meer verdiepingen. Om het hele huis ligt een tuin.
het rijtjeshuis	is een huis met aan beide kanten dezelfde huizen eraan vast. Het heeft dus twee muren gemeenschappelijk met de buren.
de twee-onder-één-kap woning	is een huis met aan één kant hetzelfde huis eraan vast. Het heeft dus één muur gemeenschappelijk met de buren. De twee huizen hebben samen één dak.
de woonboot	is een boot die iemand heeft omgebouwd tot een woning. Woonboten zie je veel in de grachten van Amsterdam.

Basiswoorden: de woning

2 Teken een plattegrond.

a) Teken een plattegrond van uw huis. Vul in hoe de verschillende ruimtes heten.
Gebruik de volgende woorden.

keuken · slaapkamer · kinderkamer · gang · woonkamer
badkamer · het balkon · WC/ het toilet · logeerkamer · werkkamer

b) En wat kan je in die ruimtes doen?

eten · spelen · koken · jezelf wassen · slapen · lezen · zitten
tv-kijken · studeren · knutselen · naar muziek luisteren

In de keuken kan je koken en eten.
...

3 Luisteren 32

Frans en Marijke gaan verhuizen. Ze praten over een nieuwe flat. Hoe ziet die flat eruit?
Bekijk eerst het schema en de vragen. Luister daarna naar de tekst en noteer het juiste antwoord.

	groot/klein	licht/donker	rustig/lawaaierig	gezellig/ongezellig
woonkamer				
slaapkamer				
badkamer				
keuken				

Is er een balkon/een lift/een garage?
Is de woning duur of goedkoop?

De woonkamer is groot, gezellig maar nogal donker.

Aandacht voor: plannen maken

4 Dialoog: Een uitnodiging 33

Marijke: Met Marijke de Visser.
Connie: Hoi, Marijke, je spreekt met Connie. Hoe is het?
Marijke: O, hou op, ik heb het hartstikke druk!
Connie: Waarom, wat ben je dan aan het doen?
Marijke: Ik ben koffers aan het pakken.
Connie: Koffers pakken? Wat ben je van plan?
Marijke: Nou, morgen vliegen we naar Parijs
en over twee weken gaan we verhuizen.
Connie: Gaan jullie verhuizen naar Parijs?
Marijke: Nee, we gaan daar op bezoek bij vrienden.
En we verhuizen naar één verdieping hoger!
Connie: Een verdieping hoger? Hoezo?
Marijke: Nou, op de derde verdieping is een vierkamerwoning vrij gekomen.
Connie: Wat leuk! Dan hebben jullie één kamer meer. Maar waarvoor ik
eigenlijk bel: komen jullie vanavond een hapje mee-eten?
Ik maak erwtensoep.
Marijke: Hm, lekker, maar we kunnen jammer genoeg niet.
Een vriend van Frans komt ons helpen met schilderen.
Connie: O, jammer! Zullen we dan volgende week afspreken?
Marijke: Goed idee. Ik bel je als we terug zijn uit Parijs, oké?
Connie: Prima. Nou, veel plezier in Parijs, hè.
Marijke: Ja, bedankt. En tot ziens hè!
Connie: Ja, tot ziens. En doe de groetjes aan Frans!
Marijke: Doe ik! Doei!

Let op!
gaan + infinitief

5 Vul het juiste tijdstip in.

morgen · vanavond · over twee weken · volgende week

.... gaat Marijke verhuizen.
.... gaat Connie erwtensoep koken.
.... gaan Marijke en Connie een afspraak maken.
.... gaan Marijke en Frans misschien bij Connie eten.

6 Waar of niet waar?

a) Schrijf vijf zinnen op (waar of niet waar) over het telefoongesprek tussen Marijke en Connie.

b) Maak tweetallen. Lees de zinnen voor. Uw partner zegt of de zinnen waar of niet waar zijn.

Marijke gaat volgende week verhuizen.
– Ja, dat is waar.

7 En u?

Wat gaat u na de Nederlandse les doen?
Schrijf een paar dingen op en vraag het dan aan een medecursist.

➔ *Nou, ik ga (misschien) ...*
Ik ga niet ...

8 Zoek iemand die dit weekend ...

	naam van de cursist
op visite gaat.	
boodschappen gaat doen.	
naar de bioscoop gaat.	
vrienden gaat helpen.	
naar een feest gaat.	
naar een andere stad gaat.	
uit eten gaat.	
...	

➔ *Gaat u/Ga je dit weekend op visite?*
Ja, inderdaad. / Nee, hoor.

9 Vertel het aan de klas.

➔ *Dit weekend gaat Monika naar haar vriendin toe.*
gaat iedereen, behalve Jens, boodschappen doen.
ga ik naar de bioscoop.
gaat Petra vrienden helpen.
gaat niemand naar een feest.
gaat Hilde naar Brugge en Thomas naar Arnhem.
gaat Paul met vrienden uit eten.
...

Een stapje verder

10 Luisteren 34

Lees eerst de volgende zinnen.

Iemand is aan het koken.
Iemand is aan het zingen.
Iemand is aan het telefoneren.
Iemand is aan het stofzuigen.
Iemand is aan het pianospelen.
Iemand is aan het douchen.
Iemand is aan het timmeren.
Iemand is aan het zagen.

In situatie 1 is iemand aan het …

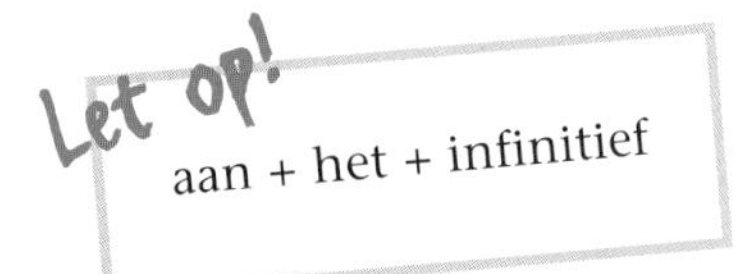

11 Wat zijn ze aan het doen?

Op plaatje 1 is een vrouw aan het …

12 Wat doe ik nu?

a) Beeld een activiteit uit.
De medecursisten moeten raden wat u aan het doen bent.

Eh, bent u/ben je misschien aan het zwemmen?
– Ja, dat klopt! / Nee, dat is het niet!

b) Beeld nu een activiteit uit samen met een partner.
De medecursisten moeten raden wat jullie aan het doen zijn.

Eh, zijn jullie misschien aan het tennissen?
– Ja, dat klopt! / Nee, dat is het niet!

Extra: vergelijken

13

oud	→	**ouder**	goed	→	beter
mooi	→	**mooier**	veel	→	meer
groot	→	**groter**	weinig	→	minder
duur	→	**duurder**			

Deze flat is **groter dan** die van mij.
Mijn flat is **even groot als** de flat in de advertentie.

14 Lees de volgende advertentie en vergelijk dit huis met uw huis/woning.

Dit huis is kleiner dan mijn huis, maar het is ook goedkoper.

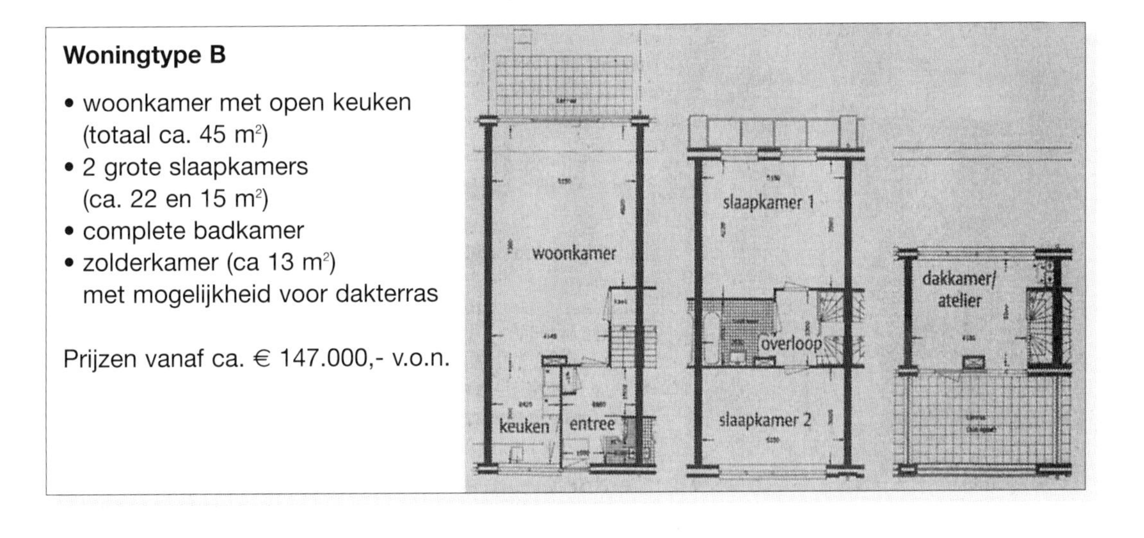

Woningtype B

- woonkamer met open keuken (totaal ca. 45 m²)
- 2 grote slaapkamers (ca. 22 en 15 m²)
- complete badkamer
- zolderkamer (ca 13 m²) met mogelijkheid voor dakterras

Prijzen vanaf ca. € 147.000,- v.o.n.

15 En u?

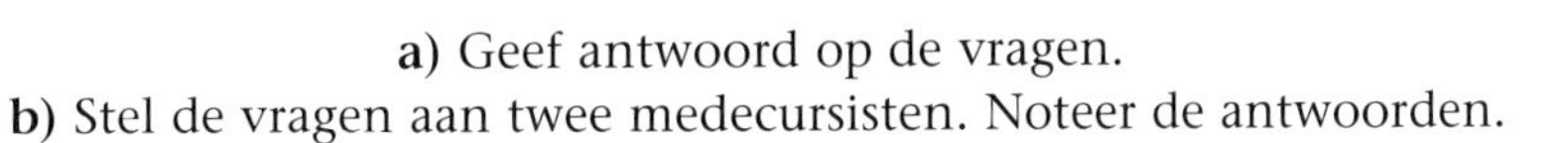

a) Geef antwoord op de vragen.
b) Stel de vragen aan twee medecursisten. Noteer de antwoorden.

1. Hoe groot is uw/jouw woning?
2. Hoeveel kamers heeft uw/jouw woning?
3. Woont u/woon je in het centrum?
4. Hebt u/heb je een mooi uitzicht aan de voorkant/achterkant?
5. Woont u/woon je boven of beneden? Op welke verdieping?
6. Heeft de woning een tuin/balkon/kelder/zolder/schuur?
7. Zijn er winkels/scholen/sportvoorzieningen in de buurt?
8. Hoe is het openbaar vervoer? Is er een bus-/tramhalte/station vlakbij ?
9. Bent u/ben je tevreden met uw/je huis of wilt u/wil je liever een ander huis?

16 Vertel het aan de klas.

Martin heeft een nieuwe woning met ... kamers.
Die is groter dan zijn oude woning maar heeft geen balkon.
Hij woont nu in het centrum. ...

Les 11

Nederland – *ander*land

Ze hebben hier helemaal geen gordijnen!

Dat hoor je eigenlijk van de meeste mensen, die voor het eerst een bezoek aan Nederland brengen. Maar hoe ervaar je Nederland als je er zelf een tijdje hebt gewoond? Lees nu de meningen van enkele studenten over het thema 'wonen in Nederland'.

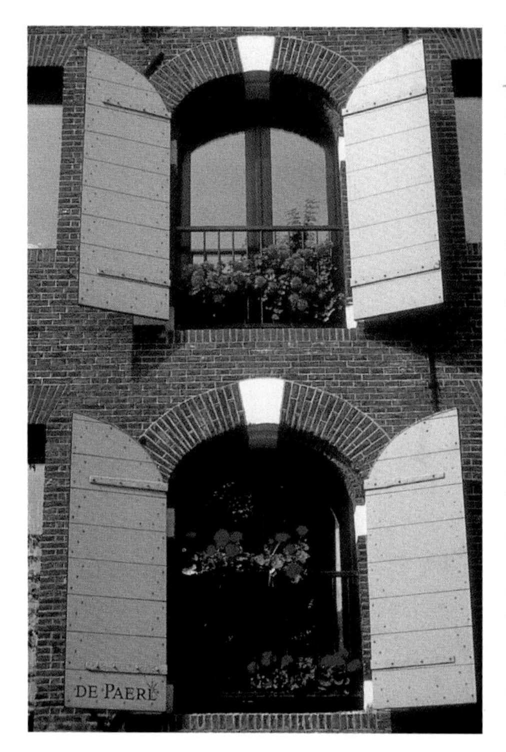

Nederland is het land van de grote ramen zonder gordijnen. Tijdens een wandeling langs de grachten kon ik de verleiding niet weerstaan opa Kees bij het tv-kijken gade te slaan of de gezellige inrichting van de familie van Rijswijk te bewonderen. Nederlanders schijnen zich niet te storen aan deze nieuwsgierigheid. Integendeel: maar al te graag maken ze anderen deelgenoot van hun leven. En het is juist deze openheid die de Nederlanders voor mij zo sympathiek maakt.
(Catarina, Italië)

Wonen in Nederland, dat betekent wonen met veel licht en weinig ruimte. Maar de weinige ruimte die voor iedereen in zo'n klein land overblijft, wordt functioneel gebruikt. Waar alles klein is, daar zijn juist de kleine dingen zo belangrijk en dat is misschien een reden waarom Nederlanders zo'n bijzonder gevoel voor details hebben. Buren zijn er altijd en overal. De verstandhouding is niet altijd even hartelijk, maar ja ...
(Lone, Denemarken)

Steile smalle trappen – die naar de bovenste etage van pittoreske oude huizen leiden – dat is mij als eerste in Nederland opgevallen. En hoe het in hemelsnaam mogelijk is een hoogslaper in een piepklein studentenkamertje te krijgen. Dit kun je allemaal aan de buitenkant zelf zien. Daarom zegt een avondwandeling door een doorsnee straat meer over de Nederlandse woonsituatie dan wat voor theorie ook!
(Michael, Engeland)

'Zullen we een terrasje pakken?' Die vraag hoor je vaak in Amsterdam. Gezellig op een terrasje zitten, alleen of in gezelschap, dat doet men het liefst op één van de talloze terrassen van de (eet)cafés en lunchrooms die je overal vindt. Zoals je het anders alleen maar in het Zuiden tegenkomt, wordt hier in Nederland de stad als één grote woonkamer gebruikt.
(Richard, Frankrijk)

Samenvatting

Grammatica

Handeling/situatie in de toekomst

Morgen vliegen we naar Parijs. *met presens + adverbium*

Ik	ga	
Je/Jij Hij / Ze/Zij Het	gaat	verhuizen.
U		
We/Wij Jullie Ze/Zij	gaan	

Ga jij ook verhuizen?

met »gaan« + infinitief

Tijdsaanduidingen (adverbia en adverbiale bepalingen)

morgen vanavond over twee weken volgende week

zijn + aan het + infinitief

Ze is aan het tennissen.
We zijn aan het schilderen.

De comparatief

Martins nieuwe woning is **groter dan** zijn oude.
Mijn woning is **even duur als** die van Barbara.

Uitdrukkingen

Eigen haard is goud waard

Ik heb het (hartstikke) druk!

Wat ben je van plan?

Zijn ze aan het schilderen?

Over twee weken gaan we verhuizen.
– Wat leuk!

Komen jullie vanavond een hapje mee-eten?
– Graag, maar we kunnen jammer genoeg niet.

op visite gaan
naar iemand toe gaan

Wat zijn jullie aan het doen?

Les 11

Wij woonden in een gezellig huisje

Basiswoorden: meubels

1 Wat hoort bij elkaar?

lamp · boekenkast · bank · het bureau · fauteuil · kast · tafel
het vloerkleed · stoel · het bed · het bijzettafeltje ✔

A-Z

2 Welke andere meubels horen er nog bij?

Aandacht voor: vroeger bij ons thuis

Anneke vertelt hoe ze woonde toen ze klein was.

a) Lees de vragen.

b) Luister naar de tekst en kruis het juiste antwoord aan.

1. Waar woonde Anneke?
   - in een grote stad
   - op het platteland
2. Woonde Anneke in een huis of in een flat?
   - huis
   - flat
3. Met z'n hoevelen waren ze thuis?
   - met z'n drieën
   - met z'n vieren
4. Hoe was haar kamer?
   - groot / klein
   - licht / donker
   - gezellig / ongezellig
5. Wat stond er allemaal in haar kamer?
   - een bed
   - een kast
   - een nachtkastje
   - een lamp
   - een bureau
   - een stoel
6. Wat deed Anneke altijd in haar kamer?
   - Ze luisterde naar muziek.
   - Ze maakte haar huiswerk.
   - Ze schreef in haar dagboek.
7. Wat mocht ze niet op haar kamer doen?
   - eten
   - met haar vriendinnen spelen

Aandacht voor: vroeger bij ons thuis

4 Waar staan de meubels?

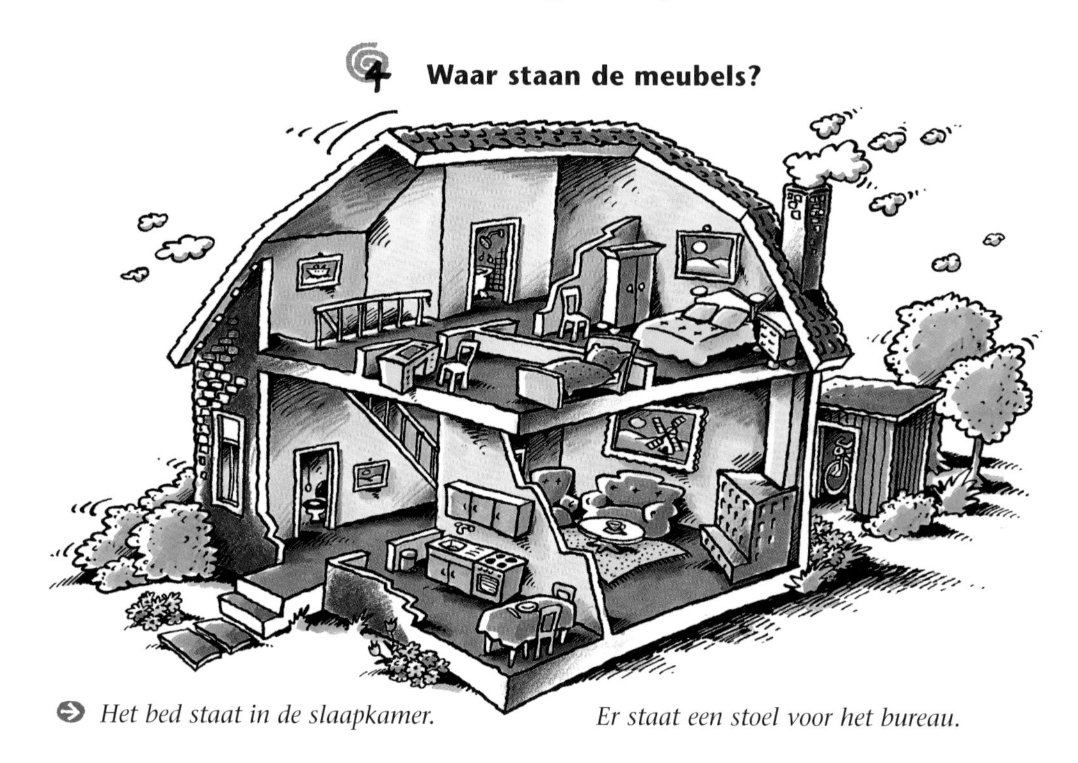

Het bed staat in de slaapkamer. *Er staat een stoel voor het bureau.*

5 Lezen

Welke tekst gaat over het huis hierboven, tekst 1 of 2?

1

Henny vertelt: Mijn grootouders woonden in een klein huis aan de dijk. Ik ging meestal op mijn fiets naar hen toe, maar als het regende kreeg ik van mijn moeder twee kwartjes voor de bus. Die stopte vlakbij het huisje van opa en oma. Ze hadden toen nog geen badkamer; je waste je gewoon in de keuken. Centrale verwarming kenden mijn grootouders ook niet. In de woonkamer stond de kolenkachel die een gezellige warmte verspreidde. Naast de gang was de keuken met een ouderwets fornuis. Daarboven hing een tegeltje waarop stond: 'Oost West – Thuis best'. Boven waren nog twee kleine slaapkamers en op zolder was het kamertje waar ik altijd sliep als ik bij mijn grootouders logeerde.

2

Mevr. de Leeuw herinnert zich: De huizen in onze straat zagen er allemaal hetzelfde uit. Elk huis had een klein voor- en achtertuintje en als je je sleutel vergeten had, ging je achterom door de tuin, want de achterdeur stond meestal open. Dat kon toen nog. In de tuin stond een schuurtje voor de fietsen. Ik speelde met mijn vriendinnen op het pleintje achter het huis. Als ik 's middags uit school kwam, dronk ik met mijn moeder altijd een kopje thee in de woonkamer, lekker warm naast de kachel. Mijn slaapkamer was niet groot: er stond alleen een bed en mijn bureau. Het liefst zat ik in de woonkamer in mijn vaders fauteuil en las een spannend boek. In de slaapkamer van mijn ouders hing een schilderij boven hun bed.

Een stapje verder: het imperfectum

Het imperfectum

a) Zoek in tekst 1 en 2 alle verba op die in het imperfectum staan en onderstreep ze.

b) Ziet u twee verschillende groepen? Schrijf de verba op in de schema's:

regelmatige verba

imperfectum	infinitief
woonden	wonen
regende	...

onregelmatige verba

imperfectum	infinitief
ging	gaan
kreeg	...

c) Welke andere verba gebruik je vaak in het imperfectum?

Een stapje verder: het imperfectum

7 En u?

a) Geef antwoord op de vragen.
b) Stel de vragen aan een medecursist. Noteer de antwoorden.

ik **mijn partner**

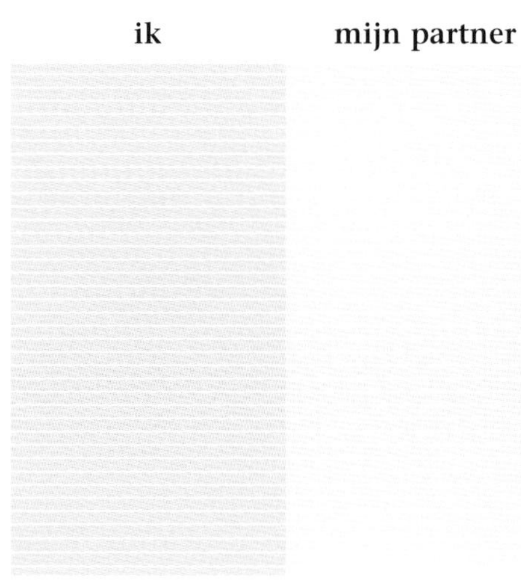

1. Waar woonde u/je toen u/je nog klein was:
   in een stad
   in een buitenwijk
   in een dorpje
   op het platteland
2. Woonde u/je in een flat?
3. Hoe groot was uw/jouw gezin?
4. Hoeveel kamers waren er bij u/jullie thuis?
5. Had u/je een eigen kamer?
6. Welke kleur had uw/jouw kamer?
7. Was het een grote of een kleine kamer?

➲ *Woonde u/je in een stad of in een dorp?*
– Ik woonde in een stad.

ik **mijn partner**

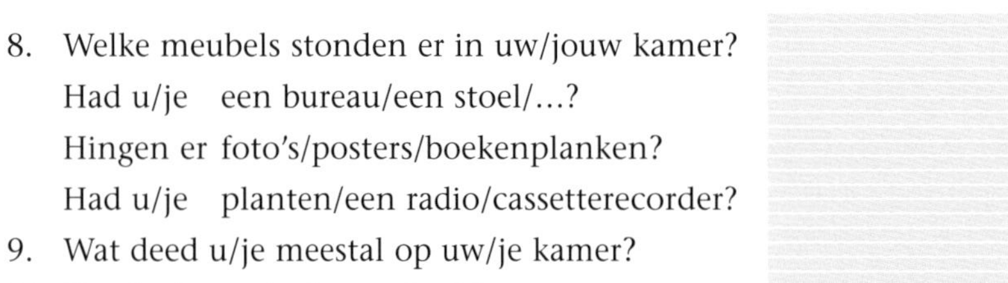

8. Welke meubels stonden er in uw/jouw kamer?
   Had u/je een bureau/een stoel/...?
   Hingen er foto's/posters/boekenplanken?
   Had u/je planten/een radio/cassetterecorder?
9. Wat deed u/je meestal op uw/je kamer?
10. Vond u/je uw/je kamer leuk?
    Waarom (niet)?

➲ *Stond er in uw/jouw kamer een kast? – Ja, er stond een kast. / Nee, er stond geen kast.*

Een stapje verder: het imperfectum

8 Vraag het aan uw medecursisten.

a) Geef antwoord op de vragen.
b) Stel de vragen aan drie medecursisten. Noteer de antwoorden.

Had u/je vroeger een lievelings- ...?	naam	Wat/Waar/Wie/Welk(e) was dat?
spelletje/sport		
dier		
plekje in huis		
vriend(in)		
familielid		
leraar		
dag		
...		

9 Toen ik nog klein was ...

a) Schrijf één of twee dingen op die u ...

goed kon
niet mocht
niet wilde doen (maar moest)
graag wilde doen (maar niet kon of durfde)

b) Vraag nu aan een medecursist.

Wat ...?

kon u/je goed
mocht u/je niet
wilde u/je niet doen (maar moest u/je doen)
wilde u/je graag doen
(maar kon of durfde u/je niet)

10 Vertel het aan de klas.

➲ *Anja kon goed schaatsen en rekenen maar ze mocht niet ...*

Extra: het weer

11 Wat voor weer was het?

☐	Het was winderig/stormachtig.	Het waaide/stormde.
☐	Het was bewolkt.	Er waren wolken.
☐	Het was regenachtig.	Het regende.
☐	Het was zonnig.	De zon scheen.
☐	Het was koud.	
☐	Het was warm.	
☐	Het was mistig.	

Het was lekker/koel/fris. Het was 6°C (= zes graden celsius).

12 Welk weerbericht past bij de kaart?

A Vandaag is het vrij helder. De temperaturen bereiken in de middag opnieuw ongeveer elf graden. 's Ochtends kunnen er enkele mistbanken ontstaan in het zuiden. Het blijft overal droog.

B Vanochtend is het grijs met bewolking, nevel en plaatselijk nog wat motregen. Vanmiddag is het droog en klaart het vanuit het westen op. Bij een matige westelijke wind wordt het lenteachtig; negen tot twaalf graden.

C Vanochtend is het wat frisser en stormachtig en er vallen enkele buien. Het waait stevig vanuit het zuidoosten bij temperaturen tussen negen en twaalf graden.

Extra: het weer

13 Luisteren 36

Luister naar het weerbericht en kruis aan: wat voor weer verwachtte het KNMI?

a) veel regen en wat bewolking
b) veel bewolking en wat motregen
c) een droge middag
d) een middagtemperatuur van 10°
e) matige oostelijke wind
f) slechter weer vanaf vrijdag

14 Hoe was het weer ...?

a) Geef antwoord op de vragen.

b) Stel de vragen aan een medecursist.

- vanmorgen
- gisteren
- vorig weekend
- 's winters toen u nog klein was
- vorig jaar met Kerstmis
- tijdens uw laatste vakantie

Les 12

15 Lente, zomer, herfst of winter?

a) Geef antwoord op de vragen.

b) Stel de vragen aan een medecursist.

Wat is uw favoriete seizoen/maand? En waarom?

januari februari maart april mei juni juli augustus september oktober november december

We schaatsten zó het raam uit

Als het zo heerlijk winters is buiten, denk ik met weemoed terug aan de tijd dat wij nog op onze woonboot woonden. Een huis waarin de lamp boven de salontafel altijd wiebelde, waarin het altijd vochtig was en de beschikbare ruimte te wensen overliet. We hebben er bijna vijftien jaar gewoond. Bijna elk weekeinde kom ik nog even langs de plek waar hij heeft gelegen. Een huis op de vaste wal is best prettig, maar toch heeft het niet dezelfde charmes. Als het gevroren had was het echt féést. De schaatsen werden in de keuken ondergebonden en we werden zo vanuit het keukenraam op het ijs gezet! Moeder riep ons laat op de middag weer binnen voor een kop heerlijk warme chocolademelk. Ja, dat waren nog eens tijden ...

H. Van Raalten-V.D. Linde, Ens

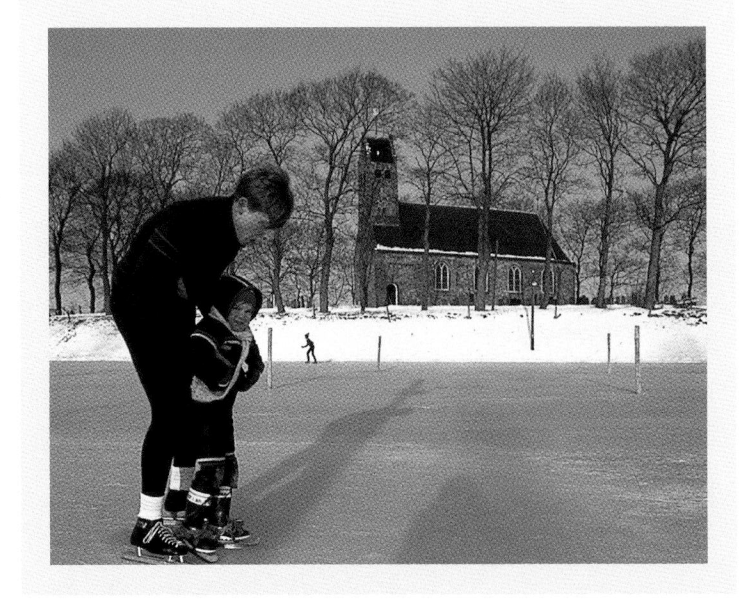

Samenvatting

Grammatica

Imperfectum

zijn/hebben

ik je/jij / u hij / ze/zij / het	was/had	we/wij jullie ze/zij	waren/hadden

regelmatig

ik je/jij / u hij / ze/zij / het	speel**de**/stop**te**	we/wij jullie ze/zij	speel**den**/stop**ten**

onregelmatig

ik je/jij / u hij / ze/zij / het	st**o**nd/d**ee**d	we/wij jullie ze/zij	st**o**nden/d**e**den

modale hulpwerkwoorden

ik je/jij / u hij / ze/zij / het	kon/mocht/moest/ wilde	we/wij jullie ze/zij	konden/mochten/moesten/ wilden

Syntaxis

Waar woonde je **toen** je nog klein **was**?

er – voorlopig subject

Stond er een kast?	– Nee, er stond geen kast.
Waren er planten?	– Ja, er waren veel planten.

Oost West Thuis Best

Les 12

Uitdrukkingen

Toen ik nog klein was …
Met z'n hoevelen waren jullie thuis?
– Met z'n drieën/vieren/zessen/…
Ik kon goed schaatsen en rekenen.
Ik mocht nooit op mijn kamer eten.

Ik zit net te denken ...

Basiswoorden: niet-alledaagse activiteiten

1 Wat hoort bij elkaar?

vrij hebben — overwerken — op zakenreis gaan/zijn — een feest geven

een afspraak hebben — met vakantie gaan — uitgenodigd zijn — een cursus volgen

2 Vul in.

Welk begrip uit oefening 1 hoort bij deze activiteiten?

- bloemetje meenemen
- gezellig bij elkaar zijn
- koffie drinken
- borrelen

- koffers pakken
- zwembroek meenemen
- in de file staan
- geld wisselen

- boodschappen doen
- rommel opruimen
- dansen
- de hele dag in de keuken staan

- laat thuiskomen
- 's avonds op kantoor zitten
- veel geld verdienen
- geen tijd hebben om te eten

- vliegen
- laptop meenemen
- een zakenrelatie ontmoeten
- in een hotel overnachten

- tijdstip vastleggen
- opschieten
- iemand ontmoeten
- afzeggen

- met je buurman/buurvrouw oefenen
- op het bord kijken
- leren
- huiswerk doen

- lekker lang slapen
- leuke dingen doen
- uitrusten
- winkelen

3

Aandacht voor: plannen maken

3 Dialoog: Wie kan ons helpen? 37

Frans: Hé Marijke, ik zit net te denken; wie kan ons volgende week met de verhuizing helpen?
Marijke: Misschien kunnen Tom en Simon wel komen helpen.
Frans: Dat denk ik niet; Tom moet zo vaak overwerken en Simon heeft de laatste tijd last van zijn rug. Hij mag geen zware dingen tillen.
Marijke: En Maarten? Die kan vast wel. Jij helpt hem toch ook altijd!
Frans: Gaat hij niet volgende week voor zaken naar Berlijn?
Marijke: O ja, dat klopt! ... En Rob?
Frans: Ja, Rob zou misschien wel kunnen, ik geloof dat hij volgende week vrij heeft.
Marijke: En vergeet Kees niet.
Frans: Kees? Liever niet! Hij loopt altijd zo te zeuren!
Marijke: Ja, dat is waar ook. Vraag het dan maar aan Jos.
Frans: Natuurlijk! Jos, goed idee. Ik ga hem meteen bellen. Zet jij in de tussentijd dan even koffie?
Marijke: Ja, even wachten, ik loop net mijn sleutels te zoeken.
...
Frans: Jos is in gesprek. Zal ik Henk dan maar vragen? Misschien kan hij wel.
Marijke: Nee, die hoef je helemaal niet te vragen!
Frans: Hoezo niet?
Marijke: Omdat hij zijn been heeft gebroken.
Frans: Jeetje! Dat wist ik niet. Wanneer is dat nou gebeurd?
Marijke: Tijdens de wintersport, geloof ik.
Frans: Tjonge, wat vervelend voor hem!
Marijke: Tja ... Maar ik ben nu eigenlijk benieuwd wie ons dan wél kan komen helpen!

Let op!

staat
zit
ligt
loopt
\+ te + infinitief

Les 13

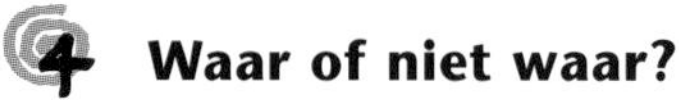

4 Waar of niet waar?

Formuleer vijf zinnen over de tekst en lees ze dan aan een partner voor. De partner zegt of de zin klopt ja of nee. Wissel daarna van rol.

Tom en Simon kunnen helpen.
Maarten moet volgende week naar Parijs.
– Ja dat klopt. / Nee, dat klopt niet.

Aandacht voor: iemand vragen iets te doen

5 Luisteren 38

Frans belt zijn vrienden en vraagt of ze kunnen helpen.

Kan hij helpen?

kan helpen		kan niet helpen
	Tom	
	Simon	
	Maarten	
	Rob	
	Jos	

Vertel dan:

➔ *... kan niet helpen, omdat hij ...*

6 Wie verzint het beste smoesje?

De docent(e) vraagt of u hem/haar kunt helpen.
Leg uit waarom u niet kunt.

➔ *Kan iemand mij misschien helpen met mijn auto/computer/...*
– Sorry, ik moet ...
Ik wil wel, maar ...
Het spijt me, ik kan niet omdat ...

Een stapje verder

7 Wie komt er op ons feestje?

Wij geven een feestje!

Wie: Frans en Marijke
Waarom: Omdat we nu een 4kamerflat hebben.
Wanneer: zaterdag, 15 mei om 20.00 uur
Waar: Julianalaan 156 A
P.S. dezelfde flat, maar 1 verdieping hoger!

Geef a.u.b. even een belletje of je kunt komen.

Tom – ja, leuk!
Maarten – alweer in Berlijn
Rob – misschien
Kees – ??
Jos – cursus
Ria – griep
Yvonne – komt

Vertel nu aan de klas (gebruik *willen*, *kunnen* en *moeten*).

➲ *Jos kan niet komen omdat hij naar een cursus moet.*

8 Maak een afspraak!

Schrijf vijf dingen in uw agenda op die u volgende week wilt gaan doen.
Probeer dan met iedere medecursist een afspraak te maken.

13 MAART WEEK 11	14 MAART	15 MAART
Donderdag	Vrijdag	Zaterdag
08 uur	08 uur	
09	09	
10	10	16 MAART
11	11	
12	12	Zondag
13	13	
14	14	
15	15	
16	16	
17	17	
18	18	

MAART	9	10	11	12	13	14
Ma		3	10	17	24	31
Di		4	11	18	25	
Wo		5	12	19	26	
Do		6	13	20	27	
Vr		7	14	21	28	
Za	1	8	15	22	29	
Zo	2	9	16	23	30	

➲ *Kunt u/Kun je aanstaande donderdag …? / Hebt u/Heb je zin om komende donderdag …?*
– Ja, dat kan. / Ja, graag. Hoe laat? …
Het spijt me, maar ik moet/ik ben van plan … / Jammer, ik kan niet omdat …

Een stapje verder

9 Wat doen deze mensen?

Gebruik de constructie *staan/zitten/liggen/lopen* + *te* + *infinitief.*

1. Hij loopt te eten. .... 2. ....
3. .... 4. ....
5. .... 6. ....
7. .... 8. ....

10 Wat doe ik nu?

a) Beeld een activiteit uit. De medecursisten moeten raden wat u doet.

Ligt u/Lig je te lezen?
– Ja, dat klopt! / Nee, dat is het niet!

b) Beeld een activiteit uit met een partner.
De medecursisten moeten raden wat jullie doen.

Lopen jullie te eten?
– Ja, dat klopt! / Nee, dat is het niet!

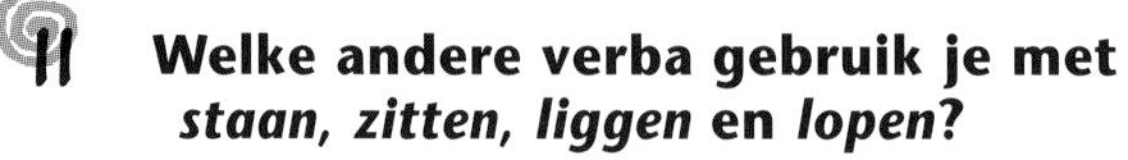

11 Welke andere verba gebruik je met *staan, zitten, liggen* en *lopen*?

Extra: de datum

5-12-2000 = (de) vijf(de) december tweeduizend

En wanneer bent u jarig?

Les 13

Ga in een rij staan; begin de rij met degene die in januari jarig is.

➔ *Wanneer bent u/ben je jarig?*
– Op zeventien juli.

➔ *En wanneer bent u/ben jij jarig?*
– In maart.
De hoeveelste?
– De achtste.

Op welke datum?

1. Kerstmis ....
2. de verjaardag van de docent(e) ....
3. Koninginnedag ....
4. de eerste dag van de zomervakantie ....

Nederland – *ander*land

De Nederlandse feestdagen

De meeste christelijke feestdagen (Pasen, Hemelvaart, Pinksteren en Kerstmis) zijn in Nederland vrije dagen. Traditioneel begint met Pasen het toeristenseizoen. Op Tweede Paasdag zijn de meeste grote meubelzaken geopend en u zult er verbaasd over zijn hoeveel mensen u daar dan aantreft; velen vinden dat een leuk uitstapje.

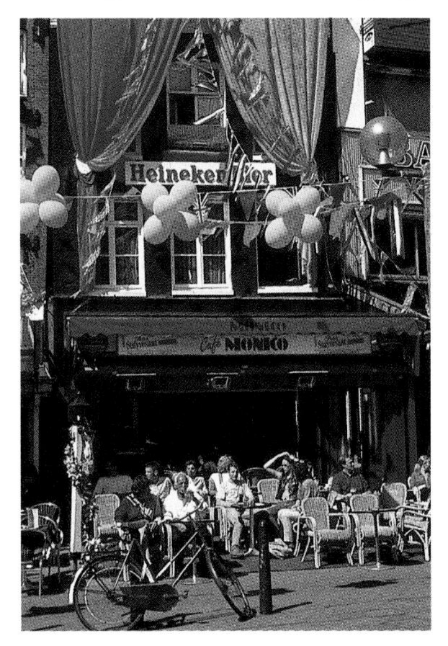

Op 30 april is het 'Koninginnedag'. Op die dag is de vorige koningin (nu prinses) Juliana jarig. Haar dochter, de huidige koningin Beatrix, heeft 30 april tijdens haar kroning in 1980 tot officiële Koninginnedag verklaard. Ze deed dat als eerbetoon aan haar moeder en omdat haar eigen verjaardag in januari (op de 31^{e}) valt en dat is een slechte maand voor activiteiten buitenshuis. Op 30 april heeft (bijna) iedereen vrij, behalve de koningin zelf. Zij bezoekt die dag altijd twee gemeentes in het land. Overal worden straatfeesten, optochten, braderieën en rommelmarkten georganiseerd door de 'Oranjeverenigingen' en in veel grote steden is aan het eind van deze dag een groot vuurwerk. Vrijwel elke stad is op Koninginnedag een bezoek waard!

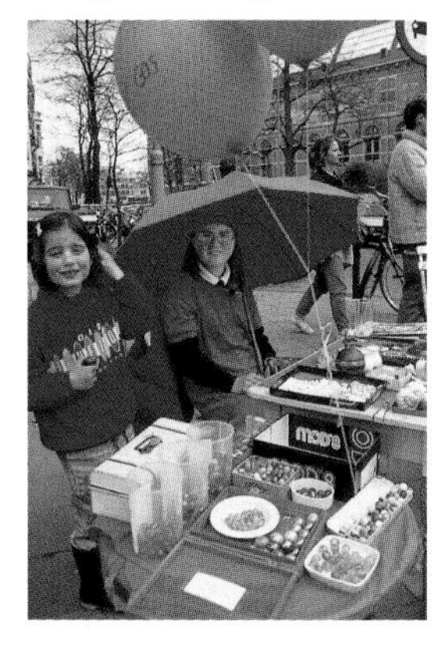

In tegenstelling tot de meeste andere Europese landen is 1 mei in Nederland geen vrije dag! Bevrijdingsdag – 5 mei – is alleen een vrije dag voor werknemers die bij de overheid en de gemeente werken. De winkels zijn dan gewoon open. Na Hemelvaartsdag en Pinksteren is het voorlopig voorbij met de vrije dagen. Pas in november komt (vooral voor de kleine kinderen in Nederland) de volgende feestelijke gebeurtenis: de Sinterklaastijd begint. Sinterklaas en zijn Zwarte Pieten komen ongeveer drie weken (vroeger twee) voor 5 december met 'de Stoomboot' uit Spanje aan en vanaf dat moment zijn ze overal aanwezig: in etalages, speelgoedzaken (natuurlijk!), op school en thuis, op tv en in de reclame. De kinderen – vooral de 'gelovigen' – zetten 's avonds hun schoen bij de kachel. In de schoen stoppen ze dan een wortel of wat hooi voor het paard van Sinterklaas en een mooie tekening. De volgende ochtend zijn de wortel en het hooi verdwenen en zit er chocolade of soms een klein cadeautje in de schoen. Met een beetje geluk zit er een brief van Sinterklaas bij!

Op 5 december is dan het 'heerlijk avondje' gekomen en iedereen is benieuwd wat er dit keer voor cadeautjes in de grote zak zitten! Soms zijn de cadeautjes als 'surprise' verpakt en zit er een gedichtje bij. En meestal krijgen de kinderen – en de volwassenen – hun initialen in de vorm van chocoladeletters.

De laatste jaren lijkt het traditionele Sinterklaasfeest steeds meer plaats te moeten maken voor Kerstmis. Dat is vooral goed te merken in de winkels. Vroeger werden de etalages pas na 5 december in de kerstsfeer gedecoreerd, maar tegenwoordig begint men al in oktober met de verkoop van kerstartikelen. De stichting 'Nationaal Sint Nicolaas Comité' vecht tegen die uitbreiding van het kerstfeest en probeert het Sinterklaasfeest in ere te herstellen. Zelfs de ondernemersbond van winkeliers vindt dat men te vroeg met kerst begint: 'De Nederlandse consument is het over één ding vrijwel eens: Sinterklaas is leuker dan de kerstman en moet weer terug in de winkels'.

Samenvatting

Grammatica

ik	sta/zit/lig/loop	
je/jij hij / ze/zij het u	staat/zit/ligt/loopt	+ te + infinitief
we/wij jullie ze/zij	staan/zitten/liggen/lopen	

Hulpwerkwoord

ik	hoef niet	
je/jij hij / ze/zij het u	hoeft niet	+ te + infinitief
we/wij jullie ze/zij	hoeven niet	

Les 13

De boog kan niet altijd gespannen zijn

Uitdrukkingen

Ik zit net te denken.
Hij loopt te eten.

Zet jij in de tussentijd dan even koffie?

Die hoef je helemaal niet te vragen!
Wanneer is dat nou gebeurd?

Ik ben benieuwd (of) ...!

Wat vervelend!

Hebt u zin om aanstaande donderdag ...?
– Het spijt me, maar ik ben van plan ...
– Sorry, ik kan niet (helpen) omdat ...

Wanneer bent u/ben je jarig?
– Mijn verjaardag is op (de) veertien(de) februari.

Hebt u een dagschotel?

Basiswoorden: eten en drinken (2)

1 Wat staat en ligt er op tafel?

kip ◎ aardappels ◎ vruchtensalade ◎ het sap ◎ het ijs ◎ salade ◎ vis ◎ kaas
✔ soep ◎ borden (het bord) ◎ groente ◎ glazen (het glas) ◎ wijn ◎ spa ◎ rijst
messen (het mes) ◎ tosti ◎ het brood ◎ peper en zout (het zout) ◎ garnalencocktail
lepels ◎ olie en azijn ◎ vorken ◎ worst ◎ servetten (het servet)

➔ *Er staat soep op tafel. Er staat geen … op tafel.*
Er liggen aardappels op het bord. Er staat geen sap op tafel.

2 Voorgerecht, hoofdgerecht of nagerecht?

voorgerecht	hoofdgerecht	nagerecht
soep	kip	vruchtensalade

Aandacht voor: bestellen (2)

Dialoog: In een restaurant

a) Lees de tekstgedeelten en zet ze in de juiste volgorde.

ober: Zo, de kaart alstublieft.
Marijke: Hebt u een dagschotel?
ober: Ja, we hebben er twee:
moussaka met sla of biefstuk met gebakken aardappels en appelmoes.
Frans: Moussaka? Wat is dat?
ober: Dat is een Grieks ovengerecht met aardappelen, aubergine, tomaten en gehakt.
Marijke: Lijkt me lekker!

...
ober: Zo, heeft het gesmaakt?
Marijke: Ja, prima. Die moussaka was lekker!
Frans: Mijn vlees was een beetje taai.
ober: O, dat spijt me. Had u dat maar eerder gezegd! Wilt u nog een dessert?
Frans: Ja, mogen we de kaart nog even hebben?
ober: Ja, natuurlijk. Ik kom zo.
...

serveerster: Goedenavond. Hebt u gereserveerd?
Frans: Nee, we hebben niet gereserveerd.
serveerster: Met hoeveel personen bent u?
Frans: We zijn met z'n tweeën.
serveerster: Ik heb hier nog een tafel of wilt u liever daar zitten?
Frans: Liever daar, bij het raam.

...
Frans: Wat neem jij?
Marijke: Het toetje dat ik altijd neem ...
ober: Meneer, mevrouw?
Frans: Voor mij graag, eh ..., koffie.
Marijke: En voor mij aardbeienijs met slagroom.

Frans: Wat neem jij?
Marijke: Eh, ik neem de moussaka. Jij ook?
Frans: Nee, dat lust ik niet.
ober: Zo, hebt u al een keuze gemaakt?
Marijke: Ja, ik neem de moussaka.
Frans: En voor mij graag zalm met aardappeltjes en mosterdsaus.
ober: Het spijt me, maar die is al op.
Frans: Dat is nou jammer! Dan neem ik maar de varkenshaas met gemengde groenten.
ober: En wat wilt u erbij drinken?
Frans: Kunt u ons een witte wijn aanbevelen – niet te zoet?
ober: We hebben een Pinot als huiswijn; die is prima.
Marijke: Dat is toch die wijn die we de laatste keer ook hadden?
Frans: Ja, doet u die dan maar!
...

b) Luister nu naar de dialoog. Hebt u de juiste volgorde gekozen? 39

Aandacht voor: bestellen

't molentje
Restaurant

VOORGERECHTEN

Koud

Salade met gebakken geitenkaas	5.22
Konijnpaté met toast	4.31
Garnalencocktail	5.90
Tomaten-Mozzarella met basilicum	5.67

Warm

Vistaart	4.31
1/2 kreeft in roomsaus	12.93
Tomatensoep met croûtons	2.50
Soep van de dag	2.72

HOOFDGERECHTEN

Vlees

Biefstuk met frites	10.21
Varkenshaas met rozemarijn	11.12
Roerbakken kalfsvlees	11.80
Mixed grill van kalf, lam en rund met frites en salade	15.88

Vis

Gebakken zalm met mosterdsaus	10.89
Gebakken scampies met knoflook	13.16
Gegrilde tonijn	14.97
Gebakken forel met citroen	10.21

Vegetarisch

Aardappeltaart met pasta en bonensalade	7.94
Tortellini met spinazie en gorgonzolasaus	7.71

NAGERECHTEN

Vers fruit met room	3.40
Chocolade mousse	4.31
Frambozenijs met vruchtensaus	2.95

DAGSCHOTEL

Saté van de grill met frites kipsaté of saté van de haas	8.17

Zie ook de borden

WARME DRANKEN

Koffie	1.45
Espresso	1.45
Koffie verkeerd	1.54
Portie slagroom	.36

FRISDRANKEN

Spa blauw of rood	1.13
Coca Cola, Coca Cola light	1.13
Appelsap, Tomatensap	1.25

BIEREN

Tapbier	
Fluitje Amstel	1.47
Vaasje Amstel	1.59
Pul Amstel	2.61
Flesjes bier vanaf	1.82

WIJNEN

per glas	2.04
per karaf	8.17
per fles	13.34

Een keuze uit witte, rode en rosé wijnen.
Vraag naar de wijnkaart!

Betaal op maat:
Vanaf € 9,- chippen, vanaf € 11,- pinnen en cheques, vanaf € 13,- credit cards

En u?

➲ *Wat neemt u/neem jij?*
– Ik denk dat ik … neem.
Wat wilt u/wil je drinken?
– Ik neem (een) … / Ik wil graag (een) …

Aandacht voor: bestellen

5 Formuleer de vragen.

1. Waar gaan Wim en Marjan zitten? – Bij het raam.
2. .... ? – Ja, moussaka of biefstuk met aardappels.
3. .... ? – Ze neemt de moussaka.
4. .... ? – Ze drinken een glas witte wijn.
5. .... ? – Een beetje taai.

6 Vul in.

Welke uitdrukkingen uit dialoog 3 passen erbij?

1. Dat is nou jammer!
   Helaas!
   Is dat even pech hebben!
   Dat is vervelend!

2. ....
   U hebt de keus uit ...
   U kunt kiezen tussen ...
   Er zijn er twee.

3. ....
   Dat is wat voor mij!
   Ik geloof dat dat goed smaakt!

4. ....
   Dat vind ik niet lekker.
   Dat eet ik niet zo graag.
   Ik hou er niet zo van.

5. ....
   Neem me niet kwalijk!
   Sorry!

6. ....
   Doet u maar een kopje koffie.
   Mag ik een kopje koffie van u?

Les 14

7 Luisteren 40

U hoort een vrouw en een man in een restaurant. Wat bestellen ze?

	voorgerecht	hoofdgerecht	nagerecht	dranken
vrouw				
man				

8 Rollenspel

Werk in groepjes van drie of vier. U bent in een restaurant.
Bestel met de kaart van pagina 120. Eén van u is de ober. Wissel van rol.

Wat neemt u/neem jij?
– Ik denk dat ik ... neem en ik wil graag ...

Een stapje verder

9 Luisteren 41

a) Luister naar de tekst. Wie zegt wat?

b) Luister nog een keer en kies dan de juiste reactie.

- Ik denk dat ik naar de bioscoop ga.
- Ik ga lekker een eitje bakken.
- Ik ga even een trui aantrekken.
- Ik pak een pilsje.
- Ik ga zo meteen zwemmen.
- Ik ga lekker slapen.

10 Doe een voorstel.

Voor elke situatie zijn verschillende mogelijkheden.

➔ *Ik heb honger. Zullen we ...?*
Ik heb dorst.
Ik heb 't warm.
Ik verveel me.

een pilsje uit de koelkast halen

een raam openzetten

gaan zwemmen

naar de bioscoop gaan

een pizza laten brengen

een spelletje doen

Frank bellen en vragen of hij iets komt drinken

lekker buiten gaan zitten

een video huren

iets fris bestellen

een blokje om gaan

erwtensoep maken

Extra: recepten

Welke bereidingswijze hoort bij deze gerechten?

Let op: woorden uit de naam van het gerecht zijn in de bereidingswijzen vervangen door een *.

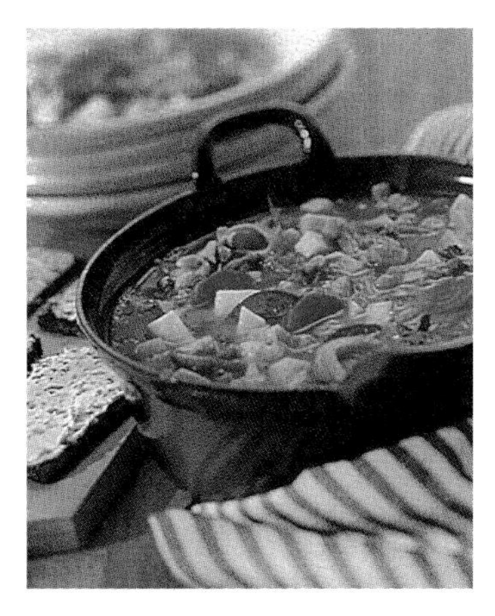

Erwtensoep met runderworst

250 g spliterwten
1 1/2 l water
300 g runderpoelet
1 tl zout
1 kg soepgroenten
(of 1/2 knolselderij,
300 g aardappelen,
400 g prei, 1 winterwortel)
1/2 bosje selderijgroen
1 runderrookworst
peterselie

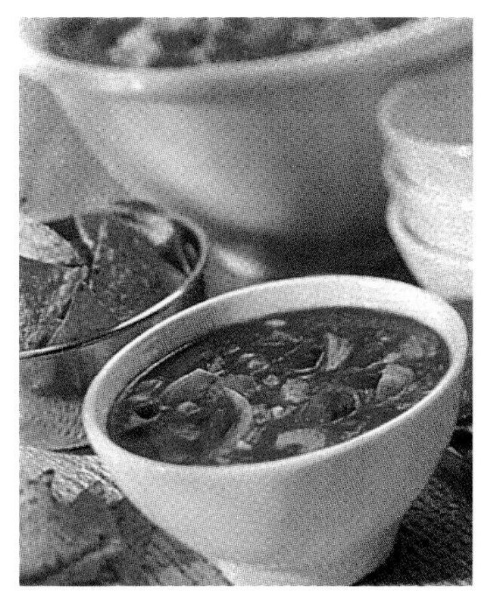

Pittige bruine bonensoep

400 g gehakt
1 1/2 el taco-kruidenmix
1 geraspt uitje
1 geperste knoflookteen, 1 ei
2 uien, 1 rode en 1 groene paprika
2 vleestomaten
1/2 l (1 pakje) tomatenpassata
400 g bleekselderij
1 literblik bruine bonen
1 l water, 2 bouillontabletten
1 blikje maïskorrels

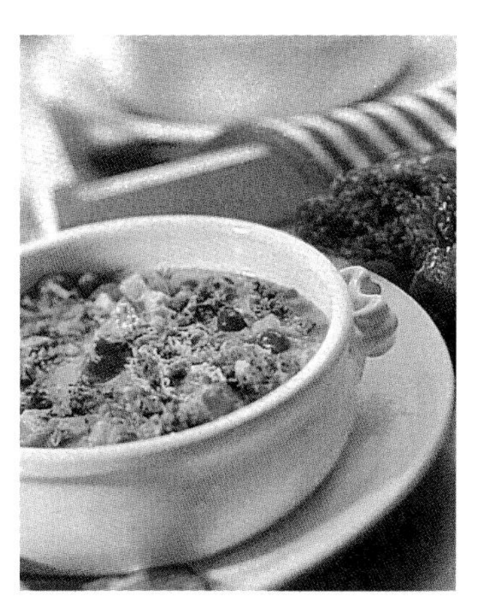

Friese kapucijnersoep

400 g groene kool
1/4 knolselderij
2 aardappelen, 50 g boter
1 gesnipperde ui
1 geperste knoflookteen
1 el kerrie
40 g bloem
1 l vleesbouillon
1 literblik kapucijners
200 g ham, peterselie
1 1/2 dl slankroom

1.
De groenten snijden. Het uitje en de knoflook en kerrie in de boter fruiten. Dan de bloem erbij roeren en even door laten pruttelen. Giet de bouillon er langzaam bij. Dan * met vocht en de groenten toevoegen en 15–20 minuten zachtjes laten koken. Reepjes ham met wat versgeknipte peterselie en de room bij de soep roeren en deze met zout en peper kruiden. Geef er stokbrood bij.

2.
* wassen, met het water, de poelet en het zout 1 uur zachtjes laten koken, afschuimen en gladroeren. De kleingesneden soepgroente en de blaadjes van het selderijgroen toevoegen en de soep nog een half uur koken. Af en toe omroeren. De vacuümverpakte * in plakjes snijden en op het laatst bij de soep doen. Wat peterselie fijnknippen en erbij roeren. Lekker met roggebrood en roomkaas.

3.
Meng het gehakt goed met het ei, de kruiden het geraspte uitje en de knoflook. Draai er dan soepballetjes van. Groenten snijden. De helft van de * met het vocht pureren en dan met de rest van de *, alle groenten, de tomatenpassata, de gehaktballetjes, het water en de bouillontabletten 20 minuten koken. Doe de maïskorrels op het laatst erbij en breng de soep op smaak met zout, peper, tabasco en wat peterselie. Smaakt lekker met tacochips of pittige tosti's.

'Warm eten is zonde van de tijd'

Door een onzer redacteuren

De helft van de Nederlandse jongeren vindt warm eten zonde van de tijd. Ze hebben liever brood.

Als er wat warms op tafel komt, is dat meestal aardappels, vlees en groenten. Driekwart van de Nederlanders grijpt meermalen per week naar die vertrouwde combinatie. Meestal eindigt het 'bruin, groen en geel' in een kleurloze brei, want van alle Nederlanders prakt 57 procent zijn eten en 18 procent doet dat iedere dag.

Supermarktketen Albert Heijn heeft door het onderzoeksinstituut NIPO laten uitzoeken hoe de Nederlanders eten. Vooral het verschil tussen de jongeren (tot en met 34 jaar) en de ouderen (boven de 55 jaar) is opvallend groot, zo blijkt uit de resultaten van het onderzoek.

De jongeren, meestal één- en tweepersoonshuishoudens, koken een kwartier tot een half uur. Is het eten klaar, dan wordt het in de keuken zo uit de pan op het bord geschept. De ene dag eten ze warm om vijf uur, een dag later om half acht. Het eten duurt niet langer dan twintig minuten, terwijl ze daarbij vaak voor de televisie zitten. Ze variëren het traditionele menu regelmatig met pasta (vooral Italiaanse maaltijden) en rijst. Bij het eten drinken ze frisdrank.

Elf procent van de jongeren bidt voor het eten.

Ouderen, ook meestal één- en tweepersoonshuishoudens, besteden een half uur tot drie kwartier aan de bereiding van de maaltijd. De favoriete groenten bij gezinshoofden zijn bloemkool, sperziebonen en andijvie. Bij kinderen vanaf twaalf jaar zijn dat sla, spinazie en bloemkool.

Bij ouderen ligt het vaste tijdstip voor de warme maaltijd tussen half zes en zes, maar een kwart eet nog altijd tussen de middag warm. Op tafel liggen een tafelkleed en servetten. Als ouderen het menu afwisselen, is dat meestal door Chinees-Indisch te eten. Een derde bidt voor het eten.

Samenvatting

Grammatica

Pronomen relativum

Dat is ook *de wijn* **die** we de laatste keer hadden.
Het toetje **dat** ik altijd neem!

Met hoeveel personen bent u?
– We zijn met z'n **tweeën**/ **drieën**/...

prakken

Uitdrukkingen

Moussaka? Wat is dat?
Dat lust ik graag/niet.
Hebt u een dagschotel?
Lijkt me lekker!
Voor mij graag ...
Dat is nou jammer!
Kunt u ons een witte wijn aanbevelen?

Ik heb het koud/warm.
Ik heb honger/dorst.

Les 14

Kan ik u helpen?

Basiswoorden: kleding

1 Schrijf op wat de mensen op de foto's dragen.

jas · het kostuum/het pak · broek · (strop)das · schoenen
het colbert ✔ · jurk · het shirt/het overhemd · trui

Basiswoorden: kleding

2 Maak groepen.

A-Z

a) Wat draag je thuis/op het werk/buiten ... ?

dingen die je op je werk draagt

dingen die je buiten draagt

dingen die je thuis draagt

Les 15

dingen die je in de zomer draagt

b) Wat draag je 's winters/in de zomer/het hele jaar door?

dingen die je het hele jaar door draagt

dingen die je 's winters draagt

c) Kunt u nog nog meer/andere groepen bedenken?

Aandacht voor: winkelen

3 Dialoog: Dat is niks voor mij! 42

Marijke:	Frans, kijk eens, wat een leuk colbertje! Pas dat eens even aan.
Frans:	Bedoel je dat met die grote revers? Dat is niks voor mij, veel te netjes.
Marijke:	Nee, dit natuurlijk. Ik ken jouw smaak toch. Lijkt me echt iets voor jou.
Frans:	Nee, die kleur vind ik niet mooi. Trouwens, heb je al op het prijskaartje gekeken?
Marijke:	O ja, dat is wel duur. Maar voor het feest heb je wel iets goeds nodig. Dat hoeft niet het duurste te zijn, maar ook niet het goedkoopste!
Frans:	Eigenlijk heb ik alleen een nieuwe broek nodig. Mijn colbert van vorig jaar is nog prima. Kijk eens, hoe vind je deze broek? Die is afgeprijsd.
Marijke:	Ja, gaat wel, maar die daar is veel mooier – en van een betere kwaliteit.
Frans:	Weet je wat, het beste is nog steeds een spijkerbroek met een vlot hemd. Kom, laten we maar naar een jeanswinkel gaan. Elegant is eigenlijk niks voor mij!
Marijke:	Weet je wat jij moet doen? De volgende keer moet je maar lekker alleen gaan. Dan kan je kopen wat je wil!
verkoopster:	Kan ik u helpen?

Let op!

duur – duurder – duurst
goedkoop – goedkoper – goedkoopst

goed – beter – best

4 Welke woorden hebben ongeveer dezelfde betekenis?

Zoek in de dialoog de woorden die ongeveer hetzelfde betekenen als de volgende woorden.

correct · prijzig · behoorlijk · voordelig · leuk ✔ · sportief · chic

... die daar is veel mooier ➡ veel leuker

Aandacht voor: winkelen

5 Wie zegt wat?

	klant	verkoper/verkoopster
1. Kan ik dit even aanpassen?		
2. Wilt u pinnen of contant betalen?		
3. Heeft u dit een maat groter/kleiner?		
4. Kan ik u helpen?		
5. Ik zoek een ...		
6. Deze broek past niet. Hij is me te groot.		
7. Deze paskamer is vrij.		
8. Wat kost het bij elkaar?		
9. Kan ik pinnen/chippen/ met een eurocheque betalen?		
10. Dat staat u goed.		

....

6 Wat zeggen ze?

- Volgens mij is het te klein.
- Welke maat hebt u?
- Nee, dank u, ik kijk alleen maar even.
- Ik neem dit.

Les 15

....

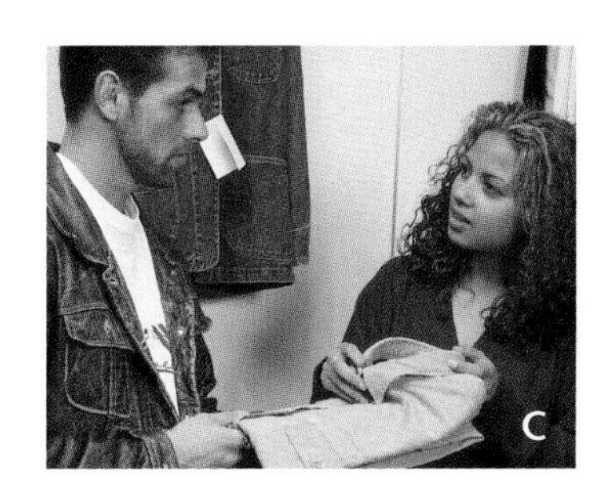

....

....

7 Rollenspel

a) Maak tweetallen. Eén van u is klant, de ander verkoper/verkoopster.
b) Bedenk een dialoog in een kledingzaak en schrijf de dialoog op.
c) Oefen de dialoog een paar keer en speel hem daarna voor de anderen.

Een stapje verder: vergelijken

8 Amsterdam – één van de mooiste steden in Europa

Amsterdam is één van de vrolijkste, swingendste, drukste, beruchtste, mooiste en meest romantische steden van Europa. Dat zeggen veel mensen die er ooit geweest zijn. En hoewel het niet de grootste stad van Europa is, telt Amsterdam meer bruggen dan Parijs en meer grachten dan Venetië. En aan één van deze talloze grachten – de voorname Herengracht – staan de mooiste en oudste patriciërshuizen van Amsterdam. Maar ook het smalste huis, dat niet breder is dan een voordeur! Je kunt hier niet alleen áán, maar ook óp het water wonen. In de Amsterdamse grachten liggen de meeste woonboten van Nederland (ongeveer 2000). Voor veel mensen is en blijft dit de gezelligste en (ont)spannendste manier van wonen! Wist u overigens dat u Amsterdam ook vanuit de watertaxi kunt bekijken? Misschien wel één van de origineelste manieren om de grachten te verkennen.

Als we toch op het water zijn: wat dacht u van de combinatie rondvaart door de grachten en museumbezoek? Amsterdam telt rond 40 musea en het leuke is, dat je er enkele met de 'museumboot' kunt bereiken. Zoeken naar een parkeerplaats (Amsterdamse bekeuringen zijn niet mis!) is dan overbodig. Je wordt van het ene naar het andere museum gebracht. Het bekendste is het Rijksmuseum, waar je 'De Nachtwacht', het beroemdste schilderij van Rembrandt van Rijn kunt zien. Niet minder beroemd is Vincent van Gogh, die in Amsterdam een eigen museum heeft. Met in totaal 400 tekeningen en 200 schilderijen is dat de grootste Van Gogh collectie ter wereld.

Een stapje verder: vergelijken

Na zoveel cultuur hebt u zeker trek in een kopje koffie of iets anders. De beste 'bruine cafés' vind je in de binnenstad en een borreltje smaakt hier natuurlijk het lekkerst! Wie dan nog energie over heeft kan nog uitgebreid gaan winkelen.

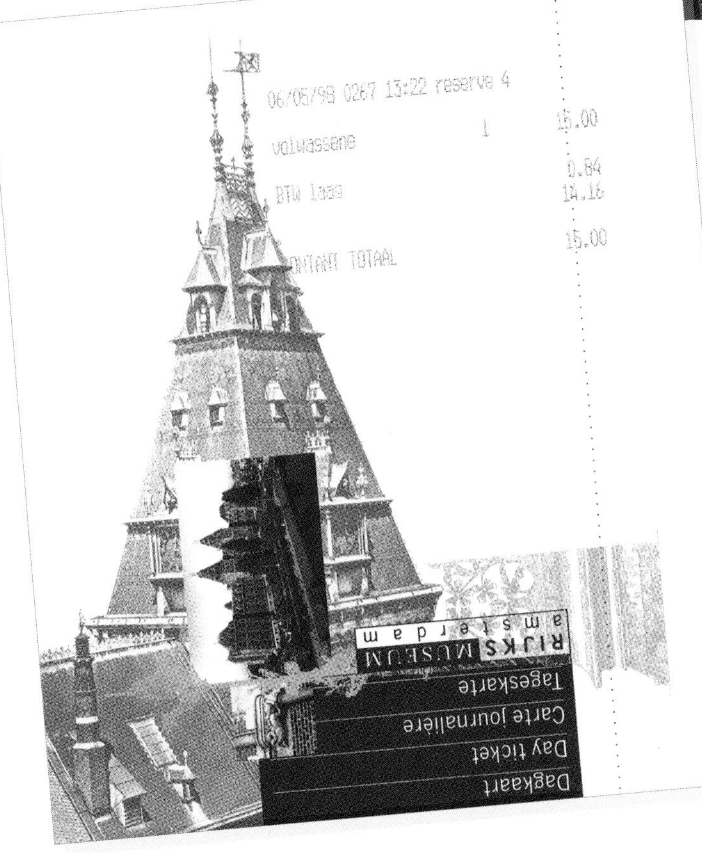

In het historische centrum liggen Amsterdams beste winkelstraten zoals de Kalverstraat en de Leidsestraat. In de Jordaan – één van de oudste wijken – zijn nog veel kleine winkeltjes waar je voor een habbekrats de gekste dingen kunt kopen.

9 Superlatieven

1. Hoeveel superlatieven staan er in de tekst? Zet er een streepje onder.
2. Wat zijn de oudste/mooiste/modernste gebouwen in uw woonplaats?
3. Wat zijn de leukste/belangrijkste dingen die je er kunt zien en doen?
4. Wat zijn de grootste/beste/duurste/goedkoopste winkels?

Een stapje verder: vergelijken

10 Reclame, reclame!

Welke tekst hoort bij welke kop?

Op stap in de vier leukste steden van Europa

Het mooiste, roerendste liefdesverhaal van dit jaar!

De grootste tuinbeurs van Nederland!

Gegarandeerd de laagste prijs!

Gratis de dikste

De ruimste en comfortabelste

1 Op Schiphol tax-free gekocht en toch in Nederland goedkoper gezien? Wij betalen u het verschil terug.

2 Wij weten dat voor sommigen de grootste familiewagen niet groot genoeg is. Daarom maken wij al sinds jaren naast ons standaardtype deze 37 centimeter langere uitvoering. Dat is pas comfortabel rijden. En ondanks zijn lengte toch nog eenvoudig te parkeren!

3 In Wenen leeft de muziek, Rome biedt een kijkje in de oudheid, Parijs heeft de leukste en meeste winkels en Berlijn is gewoon te gek!

4 Een ideale gelegenheid om nieuwe groen-ideeën op te doen. Geniet mee van sfeervolle tuindecoraties, planten, bomen en heesters. 27 februari t/m 2 maart in de Brabanthallen.

5 Nu in de bioscoop: de veelbesproken, duurste productie ooit!! Bekroond met vier Golden Globes voor beste film, regie, muziek en titelsong.

6 Vraag nu gratis de gloednieuwe Lente/Zomer-catalogus aan! Helemaal gratis voor u de dikste catalogus van Nederland met de leukste, betaalbare mode. Reageer vandaag nog.

11 De leukste, mooiste, grootste en de goedkoopste!

Maak tweetallen en bedenk samen de tekst voor een advertentie voor een product/stad/cursus Nederlands/... .

Extra: het lichaam

12 Vul de lichaamsdelen in.

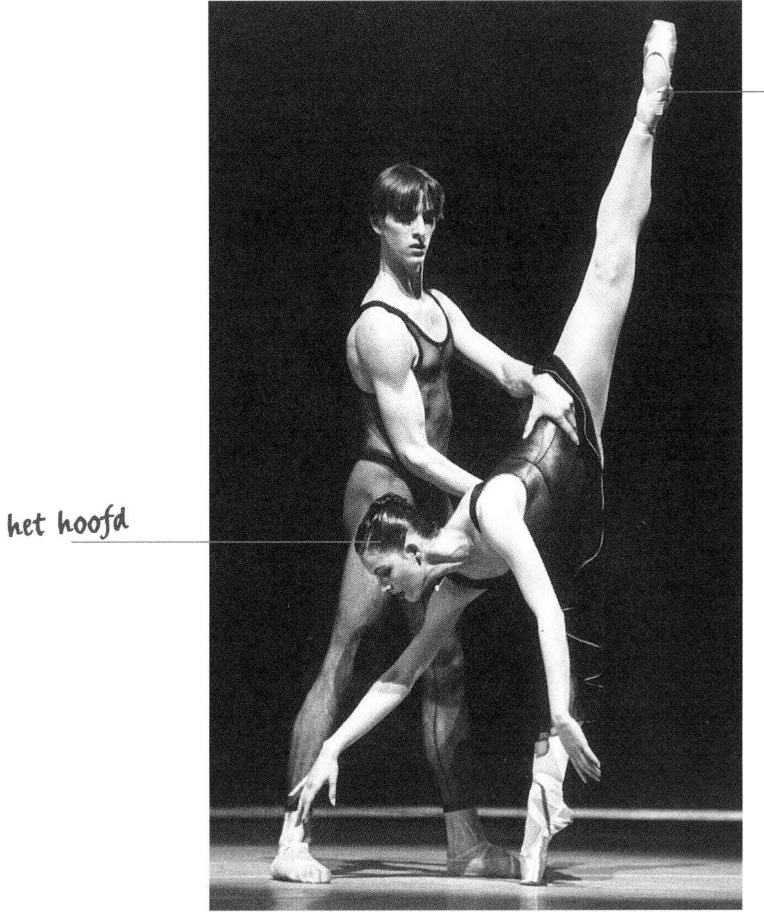

het haar · het oog · neus · mond · het oor · kin · hals · het hoofd ✓ · borst
rug · arm · hand · vingers · buik · het been · voet ✓ · tenen

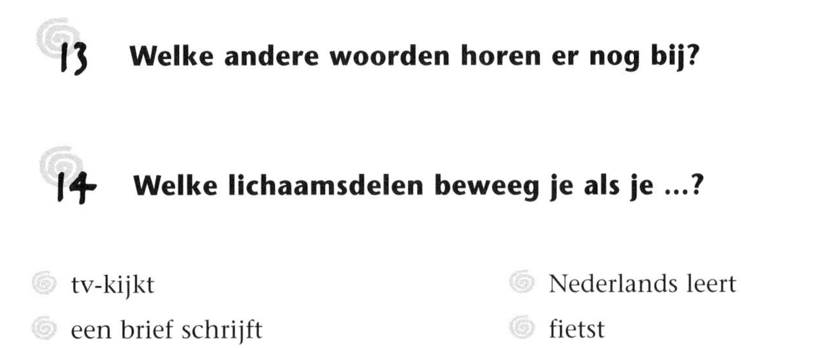

13 Welke andere woorden horen er nog bij?

A-Z

14 Welke lichaamsdelen beweeg je als je ...?

- tv-kijkt
- een brief schrijft
- iemand een zoen geeft
- Nederlands leert
- fietst
- ...

Les 15

Nederland – *ander*land

Het Oranje-gevoel

U hebt ze vast wel eens op televisie gezien of misschien hebt u ze zelfs wel eens meegemaakt in een voetbalstadion: supporters uit Nederland. Allemaal gekleed in het oranje, een oranje T-shirt aan, een oranje pet op en soms zelfs met oranje gezichten. Heel bijzonder voor een land waar 'gewoon doen' een deugd is.

Een paar jaar geleden probeerde een speciale uitgave van het tijdschrift Elsevier erachter te komen hoe Nederlanders nou eigenlijk zijn. Volgens de schrijver van een van de artikelen zien Nederlanders zichzelf het liefst gewoon als mensen. 'Nationaal gevoel' is – met uitzondering van erupties als Koninginnedag of een overwinning van het Nederlandse Elftal – een nationaal taboe. Ondanks deze verkrampte houding vormen de Nederlanders wel een natie; met de negentiende-eeuwse eenheidsstaat als basis, en de Tweede Wereldoorlog als bindende 'gezamenlijke ervaring'.

De Nederlander is geen nationalist (alleen al het woord natie is verdacht), verre van dat. Welnee, hij is gewoon een Nederlander, punt uit, een doodgewone Nederlander, een echte individualist, maar verder is dat Nederlander zijn niks om je over op de borst te kloppen. ... Het Oranje-gevoel gloeit slechts als er voetbal is. Koninginnedag? Een gezellige vrije dag om met z'n miljoenen te vieren. Met het Koningshuis heeft 't niets te maken, laat staan met nationalisme.'

Wat zeggen Nederlanders altijd? 'Doe maar gewoon, dan doe je al gek genoeg'.

Samenvatting

Grammatica

De superlatief

duur	duurder	duur**st**
mooi	mooier	mooi**st**
goedkoop	goedkoper	goedkoop**st**
groot	groter	groot**st**
goed	beter	best
veel	meer	meest

het smalste huis
de grootste collectie — *attributief*

Dat is het beste/het leukste. — *zelfstandig*

iets goeds

Les 15

Kleren maken de man

Uitdrukkingen

Kan ik dit even aanpassen?
Dank u, ik kijk alleen maar even rond.
Heeft u dit een maat groter/kleiner?
Ik zoek een ...
Het past niet (zo) goed.
Dat is veel te netjes/groot.
Wat kost het bij elkaar?
Kan ik pinnen/chippen/met een eurocheque betalen?

Wie is er aan de beurt?

Basiswoorden: boodschappen doen

1 Kies bij elk plaatje het juiste woord.

het halfje wit ◎ peren ◎ zeep ◎ telefoonkaart ◎ perziken ◎ spa ◎ sla
bonen ◎ frisdrank ◎ tijdschriften ◎ komkommer ◎ vleeswaren ◎ taart
postzegels ◎ courgettes ◎ strippenkaart ◎ wortels ◎ tandpasta ◎ kippenpoot

2 Wat koop je waar?

Bijna alles hierboven kan je op de markt of in een supermarkt kopen.
In welke winkels kan je de bovenstaande dingen ook nog vinden?

bij de bakker	bij de slager	bij de groenteman	in de boekwinkel	op het postkantoor	bij de drogist

A-Z

3 Wat kan je nog meer in de supermarkt kopen?

het wasmiddel ...

Aandacht voor: boodschappen doen

4 En u?

a) Geef antwoord op de volgende vragen.

1. Waar koopt u brood?
2. Waarom daar?
3. Hoe vaak per week doet u boodschappen?
4. Vindt u het leuk om boodschappen te doen?
5. Waarom (niet)?

Let op!

enkele enige veel/weinig sommige	dingen

b) Stel de vragen aan drie medecursisten.

– *Ik koop mijn brood meestal in de supermarkt omdat het daar goedkoper is.*

5 Luisteren 43

a) Luister naar de tekst. Waar vinden de gesprekken plaats?

b) Luister nog een keer. Hoe spreken klant en medewerkster/verkoper/verkoopster met elkaar?

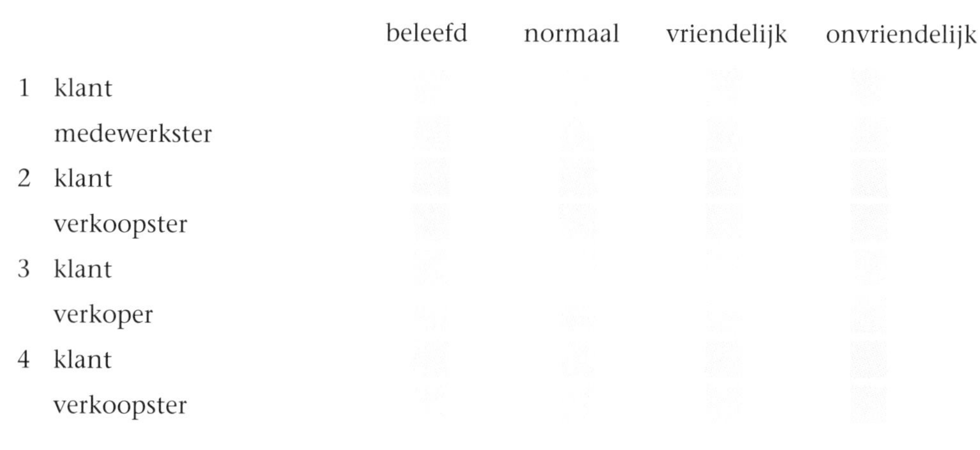

	beleefd	normaal	vriendelijk	onvriendelijk
1 klant				
medewerkster				
2 klant				
verkoopster				
3 klant				
verkoper				
4 klant				
verkoopster				

Les 16

Aandacht voor: boodschappen doen

6 Dialoog: Op het postkantoor 44

klant 1: Mevrouw, u moet eerst een nummertje trekken.
Anders moet u wel heel erg lang wachten!
klant 2: O dank u, dat wist ik niet! Dat zal ik dan maar snel doen.
...
klant 2: Oh, nummer zesentachtig; nou, dan ben ik aan de beurt.
Goedemiddag. Een briefkaart en drie postzegels, graag. En ik heb hier ook nog een pakje dat naar Amerika moet. Hoeveel moet erop?
medewerkster: Sorry mevrouw, voor pakjes moet u aan het loket hiernaast zijn.
klant 2: Jeetje, moet ik dan nog een keer wachten?
medewerkster: Inderdaad. Boven het loket staat toch precies waar u moet zijn!
klant 2: Nou, vooruit dan maar. En deze brief, komt die morgen al aan?
medewerkster: Ik denk het wel! Dat was het, mevrouw?
klant 2: Ja, dank u.
medewerkster: Dat is dan 1,45.

7 Dialoog: In de kaaswinkel 45

verkoopster: Wie is er aan de beurt?
klant: Ik. Een stuk belegen Goudse, alstublieft. Die is toch in de aanbieding?
verkoopster: Nee hoor, dat is de oude boerenkaas. Wilt u even proeven?
klant: Nou, graag. ... Goh, die is lekker pittig. Wat kost die?
verkoopster: 7 euro per kilo.
klant: Nou, prima, doe maar een pond.
verkoopster: Mag het iets meer zijn? Dit stuk weegt 550 gram.
klant: Ja, dat is goed.
verkoopster: Anders nog iets?
klant: Nee, dank u wel.

1 ons	=	100 gram
1/2 pond	=	250 gram
1 pond	=	500 gram
1 kilo	=	1000 gram

Aandacht voor: boodschappen doen

8 Dialoog: In de groentewinkel 46

groenteman: Zegt u het maar mevrouw!
klant: Eens kijken, twee kilo appels graag, maar niet van die hele grote.
groenteman: Kijkt u eens, allemaal kleintjes. Anders nog iets? We hebben vandaag spruitjes en snijbonen in de aanbieding.
klant: Nou, doe dan maar een pond van die snijbonen.
groenteman: Anders nog iets, mevrouw?
klant: Zijn die perziken rijp?
groenteman: Ja, ze zijn heerlijk!
klant: Goed, dan neem ik daar een pond van en dan nog een komkommer.
groenteman: Dat was het?
klant: Ja hoor, dat was het.
groenteman: Oké, dat is dan 6 euro bij elkaar!
Oh jee, heeft u het niet kleiner?
klant: Nee, het spijt me. Ik heb helemaal geen kleingeld.
groenteman: Even kijken, dan wordt het zo tien, twintig, dertig, en twintig, maakt vijftig – en bedankt, hè. Daaag!
klant: Tot volgende week!

9 Dialoog: Bij de bakker 47

verkoopster: Wordt u al geholpen, mevrouw?
klant: Nee, maar ik geloof dat ik nu aan de beurt ben.
verkoopster: Zegt u het maar, mevrouw.
klant: Vier broodjes en een halfje wit, alstublieft.
verkoopster: Gesneden, mevrouw?
klant: Ja graag.
verkoopster: Anders nog iets?
klant: Ja, geeft u maar twee van deze taartpunten en twee ons roomboterkoekjes.
...
verkoopster: Zo, alstublieft. Dat wordt dan 7 euro bij elkaar.
klant: Alstublieft.

10 Vriendelijk of onvriendelijk?

Schrijf op welke uitdrukkingen uit de dialogen beleefd, normaal, vriendelijk of onvriendelijk zijn. Luister eventueel nog een keer.

beleefd/formeel	normaal	vriendelijk/informeel	onvriendelijk

Een stapje verder

11 Wij geven een feestje!

Wat hebben we allemaal nodig? Wie neemt wat mee?
Probeer steeds te onthouden wat de cursisten vóór u kopen.

Cursist 1: Ik ga naar de bakker en koop brood.
Cursist 2: ... gaat naar de bakker en koopt brood en ik ga naar de slager en koop gehakt voor gehaktballetjes.
Cursist 3: ... gaat naar de bakker en koopt brood, ... gaat naar de slager en koopt gehakt voor gehaktballetjes en ik ga naar de supermarkt en haal frisdrank.
...

12 Waar zit het in?

	zakje	pot	beker	fles	pakje	blikje	krat
spa							
broodjes							
wasmiddel							
drop							
jam							
yoghurt							
flesjes bier							
boter							
tonijn							
frites							

➔ *Drop zit in een ...*

Een stapje verder

13 Luisteren 48

U hoort klanten bij de slager, in een boekwinkel, en bij de drogist. Vul het schema in.

	Waar zijn ze?	Wat kopen ze?	Hoeveel betalen ze?
klant 1			
klant 2			
klant 3			

14 Zoek samen de verschillen.

Maak tweetallen.

Cursist A: Kijk op deze pagina.
Cursist B: Kijk op pagina 178.

Cursist A: U ziet een aantal levensmiddelen op de tekening. Op de tekening van uw partner staan ook levensmiddelen, maar niet allemaal dezelfde. Probeer door vragen te stellen te weten te komen hoeveel verschillen er zijn.
Formuleer vragen op deze manier:

➲ *Hebt u/Heb je twee bananen op uw/jouw tekening?*
– Ja, inderdaad. / Nee, ik heb geen bananen. Hebt u/Heb je ...?

15 Rollenspel

Maak groepjes van drie. Eén van u is winkelier. De andere twee overleggen welke boodschappen zij voor het weekend nodig hebben. Zij maken een boodschappenlijstje en gaan boodschappen doen.

Extra: gezond eten

16 Lees de volgende informatie.

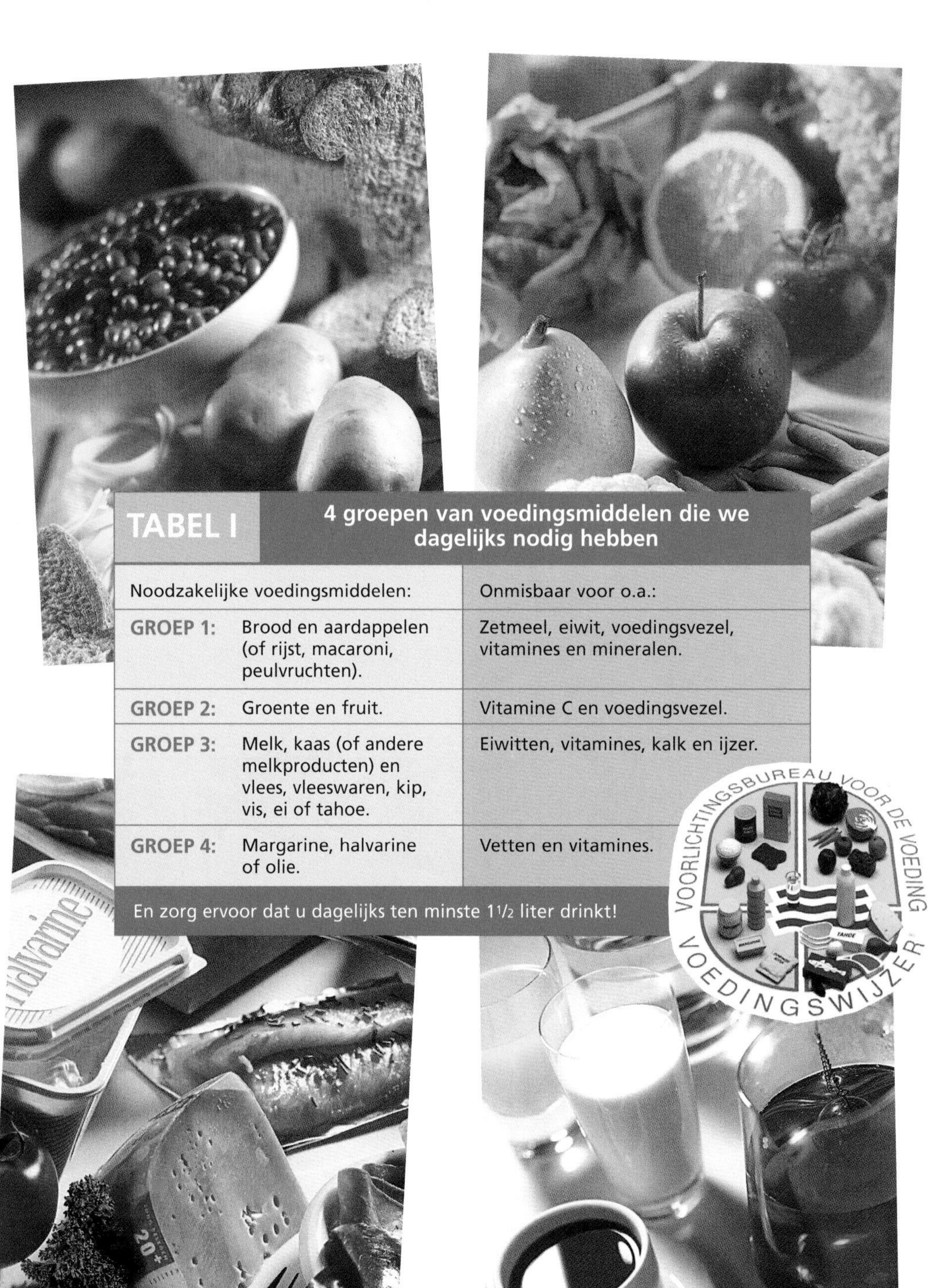

TABEL I	4 groepen van voedingsmiddelen die we dagelijks nodig hebben	
Noodzakelijke voedingsmiddelen:		Onmisbaar voor o.a.:
GROEP 1:	Brood en aardappelen (of rijst, macaroni, peulvruchten).	Zetmeel, eiwit, voedingsvezel, vitamines en mineralen.
GROEP 2:	Groente en fruit.	Vitamine C en voedingsvezel.
GROEP 3:	Melk, kaas (of andere melkproducten) en vlees, vleeswaren, kip, vis, ei of tahoe.	Eiwitten, vitamines, kalk en ijzer.
GROEP 4:	Margarine, halvarine of olie.	Vetten en vitamines.

En zorg ervoor dat u dagelijks ten minste 1½ liter drinkt!

Extra: gezond eten

En u?

Eet u gezond? Doe de volgende test om het te weten te komen.
Vraag het dan aan een medecursist.

TABEL 5	AANBEVOLEN HOEVEELHEDEN VOEDINGSMIDDELEN PER DAG				
	kinderen 4 - 12	**tieners 12 - 20**	**volwassenen**	**hier moet ik voortaan** méér van gebruiken	minder van gebruiken
brood	3 - 5 sneetjes	5 - 8 sneetjes	5 - 7 sneetjes		
aardappelen	1 - 4 stuks (50 - 200 gram)	4 - 6 stuks (200 - 300 gram)	3 - 5 stuks (150 - 250 gram)		
groente	2 - 3 groente-lepels (100 - 150 gram)	3 - 4 groente-lepels (150 - 200 gram)	3 - 4 groente-lepels (150 - 200 gram)		
fruit	1 - 2 vruchten (100 - 200 gram)	2 vruchten (200 gram)	2 vruchten (200 gram)		
melk en melkproducten	2 - 3 glazen (300 - 450 ml)	2 - 3 glazen (300 - 450 ml)	2 - 3 glazen (300 - 450 ml)		
kaas	1/2 - 1 plak (10 - 20 gram)	1 - 2 plakken (20 - 40 gram)	1 - 2 plakken (20 - 40 gram)		
vlees, vis, kip, ei, tahoe en tempé	65 - 100 gram rauw (50 - 75 gram gaar)	100 gram rauw (75 gram gaar)	100 gram rauw (75 gram gaar)		
vleeswaar	1/2 - 1 plakje (10 - 15 gram)	1 - 2 plakjes (15 - 30 gram)	1 - 2 plakjes (15 - 30 gram)		
halvarine op brood	5 gram per sneetje brood	5 gram per sneetje brood	5 gram per sneetje brood		
margarine voor de bereiding	15 gram	15 gram	15 gram		
vocht	1 1/2 liter	1 1/2 liter	1 1/2 liter		

Nederland – *ander*land

Heeft u zich ook weleens afgevraagd wat het betekent, als de caissière vraagt: "Spaart u zegels?"

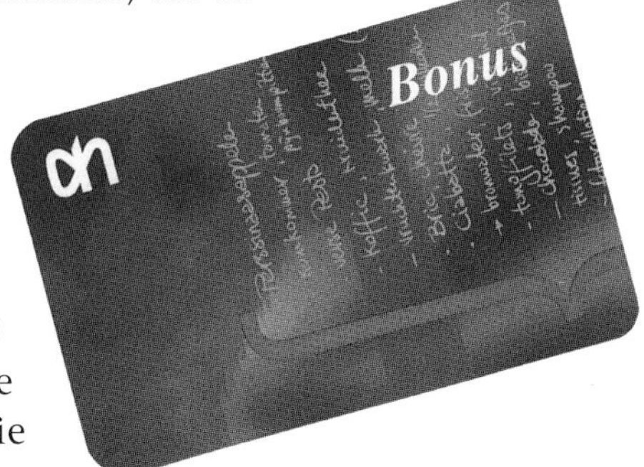

Wat voor zegels dit zijn? Geen postzegels, maar spaarzegels. Voor de oorlog bestonden er al zegelacties, maar de echte rage begon pas na die tijd. Elk extraatje dat je voor een volle spaarkaart kreeg, was meegenomen. Sinds 1980 krijg je ook bij het tanken zegeltjes. Die kan je dan weer inruilen voor kleine dingetjes die eigenlijk iedereen al heeft.

De Nederlandse consument is dol op aanbiedingen en voordeeltjes, b.v. in de vorm van zegeltjes, airmiles, kristalzegels, spaarpunten op elk pak koffie, thee of waspoeder. Bij de airmiles bijvoorbeeld krijg je voor een bepaald besteed bedrag steeds één gratis airmile. En je begrijpt wel, dat als je dan maar lang genoeg spaart, je ooit misschien eens een gratis vliegreis naar New York kunt maken. Voor een retourtje Londen moet je bijvoorbeeld al 600 airmiles hebben. Dat komt overeen met misschien wel 500 keer boodschappen doen ...

De nieuwste actie is de bonuskaart waarmee je direct extra korting op sommige producten aan de kassa kunt krijgen. Maar niet iedereen doet daaraan mee: er zijn genoeg mensen die op de vraag of ze zegels of airmiles sparen steevast antwoorden: 'ik wil alleen maar betalen, aan al die spaaracties doe ik niet mee.'

En waar haalt u de lekkerste Air Miles?

Natuurlijk krijgt u niet alleen bij óns uw Air Miles. Maar terwijl u lekker uw boodschappen doet, gaat dat sparen bijna vanzelf. En wist u dat u nu nog meer van uw Air Miles kunt genieten? U kunt ze namelijk ook voor leuke, kleine, dingen gebruiken. Des te meer reden dus ook lekker veel Air Miles bij 's lands grootste leverancier te halen.

'S Lands grootste kruidenier blijft op de kleintjes letten.

Samenvatting

Grammatica

Indefinita

enkele enige veel/weinig sommige	dingen

Syntaxis

Ik geloof **dat** ik nu aan de beurt *ben*.

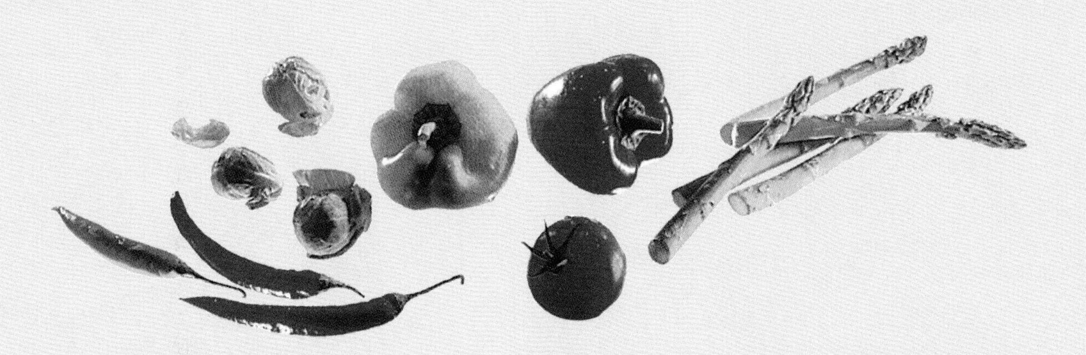

Op ieder potje past een dekseltje

Uitdrukkingen

Dat wist ik niet!
Dat zal ik maar snel doen.
Hoeveel moet erop?
Die is toch in de aanbieding?
Die is lekker pittig.
Wat kost die/dat?
Doe/Doet u maar een pond.
Geeft u maar twee van deze taartpunten.
Tot volgende week!
Ik geloof dat ik nu aan de beurt ben.

Ik zou graag ...

Basiswoorden: huishoudelijke apparaten enz.

1 Wat hoort bij elkaar?

het gasfornuis · telefoongids · koelkast · wasmachine · magnetron
het koffiezetapparaat · het strijkijzer · telefoon · handdoeken
vaatwasmachine · klok · pannen · TV · radio · föhn

A-Z

2 Wat hebt u nodig in een vakantiehuisje?

Geef aan welke van de bovenstaande dingen u in een vakantiehuisje verwacht.

Dat moet, het is onmisbaar.	Dat zou ik handig vinden.	Dat hoeft niet, is niet nodig.

Aandacht voor: een vakantiehuisje huren

Luisteren 49

Een vrouw belt op naar de VVV van Vlieland. Ze wil een appartement reserveren.

a) Lees het reserveringsbewijs.

b) Luister naar de tekst. Heeft de medewerkster van de VVV alle informatie goed genoteerd?

RESERVERINGSBEWIJS NR. .... **AKKOORD:** eigenaar

Datum boeking 03-04-1998

vvv vlieland

Reisbureau .... Gesproken met ....

Naam Mw. A. de Vries

Adres Hoofdweg 21

Woonplaats 4582 WL Amsterdam

Tel./Fax 024-28732938

O Vlieland-gids

O Waddengids

O Overig

Hotel / Bungalow / appart. Eureka-37

Aankomstdatum: zaterdag 15 aug **Vertrekdatum:** zaterdag 22 aug

Aantal: ....x 1 pers. k. bad/douche/toilet

.... x 2 pers. k. bad/douche/toilet

1 x 4 pers. bungalow/appartement/suite

X L

0 LO

0 HP

0 VP

Aantal nachten 7

Bijzonderheden: 2 volw 2 kinderen (5 jr, 10 jr) 1 hond

Acc: ....x.......pers.	=	f............
....	=	f............
....	=	f............
Verlenging: ....nachten x.......pers. x	=	f............
Toesl. hoogseiz: ....nachten x ......pers. x	=	f............
Toesl. 1-ps. k..: ....nachten x ......pers. x	=	f............
Korting -/- .... x 17,40 65+/ kind	=	f............
App. / Woning 1 week ~~nachten~~ x 800,-	=	f 800,-
Toeristenbel.: 1,60 x 7 nachten x 4 pers.	=	f 44.80
Bootkaarten: 37,50 x 2 volw.	=	f 75.00
" 20,10 x 2 65+/kind	=	f 40.20
" 17,45 x 1 hond/fiets	=	f 17.45
Diverse kosten verblijf hond 7 x 4	=	f 28.00
Reserveringskosten	=	f 20.00
Totale reissom:	=	f 1.025,45

OVERM. + STUREN   OVERM. 1X/2X   ST.+ BALIE   BOOT/BALIE

Les 17

Een stapje verder

En u?

a) Wat zou u nog meer in (de buurt van) uw vakantiehuisje willen hebben?

Hotels
Aantal een-persoonskamers
Aantal twee-persoonskamers
Aantal drie-of meer-persoonskamers
Aantal parterrekamers
Minimale afmeting van een 2-persoonskamer met warm en koud water (m²)
Minimale afmeting van een 2-persoonskamer met eigen douche en toilet (m²)
Minimale afmeting van een 2-persoonskamer met eigen bad en toilet (m²)
Minimale afmeting van een 2-persoonskamer met eigen bad, (separate) douche en toilet (m²)
Kamers met (k)tv
Kamers met radio
Kamers met telefoon
Kitchenette
Aangepast voor rolstoelgebruikers (ITS)
Lift
Restaurant
Speelweide
Tuin/Terras
Tennisbaan
Solarium/Zonnebank
Sauna
Overdekt zwembad
Parkeerruimte behorend bij hotel
Huisdieren niet toegestaan
Huisdieren toegestaan na overleg
Afstand tot dorp/Noordzeestrand in meters
Classifikatie

Bungalows/Appartementen
Aantal slaapkamers/aantal bedden
m² woonkamer
Kinderbed/campingbed aanwezig
Kinderbox aanwezig
Kinderstoel aanwezig
Centrale verwarming
Kachel verwarming
Open haard
Ligbad
Douche
Wasmachine
Magnetron
TV
KTV
Kabel TV
Schotelantenne
Telefoon in de bungalow
Terras
Balkon en/of terras
Tuin m²
Zwembad/overdekt zwembad
Parkeerruimte bij bungalow
Huisdieren niet toegestaan
Huisdieren toegestaan na overleg
Afstand tot dorp/Noordzeestrand in meters
Classifikatie

b) Vraag drie medecursisten wat ze tijdens hun vakantie graag willen hebben.

Wat wilt u/wil je in een vakantiehuisje graag hebben?
– Ik zou graag … willen hebben maar ik hoef geen … te hebben.

Let op! zou/zouden + infinitief

c) Vertel dan aan de klas.

Tom heeft thuis een magnetron en gebruikt hem dagelijks, maar tijdens de vakantie heeft hij geen magnetron nodig. Hij zou wel graag een vaatwasmachine willen hebben.

Een stapje verder

En u?

Wat zou u tijdens een vakantie op de Waddeneilanden graag willen doen?

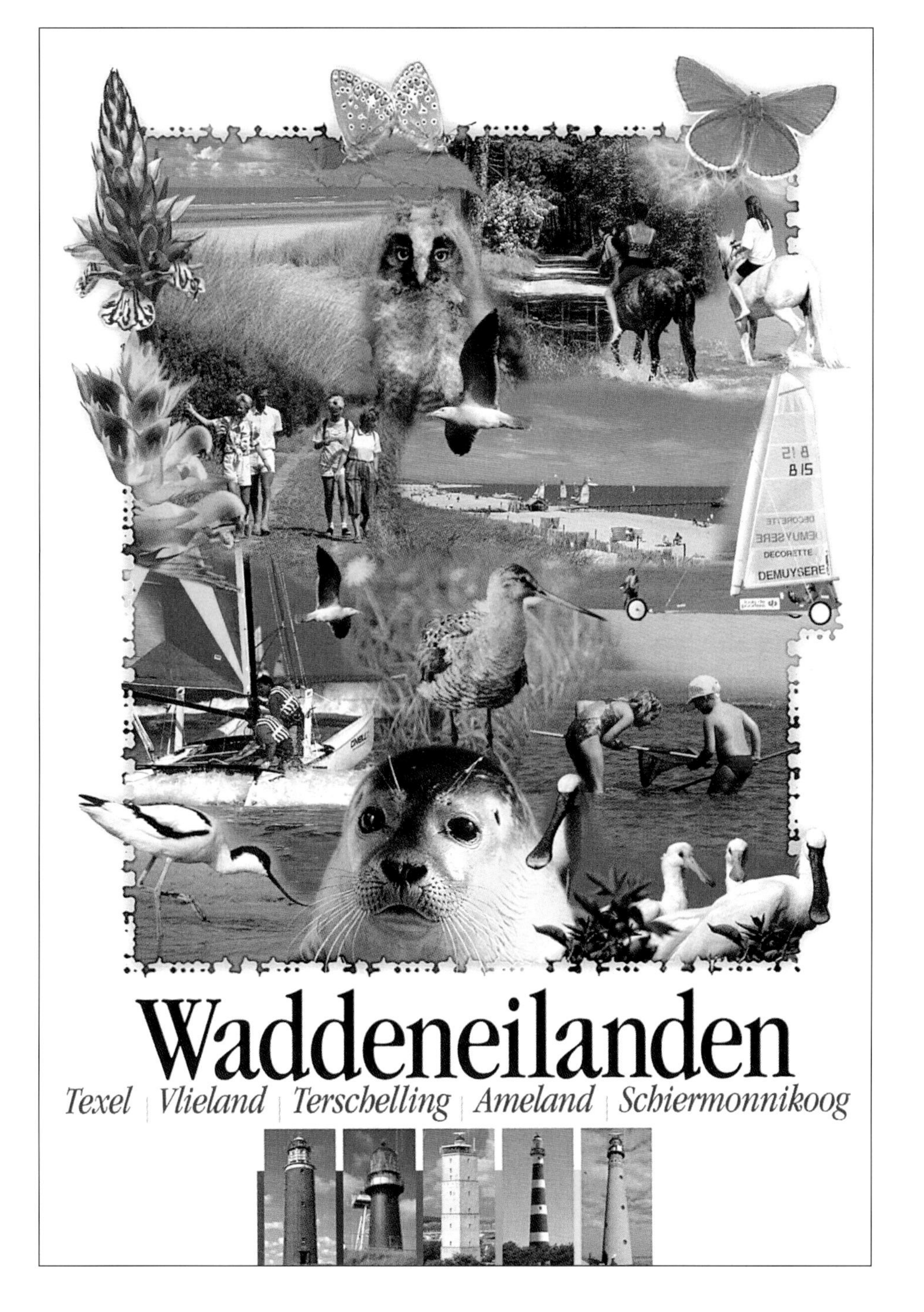

wandelen • windsurfen • zwemmen • vissen • paardrijden • luieren • ...

Les 17

Een stapje verder

6 Hoe ziet uw favoriete vakantie eruit?

a) Geef antwoord op de vragen.

1. Waar logeert u op vakantie: bij familie of vrienden/in een hotel of een vakantiehuisje/ op een camping?
2. Waar gaat u het liefst naartoe?
3. Waarom kiest u voor zo'n soort vakantie?

het appartement · het hotel · het pension · tent · het vakantiehuisje · caravan
het strand · bergen · steden · het platteland · zee · het bos
eenvoudig · met veel mensen · luxe · alles geregeld · onafhankelijk · gezellig

b) Stel de vragen aan drie medecursisten. Noteer de antwoorden.

Vertel het aan de klas.

Vera blijft meestal in Nederland. Ze gaat naar de kust. Ze heeft familie in Zandvoort maar ze huurt liever een vakantiehuisje. Dan is ze niet zo afhankelijk.

Rollenspel

Maak tweetallen. Eén cursist is medewerker/medewerkster bij de VVV, de andere wil een vakantiehuisje/appartement boeken. Schrijf van te voren op wat u wilt/moet vragen/antwoorden. Gebruik eventueel het reserveringsbewijs op pagina 147 en het overzicht op pagina 148.

Extra: brieven schrijven

 **Lees de volgende brieven.**

Aan
het VVV kantoor Vlieland
Tel./Fax

Per fax

Marleen de Vries
Tel./Fax: 024/28732938

Amsterdam, 3 april 2000

Geachte mevrouw de Reus,

Hiermee bevestig ik uw fax van 3 april. Om te voorkomen dat de papieren die u op wilt sturen niet aankomen, geef ik u voor alle zekerheid nogmaals mijn adres. Bovendien wilde ik appartement 39 huren – op uw fax staat dat verkeerd genoteerd.

M. de Vries
Hoofdweg 29
4582 DL Amsterdam

Met vriendelijke groet,

Marleen de Vries

Amsterdam, 4 april 2000

Beste Anja en Kees,
Jullie tip over de Waddeneilanden was goud waard! Ik heb gisteren direct gebeld en op Vlieland een appartement gehuurd van 15 t/m 22 augustus. De hond mag ook mee! Wij zouden het hartstikke leuk vinden als jullie dan een dagje langs kunnen komen. Van Wijk aan Zee is het maar een klein eindje. Maar voor die tijd zien we elkaar nog op Tons verjaardag.
Groetjes en liefs van Marleen en Ton

 **Schrijven**

Schrijf nu zelf een brief aan de VVV om een reservering te bevestigen en één aan een medecursist, om hem/haar uit te nodigen.

Les 17

De Waddeneilanden – Vlieland

Vlieland heeft al het goede van vroeger bewaard en dit gecombineerd met de voordelen van nu. Op dit kleinere Waddeneiland mag u uw auto niet meenemen. Met de fiets kunt u alle kanten op. Voor een klein bedrag per dag huurt u een 'lichtloper' bij één van de fietsenverhuurbedrijven en bent u helemaal klaar voor een ontdekkingsreis. En er is hier genoeg te zien: duinen, wad, strand en polders en zo'n 100 verschillende soorten broed- en trekvogels.

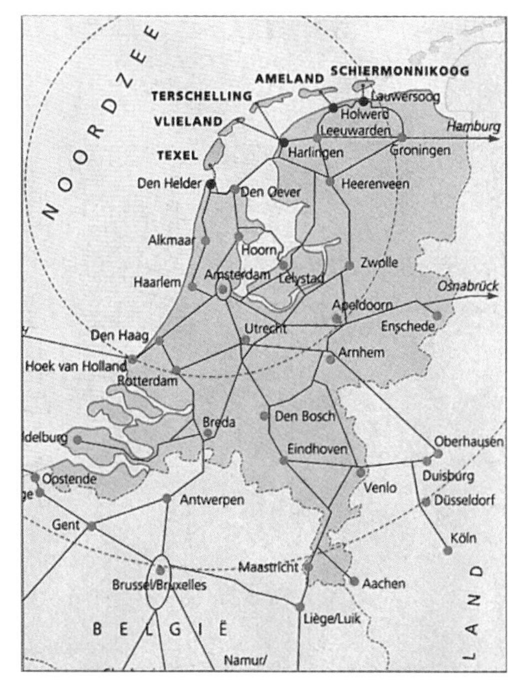

Wie liever op het strand blijft hoeft zich ook niet te vervelen. Vlieland beschikt over een breed strand, dat 12 kilometer lang is. Je kunt er zwemmen en zonnen, maar b.v. ook paardrijden, vliegeren en windsurfen.

Een ander aantrekkelijk gezicht van Vlieland is het dorpsgezicht van Oost-Vlieland, het enige dorp op het eiland met zijn 1090 inwoners in de winter.

Van alle Waddeneilanden is Vlieland het verst verwijderd van de kust. Toch neemt de bootreis vanuit Harlingen met de veerboot 'Oost-Vlieland' niet meer dan zo'n anderhalf uur in beslag. Wilt u sneller? Dan kiest u voor de snelle 'Koegelwieck'. Deze brengt u er in 45 minuten heen. Zoals eerder gezegd, kan de auto niet mee naar Vlieland. Maar dat vindt u helemaal niet erg als u dit 'rustpunt in een hectische wereld' eenmaal heeft ervaren.

Samenvatting

Grammatica

Conditionalis

ik je/jij u hij / ze/zij het	zou	+ infinitief
we/wij jullie ze/zij	zouden	

Syntaxis

Ik **zou** dat graag **willen hebben/doen**.

Zou u/je dat **willen hebben/doen**?

Uitdrukkingen

Wat zou u graag willen hebben?
Ik bevestig uw fax.
Het is maar een klein eindje.

Formeel	**Informeel**
Geachte heer (...) / mevrouw (...)	Beste/Lieve Anja en Kees
Met vriendelijke groet,	Groetjes (en liefs) van Marleen

Onderweg
Basiswoorden: op reis

1 Wat hoort bij elkaar?

mobiele telefoon/zaktelefoon · zonnebril · laptop · agenda · het woordenboek
krant · het horloge · plattegrond · het tijdschrift · medicijnen · zonnecrème
het snoep · het rijbewijs · creditcard · pinpas · het buitenlandse geld
zwembroek · het ticket · het (trein)kaartje · het paspoort · reisgids

2 Wat neemt u mee?

zakenreis	allebei	vakantie

3 Wat hoort er nog meer bij?

Aandacht voor: voorbereidingen voor een zakenreis

Zet de volgende uitdrukkingen in de juiste kolom.

Enkele reis of retour?

Ogenblikje alstublieft, ik verbind u door.

Is dat inclusief ontbijt?

Moet ik overstappen?

Alleen maar voor één nacht.

Van welk spoor vertrekt die?

U wordt afgehaald.

Tot maandag – en goede reis!

Kunt u de reservering schriftelijk bevestigen?

Moet ik reserveren?

Hoe gaat het met u?

U bent om 12.31 uur in Brussel.

Kunt u me zeggen wat die kost?

Is dat met toeslag?

Ik bel om onze afspraak te bevestigen.

Ik zou graag met meneer De Graaf willen spreken.

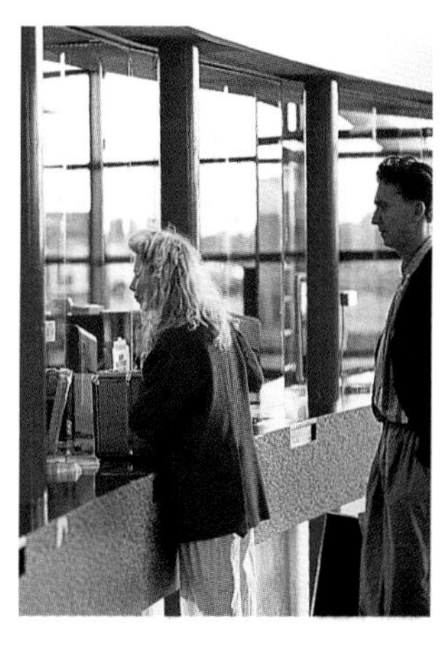

afspraak maken	**kamer reserveren**	**kaartje kopen**

Aandacht voor: voorbereidingen voor een zakenreis

5 Luisteren 50

U hoort twee telefoongesprekken. Lees eerst de zinnen.
Luister dan naar de tekst en kruis aan: waar of niet waar.

	waar	niet waar
1. Femke de Wit werkt bij de Firma De Graaf.		
2. Meneer Becker wil graag een afspraak met mevrouw De Wit maken.		
3. Meneer Becker heeft al een kamer gereserveerd.		
4. Meneer De Graaf haalt meneer Becker van het station af.		
5. Er wordt een twee-persoonskamer gereserveerd.		
6. De kamer kost 75 euro per nacht.		
7. De prijs is inclusief ontbijt.		
8. De reservering wordt bevestigd.		

6 Rollenspel

Maak groepjes van vier. U gaat twee telefoongesprekken voorbereiden: 1. een zakelijke afspraak, 2. een kamer reserveren. U kunt de uitdrukkingen op pagina 155 gebruiken.
Bedenk nu eerst wat u wilt zeggen of vragen, bijvoorbeeld:

- hoe reist u? (met het vliegtuig/de trein/de auto?)
- hoe laat komt u aan?
- moet er een kamer worden gereserveerd? (voor hoeveel personen/nachten?)
- ...

7 Luisteren 51

a) Bekijk de informatie.
b) Luister naar de tekst en kruis aan: met welke trein gaat de reiziger naar Brussel?

Utrecht CS – Brussel-Zuid/Midi

VERTREK	AAN	treinnummer	overstappen in	aan	vertrek	treinnummer
5 09	8 35	9806 *niet zaterdags en niet zondags*	Rotterdam CS	5 59	6 26	2455
6 49	9 31	1714 *niet zaterdags en niet zondags*	Rotterdam CS	7 25	7 32	2456
7 02	9 57	9816 *zondags*	Rotterdam CS	7 52	8 18	9320 R ☒
7 19	9 57	516 *niet zondags*	Rotterdam CS	7 55	8 18	9320 R ☒
7 49	10 31	1718 *niet zondags*	Rotterdam CS	8 25	8 32	2457
8 49	11 31	1722	Rotterdam CS	9 25	9 32	2458
9 19	11 57	524	Rotterdam CS	9 55	10 18	9328 R ☒
9 49	12 31	1726	Rotterdam CS	10 25	10 32	2459
10 49	13 31	1730	Rotterdam CS	11 25	11 32	2460
11 49	14 31	1734	Rotterdam CS	12 25	12 32	2461
12 49	15 31	1738	Rotterdam CS	13 25	13 32	2462
13 49	16 31	1742	Rotterdam CS	14 25	14 32	2463
14 19	16 57	544	Rotterdam CS	14 55	15 18	9348 R ☒
14 49	17 31	1746	Rotterdam CS	15 25	15 32	2464
15 49	18 31	1750	Rotterdam CS	16 25	16 32	2465

Een stapje verder

8 En u?

a) Geef antwoord op de vragen.
b) Stel de vragen aan drie medecursisten. Probeer zo veel mogelijk informatie te verzamelen.

	ik	medecursist
Bent u wel eens ...?		
op een NS station geweest		
op Schiphol geweest		
bij een zakenrelatie in het buitenland geweest		
Hebt u wel eens in Nederland ...?		
een treinkaartje gekocht		
een hotelkamer gereserveerd		
naar de tv gekeken		
in een telefoongids een nummer opgezocht		
in een hotel overnacht		
een krant/tijdschrift gelezen		

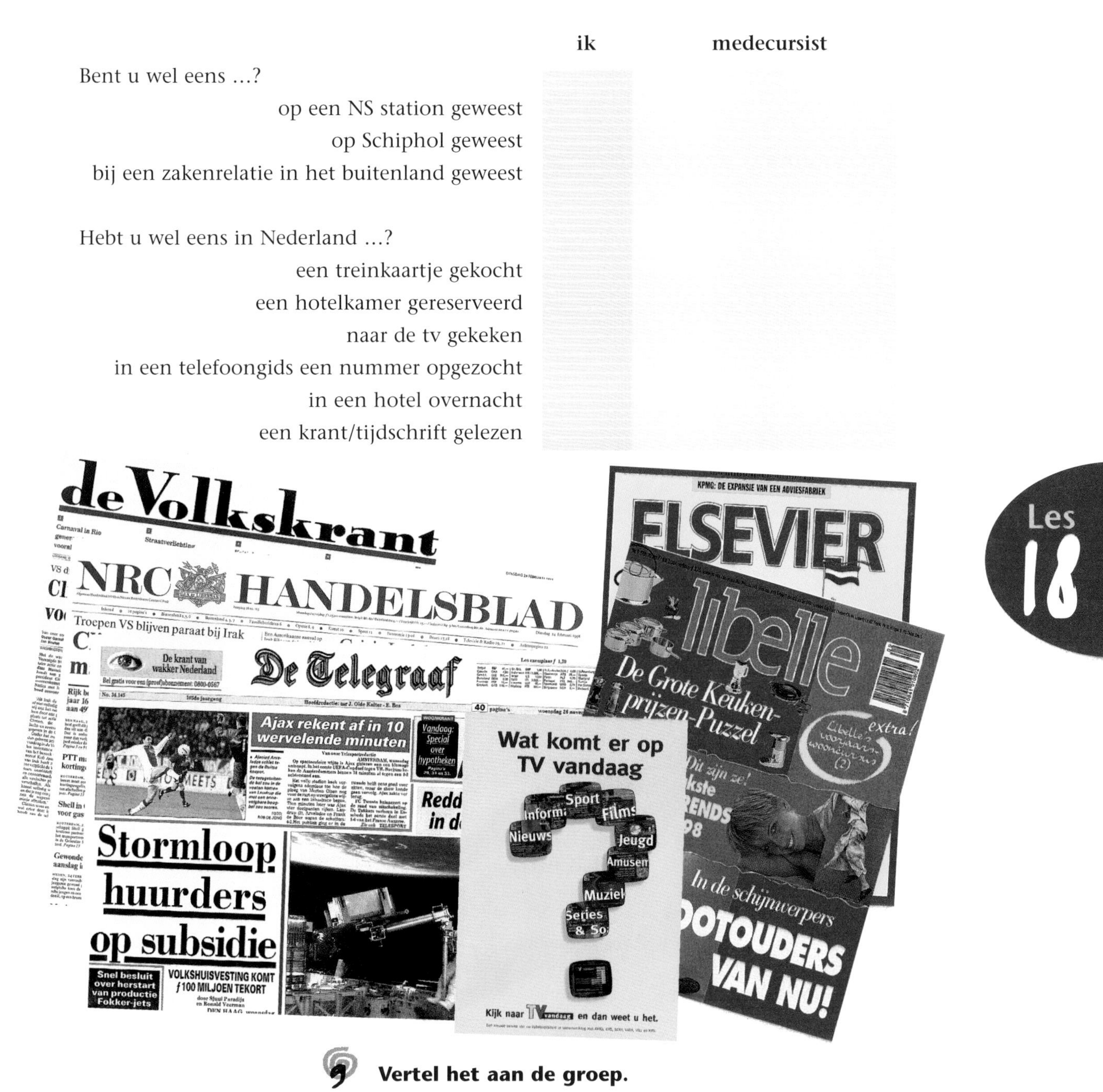

Les 18

9 Vertel het aan de groep.

- *Martin heeft nog nooit een Nederlands tijdschrift gelezen, maar hij heeft wel vaak naar de tv gekeken.*
- *Bettina is een paar keer op een NS station geweest maar nog nooit op Schiphol.*
- *Laura leest af en toe een Nederlands tijdschrift.*

Een stapje verder: het passivum

 **10** **Lees de volgende artikelen.**

'Goedkope' Van Gogh

LONDEN – Vincent van Goghs Portret van Dr. Gachet – eens het duurste schilderij ter wereld – is voor een fractie van de oorspronkelijke waarde verkocht. Het veilinghuis Sotheby's heeft eind vorig jaar 6,2 miljoen pond betaald voor het schilderij, dat in 1990 nog voor 51 miljoen pond was geveild, zo meldt de Britse krant Times onlangs. Verkoper was de bank van de papierfabrieken van de inmiddels overleden Japanner Ryoei Saito, die in 1990 het recordbedrag betaalde.

Olympische vlag in Salt Lake City

SALT LAKE CITY, 24 FEBR. De olympische vlag is aangekomen in het Amerikaanse Salt Lake City, waar in 2002 de Olympische Winterspelen plaatsvinden. Na de slotceremonie van de winterspelen in het Japanse Nagano werd de vlag per vliegtuig naar de Verenigde Staten gebracht. Ongeveer 1.500 fans wachtten daar het witte doek met de vijf olympische ringen op.

Mysterieus koninklijk kistje blijft gesloten

Door een van onze redacteuren.

Het kistje dat restaurateurs hebben gevonden in het grafmonument van stadhouder Willem van Oranje in de Nieuwe Kerk in Delft zal „uit piëteit" met de nabestaanden van de Vader des Vaderlands niet worden geopend voor nader onderzoek. Dit meldde de Rijksvoorlichtingsdienst (RVD) 13 maart namens het koninklijk huis.
Het kistje is inmiddels door de directeur van het archief van het koninklijk huis, B. Woelderink, tijdelijk bijgezet in het familiegraf van de Oranjes in de grafkelder van de Nieuwe Kerk. Na de restauratie van het grafmonument zal het daarin terug worden geplaatst, aldus een woordvoerder van de RVD. Het marmeren beeld op het graf was aangetast door zouten.
Het kistje is onlangs gevonden tijdens restauratiewerkzaamheden aan het grafmonument. In het houten kistje bevindt zich vermoedelijk een loden kistje, dat mogelijk het hart en de ingewanden van de prins van Oranje bevat. Uit historische documenten van vlak na de dood van Willem van Oranje is bekend dat zijn echtgenote, Louise de Coligny, altijd een kistje meenam op reis. Willem van Oranje stierf in 1584; in 1614 werd begonnen met de bouw van het grafmonument. Het monument was pas acht jaar later klaar. Toen Louise de Coligny stierf in 1620 was de bouw nog in gang en mogelijk is het kistje na haar dood ingemetseld.

Kroonprins benoemd tot lid van IOC

Door een van onze redacteuren

Kroonprins Willem-Alexander is 5 februari benoemd tot lid van het Internationaal Olympisch Comité, het hoogste bestuursorgaan in de sportwereld. Tijdens het IOC-congres in Nagano wordt de kroonprins door voorzitter Samaranch voorgedragen aan de andere leden. Samaranch had Willem-Alexander gevraagd zich kandidaat te stellen.

Huisfolie

In de Limburgse gemeente Kessel is 5 februari begonnen met een proef op het inpakken van huizen. De huizen worden in folie gepakt ter bescherming tegen het hoge Maaswater. Het laaggelegen restaurant de Rozentuin is het eerste pand dat door een 65 meter lange dijk van folie is beveiligd. Binnenkort worden nog vier of vijf woningen in Kessel door de provisorische dijk beschermd. Andere gemeenten hebben interesse getoond voor het systeem.

Stormen teisteren VS

LOS ANGELES — Zowel het westen als het oosten van de Verenigde Staten wordt geteisterd door zware stormen. In Californië brachten metershoge golven aan de kust zware schade toe aan huizen en wegen. Zware regenval deed verschillende rivieren overstromen, het zuiden van de staat werd getroffen door modderstromen. De storm, een van de zwaarste uit de geschiedenis van Californië, wordt toegeschreven aan het klimatologische El Niño-effect, waarbij weerpatronen op de Stille Oceaan verschuiven.

Let op!

actief: iemand haalt u af
passief: u wordt afgehaald

Onderstreep het passivum in deze artikelen.

Dendert de trein zo, of heb je Hartkloppingen

Kapotte treindeur
Vrijdagavond 20 juni. Het vonkte in de trein toen de automatische deuren niet meer dicht wilden. Ik stond met mijn witte spijkerjack bij de deur, jij met je donkere haar, zwarte colbert en beige broek zat bij me in de buurt. Was ik maar nooit uitgestapt in Weert! Ik wil je graag nog een keertje zien.
Br.o.nr.R/10/1

Eindstation Ede-Wageningen
Op 3 juli om 11.06 stapte je in Utrecht op de stoptrein naar Zutphen. Je was druk in de weer met foto's en je kletste wat met je overbuurvrouw terwijl je naar mij glimlachte. Van wat ik heb opgevangen ben je net afgestudeerd. Wat had ik graag mijn telefoonnummer in je hand gedrukt toen je in Ede-Wageningen uitstapte!
Br.o.nr.R/10/6

Patrick
Jij (blonde chemicus) vertelde dat je Patrick heet en nog maar net in Scheveningen woont. Ben je inmiddels al een beetje gewend? We dachten dat je misschien wat assistentie kon gebruiken als je je voor het eerst in het Haagse nachtleven gaat storten. Zin om een keertje met ons (de twee meisjes van Randstad Polytechniek) te gaan stappen?
Br.o.nr.R/10/10

Ik Heineken, jij Grolsch
Zaterdag 17 mei, rond 16.00. Jij was op weg naar Den Haag, ik van Utrecht Overvecht naar Utrecht Centraal. Jij dronk Heineken, ik Grolsch. Op de achtergrond rumoer van FC Utrecht-supporters. Een keer samen een pilsje drinken?
Br.o.nr.R/10/13

Knappe Arabier
Station Hoorn-Kersenbogerd. De trein stopte en ineens stond jij daar. Als ik me niet had vastgegrepen, was ik prompt van mijn stoel gevallen. Die lach, die mooie krullen! De hele rit tot Amsterdam heb ik naar je zitten gluren. Knappe, aan de HTS-Amsterdam studerende Arabier, heb je zin in 1001 nachten?
Br.o.nr.R/2/2

Stom, stom, stom
We kwamen elkaar tegen in de trein naar Den Helder. Dat was zo gezellig dat we in Den Helder nog lang niet uitgepraat waren. Dus liepen we door de stad en zaten we bij de dijk. Tot ik je weer naar het station bracht. En vergat naar je adres te vragen. Stom, stom, stom! Laat je iets van je horen?
Br.o.nr.R/2/10

(Contact-advertenties uit het NS-tijdschrift *Rails*)

Samenvatting

Grammatica

Het passivum

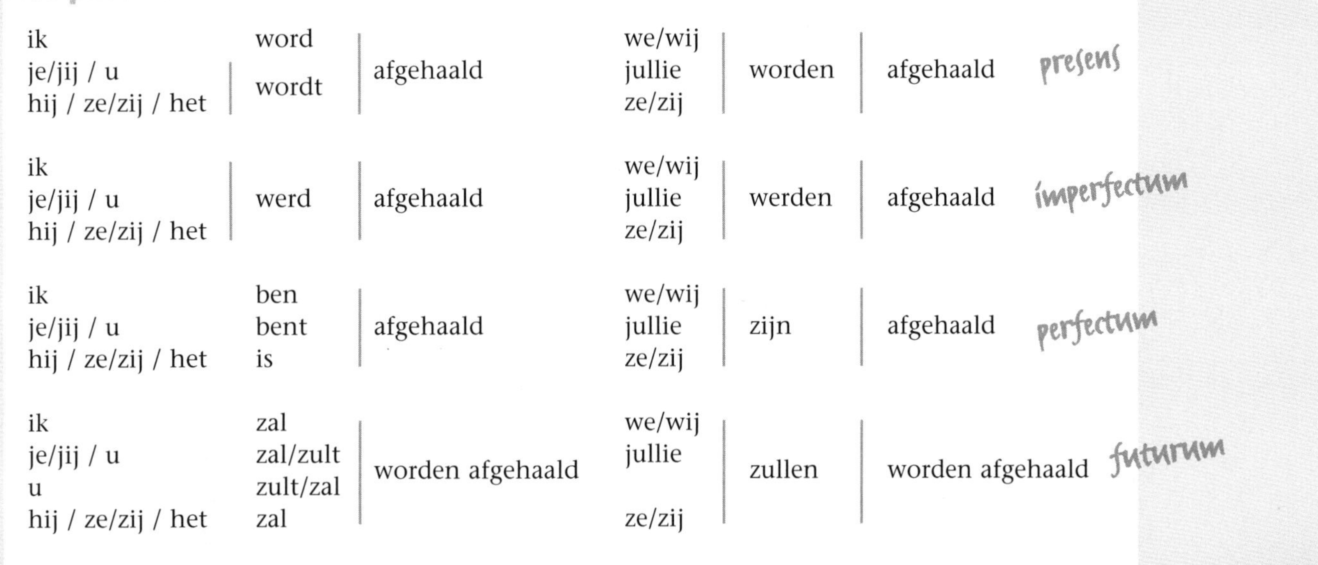

ik je/jij / u hij / ze/zij / het	word wordt	afgehaald	we/wij jullie ze/zij	worden	afgehaald	presens
ik je/jij / u hij / ze/zij / het	werd	afgehaald	we/wij jullie ze/zij	werden	afgehaald	imperfectum
ik je/jij / u hij / ze/zij / het	ben bent is	afgehaald	we/wij jullie ze/zij	zijn	afgehaald	perfectum
ik je/jij / u u hij / ze/zij / het	zal zal/zult zult/zal zal	worden afgehaald	we/wij jullie ze/zij	zullen	worden afgehaald	futurum

Les 18

Liefde is blind

Uitdrukkingen

Enkele reis/Retour Brussel.
Moet ik overstappen?
Van welk spoor vertrekt die?
Hoe laat ben ik in Antwerpen?
Is dat met toeslag?
Moet ik reserveren?

Ik zou graag met meneer De Graaf willen spreken.
Ogenblikje alstublieft, ik verbind u door.
Ik bel om onze afspraak te bevestigen.
U wordt afgehaald.

Kunt u me zeggen wat die/dat kost?
Is dat inclusief ontbijt?
Kunt u de reservering schriftelijk bevestigen?

Ik ben erg verkouden

Basiswoorden: gezondheidsklachten

1 Wie heeft wat?

maagpijn · hoofdpijn · gebroken arm · verkoudheid · oorpijn · wond · koorts · hoestbui · keelpijn · spierpijn

2 Wat hoort er nog meer bij?

3 Zet de volgende uitdrukkingen in de goede volgorde.

recept krijgen
afspraak maken
medicijnen halen bij de apotheek

de dokter spreken
onderzocht worden
ziek zijn

Beterschap!
de dokter bellen
vragen stellen aan de dokter

Aandacht voor: bij de dokter

4 Wie zegt wat?

Een patiënte spreekt eerst met de assistente en dan met de dokter.
Maak twee dialogen van deze zinnen.

Kan ik voor vanmiddag een afspraak maken?

Ja, als ik hoest doet alles zeer!

Nee hoor! Tot ziens mevrouw en beterschap!

Is het dringend? We hebben namelijk vanmiddag geen spreekuur.

Nee, u krijgt een rekening thuisgestuurd. U maakt dan het bedrag over en daarna kunt u de rekening indienen bij het ziekenfonds.

Wat kan ik voor u doen?

Bent u patiënte bij ons?

Hebt u ook spierpijn?

Nee, maar ik heb koorts en ben erg verkouden. Daarom wilde ik de dokter even spreken.

Moet ik de rekening meteen betalen?

En verder hoef ik niets te doen?

Ik ben sinds twee dagen erg verkouden en ik heb ook hoofdpijn.

5 Luisteren 52

a) Luister naar de dialogen en controleer of u oefening vier goed hebt gedaan.
b) Beantwoord nu de volgende vragen.

1. Waarom kan de vrouw niet meteen te komen?
   a) De vrouw is geen patiënte van de dokter.
   b) De dokter heeft geen spreekuur.
   c) De dokter is ziek.

2. Wat heeft de patiënte volgens de dokter?
   a) Alleen maar hoofdpijn.
   b) Een flinke griep.
   c) Spierpijn.

3. Wat is het advies van de dokter?
   a) Een paar dagen in bed blijven.
   b) Medicijnen innemen.
   c) Beterschap.

Een stapje verder

6 Wat hoort bij elkaar?

Kies bij elke vraag een passend antwoord.

1. Waarom maakt mevrouw Hansen een afspraak bij de dokter?	Omdat de dokter geen spreekuur heeft.
2. Waarom kan ze niet meteen komen?	Omdat ze moet betalen.
3. Waarom heeft ze hoofd- en spierpijn?	Omdat ze zich niet lekker voelt.
4. Waarom stelt de dokter zich voor?	Omdat ze elkaar niet kennen.
5. Waarom krijgt ze een rekening?	Omdat ze griep heeft.

7 Formuleer nu de antwoorden op deze manier.

➔ *Ze maakt een afspraak bij de dokter want ze is erg verkouden.*
Ze is erg verkouden. Daarom wil ze een afspraak maken.

8 Welk advies voor welk probleem?

Probleem

buikpijn
hoofdpijn
oorpijn
kiespijn
diarree
insectenbeten
reisziekte
slapeloosheid

Advies

geen alcohol
tanden goed poetsen
aspirine slikken
geen vet eten
veel slapen
in bed blijven
warm houden
naar de tandarts gaan
druppeltjes innemen
niet snoepen
meer eten
minder eten
thee drinken
...

➔ *Als je buikpijn hebt moet/mag je (niet/geen)...*

9 En u?

a) Bedenk nog enkele vragen.
b) Stel de vragen aan drie medecursisten.

1. Wanneer bent u/ben je voor het laatst naar de dokter geweest?
2. Moest u/je een afspraak maken of kon u/je meteen komen?
3. ...
4.
5.

Extra: bewegen

Beweegt u voldoende? Doe deze test om het te weten te komen.
Vraag het dan aan een medecursist.

Regelmatig bewegen is volgens de Nederlandse Hartstichting goed voor de gezondheid en het is ook plezierig. Gezond bewegen betekent elke dag actief zijn, minstens een half uur inspannen is het streven. Een stevige wandeling of een boodschap doen op de fiets is al voldoende intensief. Het maakt niet uit of u dan 3 keer 10 minuten actief bent of 2 keer een kwartier achter elkaar. Het is de totale hoeveelheid beweging per dag die telt voor uw gezondheid.

De Beweegtest

Met deze test kunt u nagaan of u voldoende beweegt. Elke 10 minuten die u per dag beweegt is goed voor 1 beweeg-rondje. Het streven is een half uur, dus 3 beweeg-rondjes per dag. Om u een beter idee te geven van wat mogelijk is, staat hier een aantal bewegingsactiviteiten genoemd. Andere activiteiten zijn natuurlijk ook goed mogelijk. Houd eens bij hoe actief u in één week bent.

Activiteiten		
stevig wandelen	10 min =	○
grasmaaien / bladeren harken		
joggen / hardlopen	maandag:	○○○ ○○○
op de fiets boodschappen doen	dinsdag:	○○○ ○○○
een toertocht fietsen	woensdag:	○○○ ○○○
zwemmen	donderdag:	○○○ ○○○
ramen wassen / stofzuigen	vrijdag:	○○○ ○○○
zaalsporten	zaterdag:	○○○ ○○○
tennis / squash	zondag:	○○○ ○○○
ochtendgymnastiek		
dansen		
roeien / kanoën		
schaatsen / langlaufen		

Uitslag

- 7 dagen, 3 rondjes: Dit is ideaal. Ga zo door.
- 5 dagen, 3 rondjes: Dit is voldoende. Houd dit vast en probeer dit op te voeren naar 7 dagen.
- Minder dan 5 dagen, 3 rondjes: U beweegt in principe te weinig. Probeer dit langzaam te verbeteren door er 1 à 2 rondjes per week aan toe te voegen.

Seksuele voorlichting

Seksuele voorlichting heeft in Nederland een lange traditie: ongeveer 200 jaar geleden begon men na te denken over vrijwillige beperking van het aantal kinderen. In 1881 ontstond de Nieuw-Malthusiaanse Bond. Deze vereniging dacht na over ethische kwesties van de anticonceptiemiddelen die er in die tijd waren. Rond 1900 kreeg een zekere Johannes Rutgers de leiding binnen deze bond. Hij was voor individuele hulp en tegen de onderdrukking van vrouwen. In zijn publicaties schreef hij onder meer dat seks een goede en belangrijke zaak was.

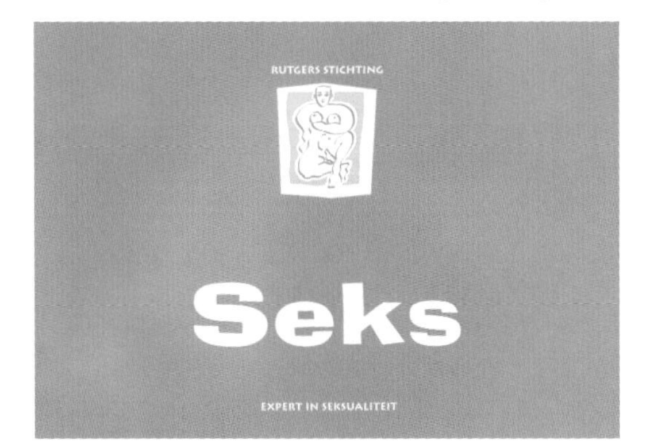

In 1946 werd de Nederlandse Vereniging tot Sexuele Hervorming (NVSH) opgericht. De NVSH was van mening dat seksualiteit belangrijk was voor een gezond leven en een evenwichtige ontplooiing. Op vijftig consultatiebureaus gaf men individuele hulp op het gebied van anticonceptie en seksualiteitsproblemen. Men kon lid worden van de NVSH en er ook voorbehoedmiddelen kopen. Sommige leden verkochten thuis condooms. De generatie van na de oorlog weet nog goed dat daar nogal geheimzinnig over werd gedaan. In de jaren zestig ging de NVSH radicaler denken. Sommige potentiële bezoekers werden daardoor afgeschrikt. In 1969 ontstond een splitsing: een vereniging met ideële doelstellingen (de NVSH) en een professionele organisatie voor hulpverlening (de Rutgers Stichting).

Vaak waren de 'Rutgershuizen' te vinden in onopvallende achterafstraatjes, zonder naambordje op de deur; seksualiteit leidde een verborgen leven. Nu, zo'n 30 jaar later heeft de Rutgers Stichting acht vestigingen verspreid over het land. Daar kan men terecht voor medische en seksuologische hulp. Elke vestiging beschikt over een team van artsen, verpleegkundigen en seksuologen. Per jaar bezoeken circa 20.000 mensen deze vestigingen.

Samenvatting

Grammatica

Syntaxis

Ze maakt een afspraak bij de dokter **omdat** ze erg verkouden *is*.
Ze maakt een afspraak bij de dokter **want** ze *is* erg verkouden.

Ze is erg verkouden. **Daarom** maakt ze een afspraak.

Uitdrukkingen

Kan ik voor vanmiddag een afspraak maken?
Ik heb koorts en ik ben erg verkouden. Daarom wilde ik de dokter even spreken.
Ik ben sinds twee dagen erg verkouden en ik heb ook hoofdpijn.
Als ik hoest doet alles zeer!
Moet ik de rekening meteen betalen?
Beterschap!

Bij de Chinees

Basiswoorden: nationaliteiten

1 Waar komen ze vandaan?

Grieks/Griek ◎ Amerikaans/Amerikaan ◎ Deens/Deen ◎ Frans/Fransman
Engels/Engelsman ◎ Zuid-Afrikaans/Zuid-Afrikaan ◎ Zwitsers/Zwitser
Marokkaans/Marokkaan ◎ Italiaans/Italiaan ◎ Oostenrijks/Oostenrijker ◎ Chinees/Chinees
Portugees/ Portugees ◎ Indonesisch/Indonesiër ◎ Spaans/Spanjaard ◎ Turks/Turk
Russisch/Rus ◎ Belgisch/ Belg

land	adjectief	mannelijke inwoner
Griekenland	Grieks	Griek
...	...	...

2 Teken op een blad papier iets typisch uit vijf landen.

Ruil daarna van blad met een medecursist en raad wat hij/zij getekend heeft.

Is dat Italiaanse wijn?
– Ja, dat is Italiaanse wijn. / Nee, u/je zit er helemaal naast.

3 Welke nationaliteiten horen er nog meer bij?

Aandacht voor: een verhaal vertellen

4 Luisteren 53

Yvonne Pattché, een Nederlandse die haar jeugd in Indonesië heeft doorgebracht, vertelt over de rijsttafel vroeger bij haar thuis.

a) Lees de vragen.
b) Luister naar de tekst en geef antwoord op de vragen.

1. De familie van mevrouw Pattché kwam voor een grote rijsttafel bij elkaar. Waarom?
   a) Het was moeders verjaardag.
   b) Het was grootmoeders verjaardag.
   c) Het was overgrootmoeders verjaardag.
2. Welke tijd van de dag was het?
   a) 's Ochtends.
   b) 's Middags.
   c) 's Avonds.
3. Wat stond en lag er allemaal op tafel?
   a) Een mooi tafelkleed.
   b) Veel schalen en kommen.
   c) Allerlei tropische bloemen.
   d) Karaffen met ijswater.
   e) Zilveren bestek.
4. Aan welk lid van de familie denkt ze bij het woord 'rijsttafel'?
   a) Aan oom Cor.
   b) Aan haar grootvader.
   c) Aan haar vader.
5. Wat wilde hij hebben?
   a) Aardappels, kip en appelmoes.
   b) Een biefstuk met aardappels.
   c) Boerenkool met rookworst.
6. Waarom wilde hij wat anders eten?
   a) Hij vond Indisch eten niet lekker.
   b) Hij dacht dat hij Indisch zou worden.
   c) Hij had nog honger na Indisch eten.
7. Hoe vonden de anderen dat?
   a) Typisch Nederlands.
   b) Begrijpelijk.
   c) Belachelijk.
8. Hoe was de sfeer bij zulke gelegenheden?
   a) Raar.
   b) Stijf.
   c) Gezellig en rumoerig.

5 Vertel het verhaal na.

a) Maak groepjes van drie.
b) Schrijf het verhaal van Yvonne in eigen woorden op. Gebruik eventueel de antwoorden van oefening 4.
c) Lees het verhaal voor aan uw medecursisten.

Een stapje verder: spreektaal

6 Chinees eten in Nederland

Als u een doorsnee Nederlander naar een traditioneel Nederlands gerecht vraagt, krijgt u waarschijnlijk – na een korte aarzeling – als antwoord: bruine bonen, stamppot of erwtensoep.
Maar dat is echt niet alles, want een belangrijk gedeelte van de Nederlandse keuken vindt u bij de Chinees. Dat is de liefdevolle beschrijving van een Chinees of Indonesisch-Chinees restaurant. Wat voor een Amerikaan de hotdog is, dat is voor een Nederlander een loempia of een portie nasi goreng met kroepoek. Dat kun je in het restaurant eten of afhalen en thuis eten.

De volgende verschillen geven een aardig idee over het eigen karakter van de Chinese en Indonesische keuken:

Indonesisch
- meestal geen voorgerecht
- veel kruiden
- weinig varkensvlees
- gerechten zijn vaak scherp
- eten met vork en lepel

Chinees
- wel een voorgerecht
- weinig kruiden
- veel varkensvlees
- gerechten zijn vaak zoet
- eten met stokjes

7 Wat hoort bij elkaar?

Wat betekenen de volgende spreektaal-uitdrukkingen?

spreektaal	normale taal
Een lekkere loempia zal er wel ingaan!	Ik heb genoeg gehad.
Dat loopt aardig op!	Ik doe iets goeds voor jullie.
Ik plof!	Ik heb zin in ...
Ben je betoeterd?	Dat kost veel geld.
Ik snak naar ...	Ik heb trek in een ...
Ik zal een royaal gebaar maken.	Ik heb heel veel honger.
Ik rammel van de honger!	Ben je gek?

8 Lees nu het stripverhaal op de volgende pagina.

Door Jan Kruis
Jan, Jans en de kinderen
De állerleukste 'gouwe ouwe' zomerverhalen.
Speciaal voor u uitgezocht door Jan Kruis.
ALS JULLIE MAAR NIET DENKEN DAT IK MET DIT WARME WEER IN DE KEUKEN GA STAAN...!
IK RAMMEL ANDERS VAN DE HONGER...!
NIET KOKEN...! DA'S HELEMAAL WAT MOOIS...!
VRAAG MAAR AAN JE VADER OF 'IE WAT BIJ DE CHINEES GAAT HALEN.
EEN LEKKERE LOEMPIA ZAL 'R WEL INGAAN...!
HÈ JA, PAP LEKKER...!
OKÉ, DAN ZAL IK VANDAAG EENS EEN ROYAAL GEBAAR MAKEN... IK TRAKTEER...!
GAAN JULLIE MAAR MEE...
...DAN MAG JE ZELF WAT UITZOEKEN.
IK WEET WEL EEN LEKKERE CHINEES..
ALS 'IE OOK MAAR LEKKER KOOKT, HIHIHI...
VIER KROEPOEK..!
KIP MET ANNANAS...
ÉÉN KIP MET SATÉ...
...VIER NASI RAMES...
NEE, TOCH LIEVER BAMI-SPECIAAL ...!
VIER LOEMPIA'S ...!
EN WAT VAN DIE ZOET-ZURE SAUS...
Z'N NEDERLANDSE TAAL IS NOG NIET BEST, MAAR VOOR REKENEN HEEFT 'IE EEN TIEN, HÈ PAP..
VERDORIE..! DAT LOOPT AARDIG OP...! BIJNA VIJFTIG GULDEN...!
ZIJN WE HET TOETJE NIET VERGETEN?
DAG MENEEL, DAG KINDELEN.
'T WAS HEERLIJK, HOOR PAP, MAAR IK HEB GENOEG.
IK PLOF..! GEEF DE REST MAAR AAN DE HONDEN...!
BEN JIJ BETOETERD..! WEET JE WEL HOEVEEL DAT HEEFT GEKOST...!
JIJ ZOU HELEMAAL NIET UITKOMEN MET MIJN HUISHOUD-GELD...!
NA VIER DAGEN CHINEES ETEN...!
NU WEET IK WAAROM ER ZOVEEL CHINEZEN ZIJN...: ANDERS KRIJGEN ZE AL DIE BAMI NIET OP..!
HET LAATSTE HARDE BAMI... ZO ZIE JE, VOOR NOG GEEN VIJFTIG GULDEN ZET IK JULLIE VIER HEERLIJKE MAALTIJDEN VOOR...-
IK SNAK NAAR DIE VIEZE ANDIJVIE VAN JOU, MAM...!
COPYRIGHT JAN KRUIS
libelle

Een stapje verder

9 Vertel het verhaal na.

a) Bedenk wat u gaat vertellen.
b) Maak tweetallen. Vertel elkaar het verhaal in uw eigen woorden.

10 Zoek iemand die ...

	ik	medecursist
vaak Chinees eet.		
af en toe eten haalt.		
weleens Indonesisch heeft gegeten.		
zelf graag buitenlands eten kookt.		
behalve Nederlands nog andere vreemde talen spreekt.		
in het buitenland heeft gewoond.		
buitenlandse collega's/vrienden heeft.		

➔ *Eet u/je vaak Chinees?*
– Ja, vrij vaak. / Nee, ik lust het wel maar ik eet het niet zo vaak/ dat lust ik niet.
– ...

➔ *Spreekt u/Spreek je behalve Nederlands nog andere vreemde talen?*
– Ja, ik spreek nog .... / Nee, alleen maar Nederlands.
Hebt u/Heb je weleens in het buitenland gewoond?
– ...

11 En u?

Schrijf op een blad papier wat uw favoriete buitenlandse muziek, gerecht, taal, persoonlijkheid, bezienswaardigheid is.
Daarna worden alle blaadjes ingezameld en in de klas opgehangen.
Wie heeft het geschreven?

12 Lezen

Saté in soorten

Saté babi en saté ajam, dat zijn de meest bekende saté-variaties. Babi staat voor varkensvlees, ajam voor kip en saté betekent dat het op stokjes geroosterd is. Maar saté hoeft helemaal niet van varkensvlees of kip te zijn. U kunt kiezen wat u wilt, als het maar snel gaar en dus mager is, zoals biefstuk, varkenshaas, kalkoenfilet, (scharrel)kipfilet of lamsbout. Snijd het vlees in blokken van 2-3 cm, of - zoals in Aziatische landen - in dunne repen. Het voordeel hiervan is dat de marinade snel kan intrekken (daar hebben ze niet overal koelkasten), en het vlees tijdens het roosteren van binnen snel gaar wordt. Dat scheelt wachttijd als je aan een kraampje staat. Maar ook blokjes stevige vis, zoals kabeljauw, schelvis en zalm en grote (cocktail)garnalen en mosselen uit de schelp zijn geschikt. Of gebruik eens blokjes tahoe, tempé of Quorn! Wat u ook gebruikt: de heerlijke smaak komt vooral van de marinade en door het roosteren boven gloeiend houtskool. En van de pindasaus natuurlijk.

Saté met pindasaus

Mijn favoriete recept! Voor de marinade: 1 uitje, 2 tenen knoflook, 2 tl bruine suiker, 1 el gembersiroop, 1 el citroensap, 3 el sojasaus, 2 el olie, mespunt geelwortel (kurkuma), ½ tl komijnpoeder, 1 tl laospoeder, 2 tl korianderpoeder. Rasp de ui en meng dit met knoflookpuree en de rest van de ingrediënten. Snijd dat wat u wilt roosteren in blokken, schep dit om met de marinade en zet het 2-5 uur afgedekt en koel weg. Ontsteek ½ uur voor etenstijd de barbecue. Voor de pindasaus: 1 uitje, 2 tenen knoflook, 1 el olie, 200 g pindakaas, 1 el citroensap, 2 el appelstroop, 1 tl sambal trassi, 2 dl santen, water, ketjap, 40 g pinda's, 2 el geraspte kokos. Bereiding: snipper het uitje en fruit het met de knoflookpuree. Roer pindakaas, citroensap, appelstroop, sambal en santen erbij en breng dit al roerend tegen de kook aan. Laat de saus indikken en voeg steeds wat water toe, zodat de saus mooi van dikte wordt. De saus mag niet echt koken. Breng op smaak met ketjap. Hak de pinda's fijn en roer ze met wat geraspte kokos bij de saus. Rijg de gemarineerde stukjes per 3-4 aan (in water voorgeweekte) satéstokjes. Rooster de saté 10-15 min. en keer de stokjes regelmatig een slagje. Serveer de pindasaus erbij.

MINDERHEDEN IN NEDERLAND

In Nederland is circa 7,5% van de bevolking uit het buitenland afkomstig. Daarbij gaat het om personen uit de landen rond de Middellandse Zee, die in Nederland zijn komen werken, uit de (voormalige) overzeese gebiedsdelen Indonesië, Suriname en de Nederlandse Antillen. Het aantal allochtonen* neemt nog toe: door geboorteaanwas, door gezinshereniging en gezinsvorming en door de komst van grote aantallen asielzoekers naar Nederland. Het minderhedenbeleid* is gericht op de opvang en inburgering van de nieuwkomers. Het inburgeringsbeleid heeft een sterk preventief karakter. Getracht wordt in een zo vroeg mogelijke fase van het integratieproces problemen te voorkomen. Behalve in de opvang van nieuwkomers uit zich dat in maatregelen gericht op allochtone jongeren en hun ouders in de voor- en buitenschoolse sfeer. Daarnaast wordt de acceptatie van de multiculturele samenleving bevorderd, wat de samenleving toegankelijker maakt voor allochtonen.

WAAROM NEDERLAND.

Dat er mensen naar Nederland komen, is niets nieuws. De mens verhuist al zolang hij bestaat en vestigt zich bij voorkeur in een veilig

Vreemdelingen in Nederland naar land van nationaliteit per 1-1-'96

Turkije	154.310
Marokko	149.841
BR Duitsland	53.922
Verenigd Koninkrijk	41.146
Voormalig Joegoslavië	33.403
België	24.111
Italië	17.405
Somalië	17.223
Spanje	16.663
Suriname	15.174
Amerika	12.769
Overig	189.454

Bron: CBS

en welvarend land waar hij en degenen voor wie hij wil zorgen een betere toekomst hebben. Natuurlijk laten mensen huis en haard niet voor niets achter. Ieder heeft hier zo zijn eigen redenen voor. Veel mensen zijn op de vlucht voor oorlog en geweld, of om politieke redenen. Deze vluchtelingen, bijvoorbeeld uit Iran of Somalië, zoeken een veilig heenkomen. Dat kan een buurland zijn, Nederland, Duitsland of welk veilig land dan ook.

Ook de Turken en Marokkanen die hier in de zestiger jaren kwamen, hadden niet een speciale voorkeur voor ons land. Nederland had, evenals andere West-Europese landen, een tekort aan arbeidskrachten en zag deze mensen graag komen. Anders ligt het met mensen uit de voormalige rijksdelen Indonesië en Suriname. Hun komst naar Nederland wordt door de geschiedenis bepaald. Vreemdelingen die hier hun gezin of partner hebben, komen natuurlijk ook om een specifieke reden naar Nederland. Evenals werknemers van internationaal opererende bedrijven.

Migratie van vreemdelingen

	Immigratie	Emigratie	Migratiesaldo
1993	87.573	22.203	65.370
1994	67.940	22.675	45.265
1995	66.671	22.021	44.650
1996*	77.183	22.446	54.737

Bron: CBS *voorlopige cijfers

Het migratiesaldo in Nederland (het verschil van komen en gaan) vertoonde in de jaren tachtig een forse stijging en bleef daarna min of meer gelijk. In 1994 en 1995 werd het aantal nieuwkomers zelfs kleiner.

Totaal aantal vreemdelingen in Nederland t.o.v. de Nederlandse bevolking (x 1000)

2 3

allochtoon (de ~ (m.); iemand die afkomstig is uit een ander land of een andere streek; het tegenovergestelde van 'autochtoon'

beleid (het ~); manier waarop je een belangrijke zaak aanpakt, politiek

uit een publicatie van het Ministerie van Justitie

Samenvatting

Grammatica

Nationaliteiten

adjectief	mannelijke inwoner
Grieks	Griek
Frans	Fransman
Engels	Engelsman
Belgisch	Belg
Marokkaans	Marokkaan
Russisch	Rus
Chinees	Chinees
Spaans	Spanjaard
Oostenrijks	Oostenrijker
Turks	Turk

vrouwelijke inwoner

adjectief + **e**

Griekse
Spaanse

Beter een goede buur dan een verre vriend

Uitdrukkingen

Dat lust ik (niet).
Spreek je behalve Nederlands nog andere vreemde talen?

Spreektaal

Een lekkere loempia zal er wel ingaan!
Dat loopt aardig op!
Ik plof!
Ben je betoeterd?
Ik snak naar ...
Ik rammel van de honger!

14 Weet u dat misschien? (pagina 31)

Cursist B: U werkt op Schiphol. U hebt zes nieuwe collega's. U weet niet alles van hen. Vraag uw partner naar de ontbrekende informatie.

Voornaam	Paolo	Joke	Margriet	Laura	Danny	Joe
Achternaam	Capretta			Delmar	Felber	
Komt uit ...	Italië		Nederland			Engeland
Hoe is hij/zij?		romantisch, netjes		grappig, slordig		serieus, optimistisch

Vraag naar: achternaam, herkomst en eigenschappen.

➔ *Wat is Jokes achternaam?*
Komt Joke uit Nederland? / Waar komt Joke vandaan?
Is Margriet sportief? / Hoe is Margriet?

7 Weet u dat misschien? (pagina 61)

	beroep	waar	hoe lang?
Jan-Willem	ambtenaar	op het stadhuis	
Mariska	verkoopster		2 jaar
mevrouw De Wit			bijna 10 jaar
Hendrik			6 maanden
meneer Heeskens		in zijn eigen winkel	
Rieke	secretaresse	bij de Bijenkorf	
uw partner			

➔ *Wat voor werk doet mevrouw De Wit?* *En waar werkt zij?* *Hoe lang werkt zij daar?*
– Zij is ... *– ...* *– Zij werkt daar (al) ... jaar.*

10 Weet u dat misschien? (pagina 39)

Bekijk de foto van de familie Mulder. Kunt u alle personen op de foto beschrijven? Schrijf eventueel enkele steekwoorden op.

Cursist B: Vraag aan uw partner of dezelfde personen op zijn/haar foto staan.

Formuleer vragen op deze manier:

➔ *Staat er een man met een baard op uw/jouw foto?*
– Ja, inderdaad. / Nee, op mijn foto staat geen man met een baard.

Zijn er vier kinderen op uw/jouw foto te zien?
– Ja, inderdaad. / Nee, ik zie er maar drie.

Is er een vrouw met blond haar op uw/jouw foto?
– Ja, er is een vrouw met blond haar. / Nee, ik zie geen vrouw met blond haar.

Staat er een oude vrouw met een hond op uw/jouw foto?
– …

9 Weet u dat misschien? (pagina 80)

Cursist B: U staat voor het station en zoekt:
1. het ziekenhuis 2. de Korenmarkt 3. de VVV 4. de PTT
Uw partner weet waar dat is. Gebruik de volgende zinnen:

Pardon mevrouw/meneer, waar is ...?
weet u waar ... is?
ik zoek ...?

– Ja, u gaat ... en dan ...
U komt dan bij/langs/door ...
Dan gaat u ...

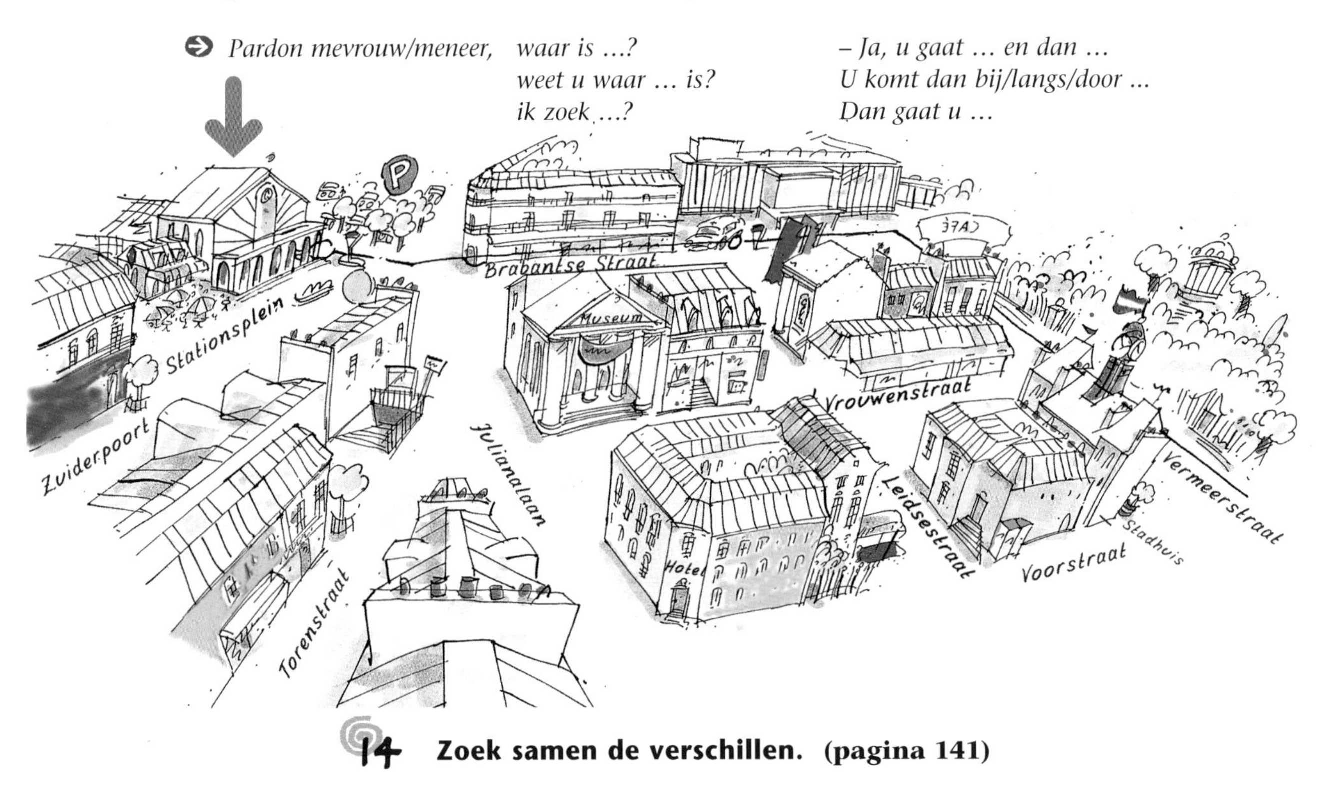

14 Zoek samen de verschillen. (pagina 141)

Cursist B: U ziet een aantal levensmiddelen op de tekening. Op de tekening van uw partner staan ook levensmiddelen, maar niet allemaal dezelfde. Probeer door vragen te stellen te weten te komen hoeveel verschillen er zijn.
Formuleer vragen op deze manier:

Hebt u/Heb je twee bananen op uw/jouw tekening?
– Ja, inderdaad. / Nee, ik heb geen bananen. Hebt u/Heb je ...?

Woordenlijst per les

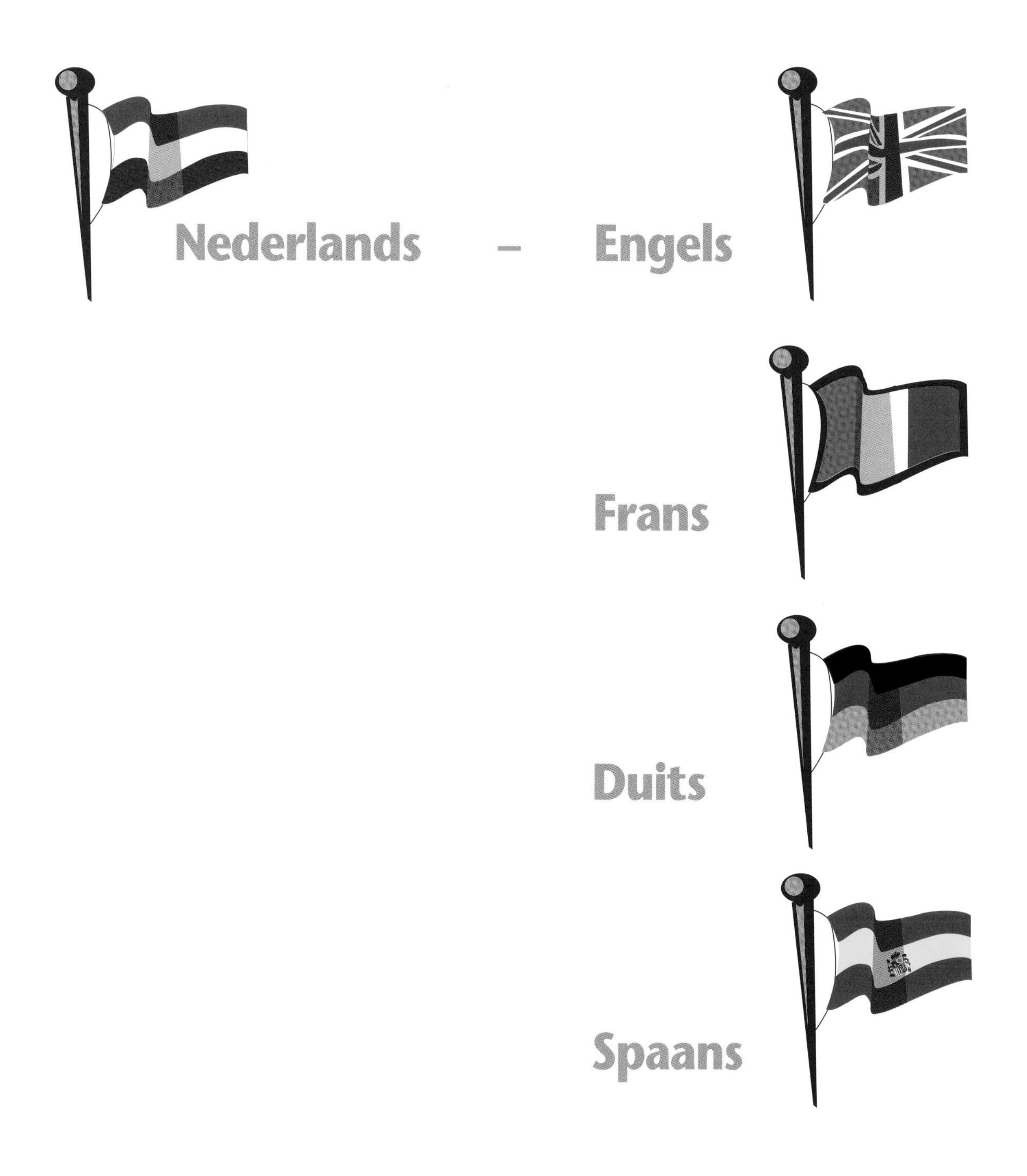

Woordenlijst per les

De verba met een * zijn onregelmatig.
In het werkboek vindt u een lijst met de belangrijkste onregelmatige verba.

Les 1

Titel				
Dag!	Hello!	Bonjour !	(Guten) Tag!	¡Hola!
de dag (-en)	day	jour	Tag	día
de basiswoorden	basic words	vocabulaire de base	Grundwortschatz	palabras básicas
het woord	word	mot	Wort	palabra
de begroeting	greeting	salutation	Begrüßung	saludo
1				
vul in (invullen)	fill in	remplissez	füllen Sie aus	rellene
Wat hoort bij elkaar?	What belongs together?	qu'est-ce qui correspond ?	Was gehört zusammen?	¿Qué hace juego?
wat	what	qu'est-ce qui	was	qué
horen	belong	correspondre	hören	corresponder
kies (kiezen*)	choose	choisissez	wählen Sie ... aus	escoja
elk (-e)	each	chaque	jeder	cada
het plaatje	picture	image	Abbildung, Bild	dibujo
juist (-e)	right	approprié	richtig(e)	correcto
Goedemorgen!	Good morning!	*salutation qu'on utilise avant midi*	Guten Morgen!	¡Buenos días!
Goedemiddag!	Good afternoon!	*salutation qu'on utilise entre midi et 18 heures*	Guten Tag!	¡Buenas tardes!
Goedenavond!	Good evening!	Bonsoir !	Guten Abend!	¡Buenas noches!
2				
aandacht voor	attention for	attention pour	Aufmerksamkeit für	atención por
de aandacht	attention	attention	Aufmerksamkeit	atención
kennismaken	get acquainted	faire connaissance	sich kennen lernen	conocer
jezelf voorstellen	introduce oneself	se présenter	sich vorstellen	presentarse
luister (luisteren)	listen	écoutez	hören Sie zu	escuche
de foto	photo	photo	Foto	foto
het gesprek	conversation	conversation	Gespräch	entrevista
in het ziekenhuis	at the hospital	à l'hôpital	im Krankenhaus	en la clínica
in	at; in	*ici :* à	in	en
op een camping	at the camp(ing) site	au camping	auf einem Campingplatz	en el cámping
op	at; on	*ici :* à	auf	en
de camping	camp(ing) site	camping	Campingplatz	camping
op kantoor	at the office	au bureau	im Büro	en la oficina
het kantoor	office	bureau	Büro	oficina
op de Nederlandse les	at the Dutch course	au cours de néerlandais	im Niederländisch-Unterricht	en la clase de neerlandés
3				
de dialoog	dialogue	dialogue	Dialog	diálogo
ik	I	je	ich	yo
ben (zijn*)	am	suis	bin	soy
hallo	hello	bonjour	hallo	hola
dat	that	cela	das	eso
klinkt (klinken*)	sounds	*ici :* paraît	klingt	suena
nogal	rather	assez	ziemlich	bastante
Belgisch	Belgian	belge	belgisch	belga
Kom je uit België?	Are you from Belgium?	Tu viens de la Belgique ?	Kommst du aus Belgien?	¿Eres de Bélgica?
kom (komen*)	come	viens	kommst	eres de
je	you	tu	du	tú
uit	from	de	aus	de
België	Belgium	Belgique	Belgien	Bélgica
ja	yes	oui	ja	sí
dat klopt	that's right	c'est correct	das stimmt	correcto

Woordenlijst per les

kloppen	be right	être correct	stimmen	ser correcto
En waar kom je from?	And where are you vandaan?	Et d'où es-tu ?	Und woher kommst du?	¿Y tú, de dónde eres?
waarvandaan?	from ... where?	d'où	woher	de dónde
geboren	born	né	geboren	nacido
het dorpje	village	petit village	kleines Dorf	pueblo
vlakbij	near, close by	près de	(ganz) in der Nähe von	cerca
maar	but	mais	aber	pero
nu	now	maintenant	jetzt	ahora
woon (wonen)	live	habite	wohne	vivo
jij	you	tu	du	tú
bent (zijn*)	are	êtes	sind	es
u	you	vous	Sie	usted
nieuw (-e)	new	nouveau	neu	nuevo
de collega	colleague	collègue	Kollege	colega
het zuiden	south	sud	Süden	sur
dat is	that is	c'est	das ist	eso es
Oostenrijk	Austria	Autriche	Österreich	Austria
zit (zitten*)	sit	est assis	sitzt	está sentado
hier	here	ici	hier	aquí
al	already	déjà	schon	ya
iemand	someone, anyone	quelqu'un	jemand	alguien
mevrouw	Mrs	madame	Frau	señora
nog	still	encore	noch	aún
vrij	free	libre	frei	libre
Dank u.	Thank you.	Merci.	Danke schön.	Gracias.
Prettig met u kennis te maken.	Nice to meet you.	Enchantée de faire votre connaissance.	Angenehm. (... mit Ihnen Bekanntschaft zu machen)	Mucho gusto en conocerle.
prettig	nice	enchanté	angenehm	mucho gusto
ook	too	aussi	auch	también
4				
schrijf op (opschrijven*)	write down	notez	schreiben Sie auf	apunte
de naam	name	nom	Name	nombre
hij	he	il	er	él
zij	she	elle	sie	ella
ze	she	elle	sie	ella
5				
gebruik (gebruiken)	use	utilisez	benutzen Sie	use
de uitdrukking	expression	expression	Ausdruck	expresión
de vraag	question	question	Frage	pregunta
de herkomst	origin	origine	Herkunft	origen
informeel	informal	informel	informell	familiar
formeel	formal	formel	formell	formal
6				
stel uzelf voor	introduce yourself	présentez-vous	stellen Sie sich vor	preséntese
zich voorstellen	introduce oneself	se présenter	sich vorstellen	presentarse
ander (-e)	other	autre	andere	otro
de cursist(e)	student	étudiant	Kursteilnehmer	cursista
let op (opletten)	pay attention	faites attention	pass auf	fíjese
7				
vertel aan (vertellen)	tell to	racontez à	erzählen Sie	cuente
de groep	group	groupe	Gruppe	grupo
dit	this	ce	das (dies)	éste
8				
de stad (de steden)	city	ville	Stadt	ciudad
de Nederlander	Dutchman	Néerlandais	Niederländer	holandés, neerlandés
daar	there	là	dort	allí
gaan*	go	aller	gehen, fahren	ir
de Duitser	German	Allemand	Deutscher	alemán
Duitsland	Germany	Allemagne	Deutschland	Alemania
de Nederlandse	Dutchwoman	Néerlandaise	Niederländerin	holandesa, neerlandesa
9				
de tekst	text	texte	Text	texto

Tot ziens!	Goodbye!	Au revoir !	Auf Wiedersehen!	¡Hasta luego!
10				
het papiertje	piece of paper	feuille	Blatt (Papier), Zettel	papel
de woonplaats	(place of) residence	domicile	Wohnort	domicilio
fictief	fictitious	fictif	fiktiv	ficticio
geef (geven*)	give	donnez	geben Sie	dé
de docent	teacher	professeur	Dozent	docente
12				
het stapje (de stap)	small step	petit pas	Schritt(chen)	paso
verder	further	plus loin	weiter	más
het alfabet	alphabet	alphabet	Alphabet	alfabeto
13				
nog een keer	one more time	encore une fois	noch einmal	una vez más
de keer	time	fois	Mal	vez
welk(-e)	which	quel	welche	qué
de letter	letter	lettre	Buchstabe	letra
anders	different	autrement	anders	diferente
uw	your	votre	Ihre	su
de taal	language	langue	Sprache	idioma
zeg na (nazeggen*)	repeat	répétez	wiederholen Sie	repita
14				
kunt (kunnen*)	can	pouvez	können Sie	puede
deze	these	*ici :* ces	diese	este
de afkorting	abbreviation	sigle	Abkürzung	abreviación
uitspreken*	pronounce	prononcer	aussprechen	pronunciar
de E.U. (Europese Unie)-	European Union	Union Européenne	Europäische Union	Unión Europea
het IQ (intelligentiequotiënt)	IQ	Q.I.	IQ	CI
de VVV (Vereniging voor Vreemdelingen verkeer)	Tourist (Information) Office	Syndicat d'initiative	Fremdenverkehrsamt	Oficina de Turismo
de KLM (Koninklijke - Luchtvaartmaat-schappij)	*Royal Dutch Airlines*	*Compagnie aérienne néerlandaise*	*ndl. Fluglinie*	*Compañía Real de Aviación*
de G.G.D. (Gemeente-lijke Geneeskundige Dienst)	*Area Health Authority*	*office municipal de santé*	*Gesundheitsamt*	*Servicio Sanitario Municipal*
de PTT (Posterijen Telegrafie en Telefonie)	P.O.	PTT	Post	Correos, Telegrafía y Teléfono
a.u.b. (alstublieft)	please	s.v.p.	bitte	por favor
de ANWB (Algemene Nederlandse Wielrijdersbond)	*Royal Dutch Touring Club*	*Touring Club néerlandais*	*ndl. ADAC*	*Club de Automóvil Neerlandés*
het KNMI (Koninklijk Nederlands Meteoro-logisch Instituut)	*Royal Dutch Meteorological Institute*	*Service météorologique royal néerlandais*	*ndl. Wetterdienst*	*Real Instituto Neerlandés de Meteorología*
kent (kennen)	know	connaissez	kennen	conoce
15				
spellen	spell	épeler	buchstabieren	deletrear
vraag (vragen*)	ask	demandez	fragen Sie	pregunte
de medecursist(-e)	fellow student	*autre étudiant de votre groupe*	Mitlernende	compañero
zijn	his	son	sein	su
haar	her	son	ihr	su
is (zijn*)	is	est	ist	es
hoe	-	comment	wie	cómo
heet (heten*)	-	t'appelles	heißt	te llamas
16				
extra	extra	en plus	extra	extra
Europa	Europe	Europe	Europa	Europa
het land	country	pays	Land	país
de zone	zone, area	zone	Zone	zona
verdeeld (verdelen)	divided	divisé	eingeteilt	dividido
waaruit	from which	dont	woraus	de las que

of	or	ou	oder	o
zo	as	*ici :* si	wenn	si
wilt (willen*)	want	veux	will	quieres
heel	whole	entier	ganz	todo
de kaart	map	carte	Karte	mapa
hierboven	above, up here	ci-dessus	(hier) oben	arriba
geeft (geven*)	gives	donne	gibt	*aquí:* presenta
het overzicht	overview	vue d'ensemble	Übersicht	reseña
van	of	de	von	de
Bulgarije	Bulgaria	Bulgarie	Bulgarien	Bulgaria
Denemarken	Denmark	Danemark	Dänemark	Dinamarca
Engeland	England	Angleterre	England	Inglaterra
Finland	Finland	Finlande	Finnland	Finlandia
Frankrijk	France	France	Frankreich	Francia
Griekenland	Greece	Grèce	Griechenland	Grecia
Hongarije	Hungary	Hongarie	Ungarn	Hungría
Ierland	Ireland	Irlande	Irland	Irlanda
Italië	Italy	Italie	Italien	Italia
Klein-Joegoslavie	Yugoslavia	Petit-Yougoslavie	Rest-Jugoslawien	Yugoslavia
Kroatië	Croatia	Croatie	Kroatien	Croacia
Luxemburg	Luxemburg	Luxembourg	Luxemburg	Luxemburgo
Macedonië	Macedonia	Macédoine	Mazedonien	Macedonia
Marokko	Morocco	Maroc	Marokko	Marruecos
Nederland	the Netherlands	Pays-Bas	die Niederlande	Países Bajos
Noorwegen	Norway	Norvège	Norwegen	Noruega
Polen	Poland	Pologne	Polen	Polonia
Portugal	Portugal	Portugal	Portugal	Portugal
Roemenie	Romania	Roumanie	Rumänien	Rumania
Schotland	Scotland	Ecosse	Schottland	Escocia
Slovenië	Slovenia	Slovénie	Slovenien	Eslovenia
Slowakije	Slovakia	Slovaquie	Slowakische Republik	Eslovaquia
Spanje	Spain	Espagne	Spanien	España
Tsjechië	Czech	Tchéquie	Tschechische Republik	República Checa
Turkije	Turkey	Turquie	Türkei	Turquía
Wales	Wales	pays de Galles	Wales	Gales
Zweden	Sweden	Suède	Schweden	Suecia
Zwitserland	Switzerland	Suisse	Schweiz	Suiza
S				
de samenvatting	summary	résumé	Zusammenfassung	resumen
de grammatica	grammar	grammaire	Grammatik	gramática
de vorm	form	forme	Form	modo
de nadruk	emphasis	accent	Nachdruck	énfasis
met	with	avec	mit	con
de zin	sentence	phrase	Satz	frase
de nationaliteit	nationality	nationalité	Nationalität	nacionalidad
zonder	without	sans	ohne	sin

Les 2

Titel				
Hoe gaat het?	How are you?	Comment ça va ?	Wie geht es?	¿Qué tal?
1				
antwoorden*	answer	répondre	antworten	contestar
het antwoord	answer	réponse	Antwort	contestación
Hoe gaat het met u/je?	How are you doing?	Comment allez-vous / Comment vas-tu ?	Wie geht es Ihnen/dir?	¿Qué tal?
volgend	following	suivant	folgende	siguiente
goed	right	correct	gut, richtig	bien
de volgorde	order	ordre	Reihenfolge	orden
positief	positive	positif	positiv	positivo
Het gaat wel.	All right.	Comme ci comme ça.	Es geht (schon).	Regular.
negatief	negative	négatif	negativ	negativo
fantastisch	phantastic	très bien	fantastisch	estupendo

Woordenlijst per les

niet zo goed	not too well	pas très bien	nicht so gut	no muy bien
prima	excellent	très bien	prima	muy bien
hartstikke goed	really well	très bien	total (= sehr) gut	fantástico
niet zo best	not too good	pas très bien	nicht so gut	no muy bien
slecht	bad	mal	schlecht	mal
o, best	o, fine	ça va	oh, gut	pues, bien
2				
de persoon	person	personne	Person	persona
3				
loop door de klas	walk through the classroom	circulez dans la classe	gehen Sie durch das Klassenzimmer	ande por la clase
lopen*	walk	*ici :* circuler	gehen, laufen	andar
de klas	classroom	classe	Klassenzimmer	clase
hen	*here:* they	*ici :* ils	*hier:* ihnen	les
4				
de beschrijving	description	description	Beschreibung	descripción
de patiënt(-e)	patient	patient	Patient	paciente
de vrouw	woman	femme	Frau	mujer
de toerist(-e)	tourist	touriste	Tourist	turista
de vriend	friend	ami	Freund	amigo
zeggen*	say	dire	sagen	decir
tegen	to	*ici :* à	*hier:* zu	*aquí:* a
5				
vandaag	today	aujourd'hui	heute	hoy
op/met vakantie	on holiday	en vacances	im Urlaub	de vacaciones
werk (werken)	work	travaille	arbeite	trabaja
jullie	you *(plural)*	vous	ihr	vosotros
boffen	be lucky	avoir de la chance	Glück haben	tener suerte
het weer	weather	temps	Wetter	tiempo
pardon	excuse me	pardon	pardon / wie bitte?	perdón
Wat zeg je?	What did you say?	Quoi ?	Was sagst du?	¿Qué dices?
bedoel (bedoelen)	mean	veux dire	meinen	quieres decir
geluk hebben*	be lucky	avoir de la chance	Glück haben	tener suerte
lekker	nice	*ici :* agréable	*hier:* schön	buen(o)
jou	you	*ici :* tu	*hier:* dir	tú
onze	our	notre	unser	nuestro
Welkom!	Welcome!	Bienvenue !	Willkommen!	¡Bienvenido!
de afdeling	department	service	Abteilung	departamento
Dank je wel.	Thanks.	Merci beaucoup.	Danke schön.	Gracias.
nou	well	*ici :* ben	*hier:* nun, ach	*aquí:* pues
Mag ik even voorstellen?	May I introduce?	Puis-je vous présenter	Darf ich Sie (mal) vorstellen?	Le quiero presentar
mag (mogen*)	may	*ici :* puis	darf	*aquí:* quiero
even	-	-	mal	-
spreekt (spreken*)	speak	parlez	sprechen	habla
een beetje	a little	un peu	ein bisschen	un poco
de dochter	daughter	fille	Tochter	hija
in de buurt	in the neighbourhood	dans les environs	in der Nähe/Gegend	aquí cerca
Hoe maakt u het? (maken)	How do you do?	Comment allez-vous ?	Wie geht es Ihnen?	¿Cómo está usted?
leert (leren)	learn	apprenez	*hier:* lernen	aprende
probeer (proberen)	try	essaie	versuche	trato
6				
Wie is dat?	Who is that?	Qui est-ce ?	Wer ist das?	¿Quién es?
dezelfde	the same	le même	*hier:* demselben	mismo
7				
de reactie	reaction	réaction	Reaktion	reacción
8				
speel na (naspelen)	act out	jouez	spielen Sie nach	reproduzca
zelf	yourself	*ici :* vous-même	selbst	mismo
de situatie	situation	situation	Situation	situación
het rollenspel	roleplay	jeu de rôle	Rollenspiel	representación de caracteres

9				
de vriendin	(girl)friend	amie	Freundin	amiga
oud	old	ancien	alt	viejo
10				
Hoi, hoe gaat het ermee?	Hi, how are you doing?	Salut, (comment) ça va ?	Hallo, wie geht's?	Hola, ¿qué tal?
de man	*here:* husband	*ici :* mari	*hier:* Ehemann	*aquí:* marido
11				
de kennis	acquaintance	connaissance	Bekannte	conocido, conocida
kennen	know	connaissent	kennen	conocer
hem	*here:* he	*ici* : il	*hier:* ihm	*aquí:* él
12				
de bekende	acquaintance	connaissance	Bekannte	conocido, conocida
jong	young	jeune	jung	joven
de mens	people *(singular)*	*ici* : personne	*hier:* Person	*aquí:* jóvenes
gewoon	just	simplement	einfach	simplemente
ouder	older	plus âgé	älter	mayor
natuurlijk	of course	bien sûr	natürlich, selbstverständlich	naturalmente
de oma	grandma	grand-mère	Oma	abuela
automatisch	automatically	automatiquement	automatisch	automáticamente
vind (vinden*)	find	trouve	finde	no me parece (correcto)
correct	correct	correct	korrekt	correcto
de generatie	generation	génération	Generation	generación
liever	rather	plutôt	lieber	más
soms	sometimes	parfois	manchmal	a veces
alleen	only	seulement	*hier:* nur	sólo, solamente
alle	all	tous les	alle	todos, todas
bij	with	chez	bei	con
ons	us	nous	uns	nosotros
normaal	normal	normal	normal, üblich	normal
de huisvrouw	housewife	femme au foyer	Hausfrau	ama de casa
de arts	doctor	médecin	Arzt	médico
de administratief medewerker	administrative assistant	employé de bureau	Büroangestellter	administrativo
de student(e)	student	étudiant	Student	estudiante
13				
de mening	opinion	opinion	Meinung	opinión
het argument	argument	argument	Argument	motivo
vriendelijk(er)	friendly	gentil	freundlich	simpático
onvriendelijk(er)	unfriendly	désagréable	unfreundlich	antipático
beleefd(er)	polite	poli	höflich	cortés
onbeleefd(er)	impolite, rude	impoli	unhöflich	grosero
leuk(er)	nice	agréable	nett	divertido
beter	better	mieux	besser	mejor
want	because	car	denn, weil	porque
ik ben voor	I'm in favour	je suis pour	ich bin für	soy partidario
tegen	against	contre	*hier:* gegen	en contra (de)
14				
het getal	number	nombre	Zahl	número
15				
kruis aan (aankruisen)	tick, mark	cochez	kreuzen Sie an	marque con una cruz
16				
vanaf	from	*ici :* de	von (ab)	desde
het spoor	platform	voie	Gleis	andén
vertrekt (vertrekken*)	leaves	part	fährt ab	sale
de trein	train	train	Zug	tren
naar	to	*ici :* pour	nach	a
het vertrek	departure	départ	Abfahrt	salida
Keulen	Cologne	Cologne	Köln	Colonia
Parijs	Paris	Paris	Paris	París
17				
verder	further	-	weiter	además
plus	and	plus	plus	más

maal	times	fois	mal	por
gedeeld door (delen)	divided by	divisé par	geteilt durch	dividido por
min	minus	moins	minus	menos
18				
de adressenlijst	list of addresses	liste d'adresses	Adressenliste	directorio
het adres	address	adresse	Adresse	dirección
de lijst	list	liste	Liste	lista
noteer (noteren)	note (down)	notez	notieren Sie	anote
het telefoonnummer	(tele)phone number	numéro de téléphone	Telefonnummer	número de teléfono
de telefoon	(tele)phone	téléphone	Telefon	teléfono
het nummer	number	numéro	Nummer	número
uw	your	votre	*hier:* Ihre	su
kan (kunnen*)	could	puis	kann	puedo
misschien	maybe	*ici :* par hasard	vielleicht	a lo mejor
de fax	fax	faxe	Fax	fax
geen	no	pas de	kein	ninguno
het kengetal	dialling code	indicatif	Vorwahl	prefijo
19				
neem (nemen*)	take	prenez	nehmen Sie	coja

Les 3

Titel				
Hoe is ze?	What's she like?	Comment est-elle ?	Wie ist sie?	¿Cómo es?
de karaktereigenschap	character trait	trait de caractère	Charaktereigenschaft	rasgo característico
1				
slordig	careless, sloppy	désordonné	unordentlich	desordenado
druk	busy (lively)	agité	lebhaft	agitado
sportief	fond of sports	sportif	sportlich	deportivo
romantisch	romantic	romantique	romantisch	romántico
pessimistisch	pessimistic	pessimiste	pessimistisch	pesimista
grappig	funny	amusant	lustig	gracioso
2				
volgens mij	according to me	selon moi	meiner Meinung nach	en mi opinión
erg	very	très	sehr	muy
3				
doe (doen*)	do	faites	*hier:* machen Sie	haga
de persoonlijkheidstest	personality test	test de personnalité	Persönlichkeitstest	test de personalidad
het type	type	type	Typ	tipo
stil	quiet	silencieux	ruhig, zurückhaltend	callado
netjes	neat	ordonné	ordentlich	ordenado
serieus	serious	sérieux	ernst(haft)	serio
optimistisch	optimistic	optimiste	optimistisch	optimista
realistisch	realistic	réaliste	realistisch	realista
gevoelig	sensitive	sensible	sensibel	sensible
4				
heel (erg)	very	très	ganz (schön)	muy
helemaal niet	not at all	pas du tout	überhaupt nicht	en absoluto
best wel	fairly	assez	so ziemlich	bastante
6				
dan	then	ensuite	dann	entonces
allebei	both	tous les deux	beide	los dos
7				
beschrijven*	describe	décrire	beschreiben	describir
blond	blond	blond	blond	rubio
het meisje	girl	jeune fille	Mädchen	chica
het kopieerapparaat	photocopier	photocopieuse	Kopiergerät	copiador
naast	next	à côté de	neben	junto a
slank	slim	mince	schlank	esbelto
klein	small	petit	klein	pequeño
het plaatsje (de plaats)	place	*ici :* village	Ort, Örtchen	pueblo
kijkt (kijken*)	looks	a l'air	schaut	mira
aardig	nice	gentille	nett	simpático

Woordenlijst per les

inderdaad	indeed	en effet	allerdings, tatsächlich	efectivamente
tja	well	eh bien	tja	bueno
iedereen	everybody	tout le monde	jede	todos
zoals	like	comme	wie	como
8				
beantwoord (beantwoorden*)	answer	répondez à	beantworten Sie	conteste
het uiterlijk	looks, appearance	physique	Aussehen	físico
Hoe ziet ze eruit?	What does she look like?	Comment est-elle physiquement ?	Wie sieht sie aus?	¿Qué aspecto tiene?
eruitzien	look like	-	aussehen	tener el aspecto
ziet (zien*)	-	-	sieht	-
groot	big	grand	groß	gran(de)
het kind	child	enfant	Kind	niño, niña
9				
brainstormen	do some brainstorming	procéder à un remue-méninges	brainstormen	devanarse los sesos
gebruiken	use	utiliser	verwenden	usar
gezellig	pleasant, sociable	sociable	gemütlich	divertido
lief	sweet	gentil	lieb	cariñoso
10				
de vader	father	père	Vater	padre
de broer	brother	frère	Bruder	hermano
de zoon	son	fils	Sohn	hijo
de oom	oncle	oncle	Onkel	tío
de neef	nephew; cousin	neveu ; cousin	Neffe; Vetter	primo; sobrino
de opa	grandpa	grand-père	Opa	abuelo
de zwager	brother-in-law	beau-frère	Schwager	cuñado
de moeder	mother	mère	Mutter	madre
de zus	sister	soeur	Schwester	hermana
de tante	aunt	tante	Tante	tía
de nicht	niece; cousin	nièce ; cousine	Nichte; Cousine	prima; sobrina
de schoonzus	sister-in-law	belle-soeur	Schwägerin	cuñada
11				
horen	hear	entendre	*hier:* hören	oír
hun	their	leur	ihre	su
beste	best	meilleur	besten	mejor
de informatie	information	information	Information	información
het schema	schedule	schéma	Schema	esquema
de relatie	relation	relation	Beziehung	relación
12				
de klasgenoot	classmate	camarade de classe	Klassenkamerad	compañero de clase
de buurvrouw	neighbour, woman next door	voisine	Nachbarin	vecina
de buurman	neighbour, man next door	voisin	Nachbar	vecino
het familielid	member of the family	parent	Familienmitglied	pariente
13				
weet (weten*)	know	savez	wissen	sabe
14				
het tweetal	pair	paire	Paar	pareja de dos
werken	work	travailler	arbeiten	trabajar
de pagina	page	page	Seite	página
Schiphol	*Amsterdam airport*	*aéroport d'Amsterdam*	*Amsterdamer Flughafen*	*aeropuerto de Amsterdam*
de partner	partner	partenaire	Partner	pareja
ontbrekend	missing, lacking	manquant	fehlend	que falta
de voornaam	first name	prénom	Vorname	nombre
de achternaam	last name	nom de famille	Nachname	apellido
de eigenschap	quality	trait de caractère	Eigenschaft	característica
16				
blauw	blue	bleu	blau	azul
het oog	eye	oeil	Auge	ojo
donker	dark	brun	dunkel	oscuro
lang	long	long	lang	alto

de snor	moustache	moustache	Schnurrbart	bigote
bruin	brown	brun	braun	marrón
aantrekkelijk	attractive	séduisant	attraktiv	atractivo
de baard	beard	barbe	Bart	barba
draagt (dragen*)	wears	porte	trägt	lleva
de bril	glasses	lunettes	Brille	gafas
kort	short	court	kurz	corto
mooi	beautiful	beau	schön	bonito
kaal	bald	chauve	kahl	calvo
dik	fat	gros	dick	gordo
knap	handsome	beau, joli	hübsch	guapo
17				
erbij horen	belong with	faire partie de	dazu gehören	formar parte
18				
ik houd van hem	I love him	je l'aime	ich liebe ihn	le quiero
houden van	love	aimer	lieben/mögen	querer
zussen (de zus)	sisters	soeurs	Schwestern	hermanas
ik vind ze erg knap	I find them very pretty	je les trouve très séduisantes	ich finde sie sehr schön	me parecen muy guapas
de tweeling	twins	jumeaux	Zwillinge	gemelos
het verschil	difference	différence	Unterschied	diferencia
valt op (opvallen*)	notice	saute aux yeux	fällt auf	llama la atención
de lengte	length	taille	Größe	altura
staat (staan*)	looks	va	steht	*aquí:* está
volgens	according	selon	zufolge, laut	según
19				
zoek (zoeken*)	look for	cherchez	suchen Sie	busque
het boek	book	livre	Buch	libro
lees voor (voorlezen*)	read (aloud)	lisez (à haute voix)	lesen Sie vor	lea en voz alta
aanvullen	complete	compléter	ausfüllen	completar
van rol wisselen	change roles	changer de rôle	die Rolle wechseln	cambiar de papel
de rol	role	rôle	Rolle	papel
N-a				
liefs	with love	bisous	liebe Grüße	con todo mi cariño
duizenden	thousands	milliers	Tausenden	miles
enorm	tremendously	énormément	enorm	mucho
geholpen (helpen*)	helped	aidé	geholfen	ayudado
afgelopen	past	dernier	vergangen	pasado
de tijd	time	temps	Zeit(raum)	periodo
zal (zullen*)	shall	-	werde	-
nooit	never	jamais	nie	nunca
vergeten	forget	oublier	vergessen	olvidar(se)
liefste	dear(est)	cher	liebste	querida
mama	mum	maman	Mama	mamá
bedankt	thanks	merci	danke	gracias
de vriendschap	friendship	amitié	Freundschaft	amistad
veel	much	beaucoup	viel	mucho
betekenen	mean	signifier	bedeuten	significar
de hulp	help	aide	Hilfe	ayuda
de steun	support	soutien	Unterstützung	apoyo
de buur	neighbour	voisin	Nachbar	vecino
de gezelligheid	cosiness	bonne ambiance	Gemütlichkeit	compañía
gek	crazy	fou	verrückt	loco
allerliefst	dearest, sweetest	le plus gentil	allerliebst	más querido
mooist	loveliest	le plus beau	allerschönst	más guapo
gezelligst	most enjoyable	le plus sympathique	gemütlichst	más simpático
die er bestaat (bestaan*)	there is	qui existe	die es gibt	que existe
het kusje (de kus)	kiss	bisous	Küsschen	besito
fijn	great	bien	fein	bien
zo'n	such a	une telle	so ein	tan
het zusje (de zus)	sister	(petite) soeur	Schwester(chen)	hermanita
blijf (blijven*)	stay	reste	bleibe	sigue
S				
trouwen	marry	se marier	heiraten	casarse

het ras	race	race	Rasse	raza
vals	mean, vicious	méchant	falsch, bösartig	traicionero

Les 4

Titel				
Hoeveel?	How much?	Combien ?	Wie viel?	¿Cuánto?
2				
het cijfer	number	chiffre	Ziffer	cifra
vergelijk (vergelijken*)	compare	comparez	vergleichen Sie	compare
3				
de quiz	quiz	quiz	Quiz	concurso
de provincie	province	province	Provinz	provincia
de inwoner	inhabitant	habitant	Einwohner	habitante
per vierkante kilometer	per square kilometre	au kilomètre carré	pro Quadratkilometer	por kilómetro cuadrado
per	per	*ici :* au	pro	por
vierkant	square	carré	*hier:* Quadrat	cuadrado
de kilometer	kilometre	kilomètre	Kilometer	kilómetro
breken*	break	cassent	brechen	romperse
het been	leg	jambe	Bein	pierna
tijdens	during	pendant	während	durante
de wintersportvakantie	winter sports holiday	vacances de neige	Skiurlaub	vacaciones de invierno
4				
denk (denken*)	think	pense	denke	pienso
geloven	believe	croire	glauben	creer
het kaartje	ticket	billet, ticket	Karte	billete
de baby	baby	bébé	Baby	bebé
5				
Waar of niet waar?	True or not true?	Vrai ou faux ?	Richtig oder falsch?	¿Es verdad o no?
er is/zijn	there is/are	il y a	es gibt	hay
de hoed	hat	chapeau	Hut	sombrero
kinderen (het kind)	children	enfants	Kinder	niños
6				
neemt u me niet kwalijk	I am very sorry	excusez-moi	nehmen Sie es mir nicht übel	perdón
Het geeft niet hoor.	That's all right.	Cela ne fait rien.	Das macht nichts.	No importa.
eigenlijk	actually	*ici :* d'origine	eigentlich	en realidad
Amerika	America	Amérique	Amerika	Estados Unidos
sinds	since	depuis	seit	desde
Goh, wat spreekt u goed Nederlands!	Gee, your Dutch is really good!	Ma foi, vous parlez bien néerlandais !	Wow, Sie sprechen aber gut Niederländisch!	¡Pues qué bien habla holandés!
spreken*	speak	parler	sprechen	hablar
het dochtertje	daughter	fille	Tochter	hija
reizen	travel	voyager	reisen	viajar
voor de eerste keer	for the first time	pour la première fois	zum ersten Mal	por primera vez
eerst	first	premier	erst	primero
de conducteur	conductor	contrôleur	Schaffner	revisor
het plaatsbewijs	ticket	billet	Fahrausweis	billete
alstublieft	please	s'il vous plaît	bitte schön	por favor
7				
de stamboom	family tree	arbre généalogique	Stammbaum	árbol genealógico
zie (zien*)	see	*ici :* voir	*hier:* siehe	véase
het gezin	family	famille	Familie	familia
de hond	dog	chien	Hund	perro
de kat	cat	chat	Katze	gato
het huisdier	pet	animal domestique	Haustier	animal doméstico
10				
bekijk (bekijken*)	look	regardez	schauen Sie an	examine
op de foto staan	be on the photo	se trouvent sur la photo	auf dem Foto stehen	hay en la foto
enkel(e)	some, a few	quelques	einzeln	alguno
het steekwoord	catchword	mot-clé	Stichwort	palabra clave
formuleren	formulate	formuler	formulieren	formular
op deze/die manier	in this way	de cette façon	auf die(se) Art und Weise	de esta/esa manera

de manier	way	la façon	Art	manera
11				
de minuut	minute	minute	Minute	minuto
de seconde	second	seconde	Sekunde	segundo
het uur	hour	heure	Uhr	hora
half	half	demi	halb	media
het kwartier	quarter (of an hour)	quart d'heure	Viertelstunde	cuarto de hora
de week	week	semaine	Woche	semana
de maand	month	mois	Monat	mes
het jaar	year	an	Jahr	año
de eeuw	century	siècle	Jahrhundert	siglo
12				
Hoe laat is het?	What time is it?	Quelle heure est-il ?	Wie spät ist es?	¿Qué hora es?
het kwart	quarter	quart	Viertel	cuarto
bijna	almost	presque	fast	casi
's ochtends (6-12 uur)	in the morning	du matin	morgens	de la mañana
's morgens (6-12 uur)	in the morning	du matin	morgens	de la mañana
's middags (12-18 uur)	in the afternoon	de l'après-midi	nachmittags	de la tarde
's avonds (18-24 uur)	in the evening	du soir	abends	de la noche
's nachts (24-6 uur)	at night	*ici :* du matin	nachts	de la noche
vanmorgen	this morning	ce matin	heute Morgen	esta mañana
vanmiddag	this afternoon	cet après-midi	heute Mittag	esta tarde
vanavond	this evening	ce soir	heute Abend	esta tarde
vannacht	tonight	cette nuit	heute Nacht	esta noche
maandag	Monday	lundi	Montag	lunes
dinsdag	Tuesday	mardi	Dienstag	martes
woensdag	Wednesday	mercredi	Mittwoch	miércoles
donderdag	Thursday	jeudi	Donnerstag	jueves
vrijdag	Friday	vendredi	Freitag	viernes
zaterdag	Saturday	samedi	Samstag	sábado
zondag	Sunday	dimanche	Sonntag	domingo
het weekend	weekend	weekend	Wochenende	fin de semana
13				
de klok	clock	pendule	Uhr	reloj
begint (beginnen*)	starts	commence	beginnt, fängt an	empieza
de film	film	film	Film	película
dus	so	alors	also	pues
we hebben nog maar tien minuten	we have only got ten minutes	il nous reste que dix minutes	wir haben nur noch zehn Minuten	tenemos sólo diez minutos
iets	something	quelque chose	etwas	algo
komt aan (aankomen*)	arrives	arrive	kommt an	llega
duren	last	durer	dauern	durar
precies	exactly	exactement	genau	exactamente
anderhalf uur	one and a half hour	une heure et demie	anderthalb Stunden	una hora y media
14				
Artis	*Amsterdam zoo*	*zoo d'Amsterdam*	*Amsterdamer Tierpark*	*zoo de Amsterdam*
controleren	check	contrôler	kontrollieren	controlar
ontdekken	discover	découvrir	entdecken	descubrir
de wereld	world	monde	Welt	mundo
geopend	opened	ouvert	geöffnet	abierto
het museum	museum	musée	Museum	museo
de grachtenrondvaart	canal round trip	promenade en bateau sur les canaux	Grachtenrundfahrt	excursión por los canales
de gracht	canal	canal	Gracht, Kanal	canal
de rondvaart	round trip	promenade en bateau	Rundfahrt	excursión
dagelijks	daily	tous les jours	täglich	cada día
N-a				
de statistiek	statistics	statistique	Statistik	estadística
het procent	percentage	pour cent	Prozent	porcentaje
tussen	between	entre	zwischen	entre
de baan	job	emploi	Job, Arbeitsstelle	puesto, empleo
per week	per week	par semaine	pro Woche	por semana
meer	more	plus	mehr	más
tegenover	against	*ici :* contre	gegenüber	frente a

wat	some	*ici :* quelques	was	algunos, algunas
Europees	European	européen	europäisch	europeo
hoogst	highest	le plus élevé	höchst	(el) más alto
laagst	lowest	le plus bas	niedrigst	(el) más bajo
zo'n	about	environ	so ein	unos, unas
de volledige baan	fulltime job	emploi à plein temps	Ganztagsstelle	puesto a tiempo completo
ligt (liggen*)	*here:* is	*ici :* est	liegt	*aquí:* está
rond	around	autour	rund	alrededor de
parttime	parttime	à temps partiel	Teilzeit	a tiempo parcial
ongeveer	about	environ	ungefähr	alrededor
de bron	source	source	Quelle	fuente
CBS (Centraal Bureau voor de Statistiek)	*Central Statistics Office*	*bureau central de la statistique, l'I.N.S.E.E. néerlandais*	*Zentrales Büro für Statistik*	*Oficina Estatal de Estadística*
grootst	greatest	le plus grand	größte	mayor
de fietsfanaat	(bi)cycle freak/fanatic	fanatique du vélo	Fahrradfanatiker	fanático de la bicicleta
de fiets	bike, (bi)cycle	vélo	Fahrrad	bicicleta
werden (worden*) verkocht (verkopen*)	were sold	ont été vendus	wurden verkauft	se vendían
behalen	gain	obtenir	einnehmen	obtener
daarmee	by that	ainsi	damit	con ello
de vijfde plaats	fifth place	la cinquième place	der fünfte Platz	quinto posición
bovenaan	at the top	en tête (de liste)	oben	primero
een totaal van	a total of	total de	insgesamt	un total de
het aantal	number	nombre	Anzahl	número
het marktonderzoek	market research	étude de marché	Marktforschung	investigación del mercado
de markt	market	marché	Markt	mercado
het onderzoek	research	étude	Forschung	investigación
de raming	estimate	évaluation	Schätzung	presupuesto
S				
voorlopig	interim	provisoire	vorläufig	provisional

Les 5

Titel				
sta op (opstaan*)	get up	me lève	stehe auf	me levanto
het leven	life	vie	Leben	vida
dagelijks	daily	quotidien	täglich	de cada día
1				
de activiteit	activity	activité	Aktivität	actividad
ontbijten*	breakfast	prendre le petit déjeuner	frühstücken	desayunar
zich aankleden	get dressed	s'habiller	sich anziehen	vestirse
het bed	bed	lit	Bett	cama
slapen*	sleep	dormir	schlafen	dormir
douchen	shower	prendre une douche	duschen	ducharse
2				
doe (doen*)	do	fais	tust	haces
eerst	first	d'abord	(zu)erst	primero
daarna	after (wards)	après	danach	después
tenslotte	finally, at last	finalement	schließlich	finalmente
3				
zich wassen	wash	se laver	sich waschen	lavarse
de school	school	école	Schule	escuela
lunchen	have lunch	déjeuner	zu Mittag essen	almorzar
boodschappen doen*	go shopping	faire des courses	Lebensmittel einkaufen	hacer compras
4				
de dagindeling	schedule, timetable	emploi du temps	Tageseinteilung	orden del día
praten	talk	parler	sprechen	hablar
Daar denk ik heel anders over	I don't agree at all	Je ne suis pas du tout de cet avis	Da bin ich ganz anderer Meinung	Tengo una opinión completamente diferente

Woordenlijst per les

denken*	-	-	denken	-
iedere dag	every day	chaque jour	jeden Tag	cada día
uitslapen*	sleep in	faire la grasse matinée	ausschlafen	dormir hasta tarde
Ben je gek?!	Are you crazy?	Tu es folle ?	Bist du verrückt?	¿Estás loco?
de hele dag	whole day	toute la journée	den ganzen Tag	todo el día
blijven*	stay	rester	bleiben	permanecer
liggen*	-	-	liegen	estar
Jawel!	(Oh) yes, sure!	Oh, si !	Doch!	¡Sí!
juist	no, on the contrary	justement	*hier:* gerade	justamente
altijd	always	toujours	immer	siempre
het ding	thing	chose	Ding	cosa
een uur of tien	around ten	à environ dix heures	um/rund zehn Uhr	hacia las diez
het terras	terrace	terrasse	Terrasse	terraza
op mijn gemak	leasurely	tranquillement	in Ruhe	a mis anchas
het kopje	cup	tasse	Tasse	taza
de koffie	coffee	café	Kaffee	café
drinken*	drink	boire	trinken	beber
op stap gaan*	go out	sortir	ausgehen	salir
over de markt lopen*	go to the market	se promener au marché	über den Markt laufen	pasear por el mercado
winkelen	shop	faire du lèche-vitrines	einkaufen, Schaufensterbummel machen	hacer compras
Hou maar op (ophouden*)	Stop it	Arrête	Hör bloß auf	Para ya
ik word al moe als ik het hoor! (worden*)	I'm getting tired just listening!	rien que d'y penser, je me sens déjà fatigué !	ich werde schon müde, wenn ich das höre!	¡Ya me canso sólo oírte!
moe	tired	fatigué	müde	cansado
niks	nothing	rien	nichts	nada
luieren	(be) idle/lazy	paresser	faulenzen	holgazanear
het krantje lezen*	read the newspaper	lire le journal	Zeitung lesen	leer el periódico
overleggen	confer	se concerter	überlegen	discutir
eten*	eat	manger	essen	cenar
beter niet	rather not	ne pas valoir mieux	besser nicht/lieber nicht	mejor no
samen	together	ensemble	zusammen	juntos
zeg dat wel!	you can say that!	c'est le cas de le dire !	das kannst du laut sagen!	¡Pues sí que es verdad!
5				
de spreektaal	spoken language	langue parlée	gesprochene Sprache	lenguaje hablado
het (niet) eens zijn*	(not) agree	(ne pas) être d'accord	(nicht) einverstanden sein	(no) estar de acuerdo
Ik vind van niet.	I don't think so.	Je trouve que non.	Das finde ich nicht.	No me parece.
Daar ben ik het niet mee eens.	I don't agree with that.	Je ne suis pas d'accord avec ça.	Damit bin ich nicht einverstanden.	No estoy de acuerdo.
Dat vind ik wel.	I do think so.	Je trouve que si.	Das finde ich sehr wohl so.	Me parece que sí.
6				
nou	well	eh bien	nun	pues
het ontbijt	breakfast	le petit déjeuner	Frühstück	desayuno
klaarmaken	prepare	préparer	(zu)bereiten, machen	preparar
alleen	just	seulement	*hier:* nur	sólo
de thee	tea	thé	Tee	té
naar huis	home	à la maison	nach Hause	a casa
het huishouden	housekeeping	ménage	Haushalt, Hausarbeit	casa
na	after	après	nach (zeitlich)	después
de afwas	dishes	vaisselle	Abwasch	fregar los platos
gaan uit (uitgaan*)	go out	sortons	gehen aus	salimos
wel eens	sometimes	parfois	manchmal	a veces
meestal	usually	le plus souvent	meistens	en general
8				
vaak	often	souvent	oft	muchas veces
af en toe	every now and then	de temps en temps	ab und zu	de vez en cuando
9				
de hond uitlaten	walk the dog	promener son chien	den Hund Gassi führen	pasear el perro
opruimen	clean up	ranger	aufräumen	recoger

het jazzballet	jazz ballet	ballet sur musique de jazz	Jazzballett	el ballet de jazz
het avondeten	dinner	dîner	Abendessen	cena
11				
de melk	milk	lait	Milch	leche
de ham	ham	jambon	Schinken	jamón
de boter	butter	beurre	Butter	mantequilla
de yoghurt	yoghurt	yaourt	Joghurt	yogurt
de jam	jam	confiture	Marmelade	mermelada
het ei (de eieren)	egg	oeuf	Ei	huevo
de hagelslag	chocolate confetti	granulés de chocolat	Schokoladenstreusel	fideos de chocolate
de suiker	sugar	sucre	Zucker	azúcar
de honing	honey	miel	Honig	miel
het fruit	fruit	fruits	Obst	fruta
de ontbijtkoek	gingercake	pain d'épice	Frühstückskuchen	bizcocho cuadrado para desayuno
de pindakaas	peanutbutter	beurre de cacahuète	Erdnussbutter	manteca de cacahuete
de muesli	muesli	muesli	Müsli	muesli
de boterham	sandwich	tartine	Brotscheibe	rebanada de pan
de kaas	cheese	fromage	Käse	queso
het sinaasappelsap	orange juice	jus d'orange	Orangensaft	zumo de naranja
het broodje	roll	petit pain	Brötchen	bocadillo
12				
door de week	on weekdays	pendant la semaine	unter der Woche	por la semana
N-a				
belangrijk	important	important	wichtig	importante
op bezoek gaan*	go visit	faire une visite à quelqu'un	besuchen	ir de visita
het bezoek	visitors	visite	Besuch	visita
meteen	at once, straight away	tout de suite	gleich, sofort	inmediatamente
snel	soon	vite	schnell, direkt	rápidamente
weg moeten	have to go	devoir partir	brauchen wegzugehen	tener que ir
van harte welkom	more than welcome	le bienvenu / la bienvenue	herzlich willkommen	bienvenido
ieder	each	chaque	jede	cada
het koekje	biscuit	biscuit	Plätzchen, Keks	galleta
de koektrommel	biscuit tin	boîte à biscuits	Keksdose	caja de galletas
dicht gaan*	close	se fermer	schließen	cerrarse
onhartelijk	uncordial	froid	unfreundlich	frío
zichzelf	oneself	soi-même	sich selbst	sí mismo
tweede	second	deuxième	zweite	otro, segundo
bespreken*	talk about	parler de	besprechen	discutir
bijvoorbeeld	for example	par exemple	zum Beispiel	por ejemplo
Doe maar gewoon	Act normal(ly)	Fais comme tout le monde	Stell' dich nicht so an	Pórtate bien

Les 6

Titel				
gedaan (doen*)	done	fait *(participe passé)*	getan	hecho
gezegd (zeggen*)	said	dit *(participe passé)*	gesagt	dicho
gegaan (gaan*)	gone	allé	gegangen	ido
1				
zit (zitten*)	sit	assis	sitz	siéntate
de specialiteit	specialty	spécialité	Spezialität	especialidad
gevraagd (vragen* (naar))	asked for	demandé	gefragt	pedido
gekomen (komen*)	came	venu	gekommen	venido
hoezo?	why?	*ici :* pourquoi ?	wieso?	¿cómo?
2				
het perfectum (samengestelde verleden tijd)	perfect	passé composé	Perfekt, zusammengesetzte Vergangenheit	perfecto
de infinitief	infinitive	infinitif	Infinitiv	infinitivo

Woordenlijst per les

3				
gisteren	yesterday	hier	gestern	ayer
zo'n dag	such a day	un tel jour	so ein Tag	un día como éste
gehad (hebben*)	had	eu	haben	tenido
opgestaan (opstaan*)	*here:* get up	levé	aufgestanden	levantado
waarom?	why?	pourquoi ?	warum?	¿por qué?
de kleren	clothes	-	Kleider	ropa
aangetrokken (aantrekken*)	put on	-	angezogen	puesto
de sokken (de sok)	socks	chaussettes	Socken	calcetines
ten minste	at least	au moins	*hier:* wenigstens	por lo menos
koffie zetten	make coffee	faire du café	Kaffee brühen	hacer café
mijn hemel!	good heavens!	mon dieu !	Mein Gott!	¡Dios mío!
de hemel	heaven	-	Himmel	cielo
terug	back	-	zurück	-
niets	*here:* anything	rien	nichts	nada
gegeten (eten*)	eaten	mangé	gegessen	comido
de sleutel	key	clé	Schlüssel	llave
gezocht (zoeken*)	*here:* looking for	cherché	gesucht	buscado
de reserve	spare	de réserve	Reserve	reserva
gekocht (kopen*)	*here:* buy	acheté	gekauft	comprado
nat	wet	mouillé(e)	feucht, nass	mojado
het tuinpad	garden path	sentier du jardin	Gartenweg	senda del jardín
uitgegleden (uitglijden*)	slipped	glissé	ausgerutscht	resbalado
de bus	bus	autobus	Autobus	autobús
net	just	vient de	gerade, soeben	justamente
weggereden (wegrijden*)	driven away	*ici :* partir	weggefahren	salido
toen	then	alors	*hier:* dann	entonces
genomen (nemen*)	took	pris	genommen	cogido
te laat	too late	trop tard	zu spät	(demasiado) tarde
alles	everything	tout	alles	todo
geweest (zijn*)	been	été	gewesen	sido
de lekke band	flat tyre	pneu crevé	Platten (Fahrrad)	neumático de bicicleta pinchado
het feest	party	fête	Fest	*aqui:* alegría
zoiets	something like that	une telle chose	so etwas	algo así
vlug	quickly	vite	schnell, rasch	rápido
repareren	fixe	réparer	reparieren	arreglar
perfect	perfectly	parfaitement	perfekt	perfectamente
leren	learn	apprendre	lernen	aprender
de lift	lift, ride	-	Mitfahrgelegenheit	-
gegeven (geven*)	given	-	gegeben	dado
ach	oh	hélas	ach	¡ay!
gebleven (blijven*)	*here:* stay	resté	geblieben	quedado
4				
de strofe	stanza	strophe	Strophe	estrofa
5				
het gedicht	poem	poème	Gedicht	poema
het participium	participle	participe passé	Partizip	participio
6				
het hulpwerkwoord	auxiliary (verb)	verbe auxiliaire	Hilfsverb	verbo auxiliar
vorig	last	passé	vorig, letzt	pasado
eergisteren	day before yesterday	avant-hier	vorgestern	anteayer
het afgelopen weekend	last weekend	le weekend dernier	letztes Wochenende	pasado fin de semana
twee weken geleden	two weeks ago	il y a quinze jours	vor zwei Wochen	hace dos semanas
8				
de speeltuin	playground	jardin d'enfants	Spielplatz	parque infantil
eten koken	cook the meal	faire la cuisine	Essen kochen	hacer la comida, cocinar
de bioscoop	cinema	cinéma	Kino	cine
10				
fietsen	cycle	*ici :* aller en vélo	Rad fahren	ir en bicicleta
de krant	newspaper	journal	Zeitung	periódico, diario
gelezen (lezen*)	read	lu	gelesen	leído
gekeken (kijken*)	watched	regardé	gesehen	visto

ontmoet (ontmoeten*)	met	rencontré	getroffen	encontrado
12				
verzint (verzinnen*)	makes up	invente	denkt sich aus	*aqui:* buscarse
het smoesje	excuse	bonne excuse	Ausrede	pretexto
gewonnen (winnen*)	won	gagné	gewinnen	ganado
de loterij	lottery	loto	Lotterie	lotería
gisteravond	last night	hier soir	gestern Abend	ayer por la noche
de miss	miss	miss	Miss	miss
de koningin	queen	reine	Königin	reina
op de koffie zijn/gaan bij	have a coffee with/go for a coffee	(aller) prendre le café chez	zum Kaffee kommen, auf einen Kaffee vorbeikommen	estar de visita/ir de visita
13				
gezeten (zitten*)	*here:* went	*ici :* fréquenté	gesessen	*aquí:* visitado
op school zitten	go to school	*ici :* fréquenter l'école	auf der Schule sein	estar en colegio
het eindexamen	final exam	examen de fin d'études	Abschlussprüfung, Abitur	examen final
oudst(-e)	eldest	aîné	*hier:* erste	mayor
verhuizen	move	déménager	umziehen	mudarse
thuis	at home	à la maison	zu Hause	en casa
gekregen (krijgen*)	got	obtenu	bekommen	obtener
verbouwen	renovate	rénover	umbauen	reformar
14				
het blaadje (het blad)	piece of paper	feuille	Zettel	hoja (de papel)
noemen	mention	mentionner	*hier:* nennen	nombrar
de anderen	others	autres	die anderen	demás
raden*	guess	deviner	raten	averiguar
het gaat over	it' s about	il s'agit de	es geht um	se trata de
N-a				
de verjaardagskalender	birthday calendar	*calendrier où l'on note les dates d'anniversaire à retenir*	Geburtstagskalender	calendario de cumpleaños
de verjaardag	birthday	anniversaire	Geburtstag	cumpleaños
de kalender	calendar	calendrier	Kalender	calendario
hangt (hangen*)	hangs	est suspendu	hängt	está colgado, cuelga
de binnenkant	inside	intérieur	Innenseite	parte de dentro
de WC-deur	toilet door	porte des W.C.	WC-Türe	puerta del wáter
de WC	toilet	toilettes	WC/Toilette	wáter
de deur	door	porte	Tür	puerta
echt	really	vraiment	echt, wirklich	realmente
staat (staan*)	*here:* are	*ici :* figurez	steht	pone
wordt (worden*)	*here:* is	*ici :* on félicite	wird	*aquí:* se felicita
feliciteren	congratulate	féliciter	gratulieren	felicitar
de jarige	*person whose birthday it is*	*celui/celle qui fête son anniversaire*	Geburtstagskind	*el que cumple años*
het cadeau	gift, present	cadeau	Geschenk	regalo
Hartelijk gefeliciteerd (met je verjaardag)	Happy birthday!	Bon anniversaire !	Herzlichen Glückwunsch zu deinem Geburtstag!	¡Feliz cumpleaños!

Les 7

Titel				
En wat voor werk doe jij?	And what do you do for a living?	Et qu'est-ce que tu fais comme travail ?	Und was machst du (beruflich)?	¿Y tú de qué trabajas?
het beroep	profession	profession	Beruf	empleo, oficio
1				
de (politie)agent	police officer	agent (de police)	Polizist	agente de policía
de tuinman	gardener	jardinier	Gärtner	jardinero
de kapper	hairdresser	coiffeur	Friseur	peluquero
de lerares	teacher	professeur	Lehrerin	profesora
de groenteboer	greengrocer	marchand de légumes	Gemüsehändler	verdulero
de secretaresse	secretary	secrétaire	Sekretärin	secretaria
de verkoopster	saleswoman	vendeuse	Verkäuferin	vendedora

de opticien	optician	opticien	Optiker	oculista
de dominee	minister	pasteur	Pfarrer	pastor protestante
de orgelman	organ grinder	joueur d'orgue	Drehorgelspieler	organillero
de fietsmonteur	(bi)cycle repairer	réparateur de bicyclettes	Fahrradmechaniker	bicicletero
2				
de assistent	assistant	assistant	Mitarbeiter, Assistent	asistente
de leraar	teacher	professeur	Lehrer	profesor
de tekenaar	artist	dessinateur	Zeichner	dibujante
de apotheker	pharmacist	pharmacien	Apotheker	farmacéutico
de verkoper	salesman	vendeur	Verkäufer	vendedor
de groepsleider	group leader	chef de groupe	Gruppenleiter	guía
de verpleger	male nurse	infirmier	Krankenpfleger	enfermero
de boekhouder	accountant	comptable	Buchhalter	contador
de chauffeur	driver	chauffeur	Fahrer	chófer
de secretaris	secretary	secrétaire	Sekretär	secretario
de monteur	mechanic	mécanicien	Mechaniker	montador
de bakker	baker	boulanger	Bäcker	panadero
de ambtenaar	civil servant	fonctionnaire	Beamter	funcionario
werkloos	unemployed	en chômage	arbeitslos	parado, desempleado
werkzoekend	in search of employment	demandeur d'emploi	arbeitsuchend	busca trabajo
4				
voor het eerst	for the first time	pour la première fois	zum ersten Mal	por primera vez
namelijk	*here:* it so happens	c'est que	nämlich	es que
aan boord	on board	à bord	an Bord	a bordo
buiten	outside	dehors	draußen	afuera
bevalt (bevallen*)	like	plaît	gefällt	gusta
het nieuws	news	journal	Nachrichten	noticiero
horen	hear	écouter	hören	oír
het wordt beter	it's getting better	ce sera mieux	es wird besser	va a mejorar
daarom	that's why	c'est pourquoi	darum	por eso
dat valt wel mee (meevallen*)	it's all right	*ici :* ça va	das ist doch gar nicht so schlimm	regular
momenteel	at the moment	en ce moment	momentan	de momento
5				
het gesprek	conversation	conversation	Gespräch	diálogo
hard	loud	*ici :* haut, fort	laut	fuerte
denkt (denken*)	thinks	pense	denken	piensa
Dan heb je je handen vol!	You must have your hands full!	Tu es alors très occupée !	Dann hast du alle Hände voll zu tun!	¡Entonces tienes muchísimo que hacer!
later	in (the) future	plus tard	später	más tarde
als	when	quand	*hier:* wenn	cuando
groter	bigger	plus grand	größer	mayores
6				
de fabriek	factory	usine	Fabrik	fábrica
de winkel	shop	magasin	Geschäft	tienda
het warenhuis	(department) store	Grand Magasin	Kaufhaus	almacén
het restaurant	restaurant	restaurant	Restaurant	restaurante
het bedrijf	company	entreprise	Betrieb, Firma	empresa
7				
de supermarkt	supermarket	supermarché	Supermarkt	supermercado
8				
studeren	*here:* study	*ici :* faire comme études	studieren	estudiar
de studie	study	études	Studium	los estudios
9				
de huisman	househusband	homme au foyer	Hausmann	amo de casa
de buschauffeur	bus driver	conducteur de bus	Busfahrer	chófer de autobús
telefoneren	be on the phone	appeler	telefonieren	telefonear
beantwoordt (beantwoorden*)	answers	répond	beantwortet	contesta
de brief	letter	lettre	Brief	carta
stofzuigen	vacuum	passer l'aspirateur	staubsaugen	aspirar el polvo
verkoopt (verkopen*)	sells	vend	verkauft	vende

Woordenlijst per les

raad geven*	give advice	conseiller	jdn. beraten, einen Rat geben	aconsejar
rijdt (rijden*)	drives	conduit	fährt	conduce
snijdt (snijden*)	cuts	coupe	schneidet	corta
het huishouden	household	ménage	Haushalt führen	llevar la casa
de file	traffic-jam	embouteillage	Stau	caravana
helpt (helpen*)	helps	aide	hilft	ayuda
het huiswerk	homework	devoirs	Hausarbeit	tareas
10				
allemaal	everything	tout	alle	todo
de koffiepauze	coffee break	pause-café	Kaffeepause	pausa del café
de pauze	break	pause	Pause	pausa
schoonmaken	clean	nettoyer	saubermachen, putzen	limpiar
12				
de personeelsadvertentie	employment advertisement	annonce	Stellenanzeige	anuncio de empleo
tegenkomt (tegenkomen*)	come across	*ici :* trouve	*hier:* sieht, antrifft	aparecen
de functie	position, duties	description de poste	Funktion, Tätigkeit	empleo
de sollicitatiewijze	how to apply	façon de postuler	Bewerbungsart	procedimiento de solicitud de trabajo
de wijze	method, way	façon	Art/Weise	manera
de taak	task	tâche	Aufgabe	tarea
solliciteren	apply	postuler	bewerben	solicitar un empleo
schriftelijk	written, in writing	par écrit	schriftlich	escrito
persoonlijk	personally, in person	personnellement	persönlich	personal
b.v. (bijvoorbeeld)	for example	p.ex.	z. B.	p.e.
de werkuren	working hours	heures de travail	Arbeitsstunden	horas de trabajo
het salaris	salary	salaire	Gehalt	sueldo
de pensioenregeling	pension scheme	(pension) retraite	Renten-/ Pensionsregelung	regulación de la jubilación
de vakantiedag	day-off, holiday	jour de congé	Urlaubstag	día de vacaciones
de arbeidsvoorwaarden	terms of employment	conditions de travail	Arbeitsbedingungen	condiciones laborales
men	one	on	man	uno
de sollicitant	applicant	candidat	Bewerber	solicitante
verwacht (verwachten*)	expect	attend	erwartet	espera
de opleiding	education	formation	Ausbildung	formación
de ervaring	experience	expérience	Erfahrung	experiencia
enz. (enzovoort)	etc.	etc.	usw.	etc.
de inlichtingen	information	renseignements	Informationen/ Auskünfte	información
het geld	money	argent	Geld	dinero
regelmatig	regular	régulièrement	regelmäßig	regularmente
inhoudt (inhouden*)	consists of	consiste à	beinhaltet	consistir en
de omschrijving	description	description	Umschreibung	descripción
noemen	name	appeler	nennen	denominar
13				
het diploma	diploma	diplôme	Diplom	diploma
de A(lgemeen) verpleeg-kundige	nurse	infirmier général	Krankenpfleger	enfermero general
HBO-V (Hoger Beroeps-onderwijs Verpleeg-kundige)	*training for State Registered Nurse*	*enseignement professionnel supérieur du nursing*	*Fachhochschule für Krankenpfleger*	*enfermero con formación secundaria especializada*
breed	wide	large	breit	amplia
de basis	basis	base	Grundlage	base
de verpleegafdeling	nursing ward	service hospitalier	Pflegestation	servicio de enfermería
bestaan* uit	consist of	se composer de	bestehen aus	se compone de
het team	team	équipe	Team	equipo
helpt (helpen*)	help	assistez à	hilft	asiste
het onderzoek	examination	examen	Untersuchung	análisis
de behandeling	treatment	traitement	Behandlung	tratamiento
verrichten	perform	effectuer, exécuter	erledigen, ausführen	efectuar
geboden (bieden*)	offered	offert	geboten	ofrecemos

Woordenlijst per les

collegiaal	amicable, fraternal	convivial	kollegial	como buen colega
de werksfeer	work climate	atmosphère du travail	Arbeitsatmosphäre	ambiente de trabajo
de honorering	payment	rémunération	Gehalt	salario
afhankelijk zijn van	be dependent on	dépendre de	abhängig sein von	con dependencia de
FWG (Functiewaarderingssysteem Gezondheidszorg)	*job evaluation system health care*	*système d'estimation des fonctions de la santé publique*	*funktionsbezogenes Personalbeurteilungssystem*	*sistema de valoración de la asistencia sanitaria*
maximaal	maximum	au maximum	maximal	máximo
bruto	gross	brut	brutto	bruto
de 36-urige werkweek	36-hour week	semaine de travail de 36 heures	36-Stunden-Woche	semana de 36 horas laborales
de werkweek	(working) week	semaine de travail	Arbeitswoche	semana laboral
de CAO (Collectieve Arbeidsovereenkomst)	collective (labour) agreement	Convention Collective de Travail	Tarifvertrag	Convenio Colectivo de Trabajo
het ziekenhuiswezen	hospital system	institution hospitalière	Krankenhauswesen	hospitales
de sollicitatie	application	lettre de candidature	Bewerbung	solicitud
binnen	within	*ici :* dans les	innerhalb	dentro de
richten aan	address to	adresser à	richten an	dirigir a
de postbus	postbox	boîte postale	Postfach	casilla de correo
eigen	own	propre	eigene	propio
de baas	boss	*ici :* compte	Chef	jefe
de schaduw	shadow	ombre	Schatten	sombra
de zomer	summer	été	Sommer	verano
het buitenland	abroad	étranger	Ausland	extranjero
verbeteren	improve	améliorer	verbessern	perfeccionar
onderstaand	(mentioned) below	ci-dessous	nachstehend	aquí debajo
de kinderanimator	entertainer	animateur d'enfants	Kinderanimateur	animador infantil
enthousiast	enthousiastic	enthousiaste	begeistert	entusiasta
flexibel	flexible	flexible	flexibel	flexible
servicegericht	service oriented	serviable	auf Service ausgerichtet	dirigido al servicio
de instelling	attitude	attitude	Einstellung	actitud
het Engels	English	anglais	Englisch	inglés
het Frans	French	français	Französisch	francés
het Duits	German	allemand	Deutsch	alemán
het Italiaans	Italian	italien	Italienisch	italiano
uiteraard	of course	il va de soi que	selbstverständlich	naturalmente
vooraf	in advance, beforehand	auparavant	im Voraus, vorab	preliminar
uitgebreid	extensive	extensif	ausführlich, umfangreich	detallado
de training	training	formation	Training	curso de capacitación
netto	net	net	netto	neto
de accommodatie	accommodation	hébergement	Unterkunft	alojamiento
de verzekering	insurance	assurance	Versicherung	seguro
volledig	full, complete	complet	gänzlich/vollständig	completo
de reiskostenvergoeding	travelling expenses	indemnité de déplacement	Reisekostenerstattung	bonificación por gastos de viaje
beschikbaar	available	disponible	verfügbar	disponible
de periode	period	période	Zeitraum	periodo
april	April	avril	April	abril
oktober	October	octobre	Oktober	octubre
bellen	call	appeler	anrufen	llamar
het sollicitatieformulier	application form	formulaire de demande d'emploi	Bewerbungsformular	formulario de solicitud
het formulier	form	formulaire	Formular	formulario
t.a.v. (ter attentie van)	for the attention of	à l'attention de	zu Händen von	a la atención de
N-a				
de beeldend kunstenaar	visual artist	peintre, sculpteur ou dessinateur	bildender Künstler	artista plástico
om precies te zijn	be precise	pour être plus exact	um genau zu sein	para ser preciso
de etser	etcher	graveur	Radierer	grabador
het onderwerp	subject	sujet	Thema	tema
de ets	etching	gravure	Radierung	el grabado
het landschap	landscape	paysage	Landschaft	paisaje
de polder	polder	polder	Polder, Marschland	pólder

de steden (de stad)	cities	villes	Städte	ciudades
de rivier	river	fleuves et rivières	Fluss, Strom	río
de boom	tree	arbre	Baum	árbol
de schepen (het schip)	ships	bateaux	Schiffe	barcos
kleinst	smallest	moindre	kleinst	el mínimo
het detail	detail	détail	Einzelheit	detalle
uitwerken	work out	élaborer	ausarbeiten	ejecutar
de compositie	composition	composition	Komposition	composición
het standpunt	point of view	point de vue	Standpunkt, Ansicht	punto de partida
interessant	interesting	intéressant	interessant	interesante
het beeld	picture	image	bildhaft	imagen
typisch	typical	caractéristique	typisch	típico
opgroeien	be raised	grandir	aufwachsen	crecer
de Bollenstreek	*bulb area*	*région néerlandaise où l'on cultive des bulbes*	*Landstrich, in dem Blumenzwiebeln gezüchtet werden*	*zona de cultivo de flores de bulbo*
Zuid-Holland	province 'Zuid-Holland'	province de 'Zuid-Holland'	Provinz 'Zuid-Holland'	provincia de 'Zuid-Holland'
begonnen (beginnen*)	started	commencé	begonnen	comenzó
de cursus	course	cours	Kurs	curso
de Vrije Academie	academy of fine arts	Académie des Beaux-Arts	Kunstakademie	Academia Libre
de avondcursus	evening classes	formation du soir	Abendkurs	curso nocturno
koninklijk	royal	royal	königlich	real
volgen	follow	suivre	belegen, besuchen	seguir
zelfstandig	independent	indépendant	selbstständig	independiente
werkzaam	working	*ici :* travaille comme	tätig	trabaja como
a/d Rijn	on the Rhine	sur Rhin	am Rhein	al Rino
exposeren	exhibite	exposer	ausstellen	exponer
o.a. (onder andere)	among other things	entre autres	unter anderem	entre otras cosas
deelnemen aan	take part in	participer à	teilnehmen an	participa en
de kunstmarkt	art market	marché aux objets d'art	Kunstmarkt	mercadillo de arte
de wandeltocht	walking tour	promenade à pied	Wanderung	caminatas
het schetsboekje	sketchbook	carnet de croquis	Skizzenbuch	libreta de esbozos
het fototoestel	camera	appareil photo	Fotoapparat	cámara fotográfica
bij de hand hebben	at hand	avoir sous la main	zur Hand haben	tener consigo
verzamelen	collect	réunir	sammeln	coleccionar
de gegevens (het gegeven)	data	données	Informationen	datos
zonovergoten	sun-drenched	ensoleillé	sonnenbeschienen	bañado de sol
de zon	sun	soleil	Sonne	sol
het zandpad	sandy path	sentier sablonneux	Sandweg	sendero de arena
de sloot	ditch	fossé	Wassergraben	zanja
menen	think	croire	meinen, denken	creer
miniatuur	miniature	en miniature	Miniatur-	miniatura
de IJssel	*Dutch river*	*rivière néerlandaise*	*niederländischer Fluss*	*río holandés*
het atelier	studio	atelier	Atelier	el estudio
karakteristiek	characteristic	caractéristique	charakteristisch	característico
samenvoegen	join	joindre	zusammenfügen	reunir
het element	element	élément	Element	elemento
bestaan*	exist	exister	bestehen, existieren	existen
de werkelijkheid	reality	réalité	Wirklichkeit	la realidad

Les 8

Titel				
trek hebben (in)	feel like, have an appetite for	avoir envie (de)	Lust haben auf	me apetece
de patat	chips	(pommes) frites	Pommes frites	patatas fritas
1				
passen (bij)	match	correspondre (à)	passen (zu)	corresponder (a)
het café	bar	café	Lokal, Kneipe	cafetería
de snackbar	snack bar	snack-bar	Snackbar	snack-bar
de patatkraam	fish and chips stand	friterie	Pommesbude	puesto de patatas fritas
de kraam	stand	-	Bude	puesto, tenderete

Woordenlijst per les

allebei	both	*ici :* les deux	alle beide	ambos
het pilsje	beer	bière	Pils	caña
het glaasje fris	soft drink	boisson rafraîchissante	Erfrischungsgetränk	vaso de refresco
de uitsmijter	*fried bacon and eggs served on slices of bread*	*pain avec oeuf sur le plat et fromage, jambon ou rosbif*	Strammer Max	*huevos fritos sobre rebanadas de pan con queso y jamón*
de bitterbal	*type of croquette*	*petite croquette ronde de viande*	Krokettenklößchen	albóndiga frita
de frikadel	minced-meat hot dog	*sorte de fricadelle*	eine Art Frikadelle	salchicha de carne picada
het gebak	pastry	pâtisserie	Gebäck, Stück Kuchen	tarta
de spa	mineral water	eau minérale (gazeuse)	Sprudel, Mineralwasser	agua mineral
de soep	soup	soupe	Suppe	sopa
het ijsje	ice cream	glace	Eis	helado
de fooi	tip	pourboire	Trinkgeld	propina
de tosti	toasted ham and cheese sandwich	croque-monsieur	Käse-Schinken-Toast	bikini
de borrel	drink	apéritif	Umtrunk	copa de bebida fuerte
de pils	lager	bière	Pils	cerveza
het glas	glass	verre	Glas	vaso
het borreltje	drink	apéritif	Schnäpschen	copa pequeña de bebida fuerte
het cafeetje	bar	petit café	kleines Lokal	café pequeño
2				
bestellen	order	commander	bestellen	ordenar
de gast	guest	client	Gast	cliente
3				
wel eens	sometimes	*ici :* déjà	ab und zu/hin und wieder	alguna vez
halen	get	*ici :* acheter	holen	comprar
het eetcafé	pub serving food	bistrot	Lokal	café-restaurante
pas	only	seulement	erst, gerade	hace poco
nog nooit	never	jamais	noch nicht	nunca hasta ahora
4				
langzamerhand	gradually	peu à peu	nach und nach, allmählich	poco a poco
ergens	somewhere	quelque part	irgendwo	en algún sitio
dat hoeft voor mij niet	I'd sooner not	ce n'est pas nécessaire	das muss nicht sein	por mí no hace falta
niet hoeven	don't have to	ne pas être nécessaire	nicht brauchen/ müssen	no hace falta
kijk eens	look	regarde	schau' mal	mira
op de hoek	at the corner	au coin	an der Ecke	en la esquina
graag	please	s.v.p.	*hier:* bitte	por favor
de mayonaise	mayonnaise	mayonnaise	Majonäse	mayonesa
de pindasaus	peanut sauce	sauce de cacahuètes	Erdnusssauce	salsa de manteca de cacahuetes
middel	medium	moyen	mittel, mittlere Größe	mediana
dat maakt niet uit	that doesn't matter	ça ne fait rien	das macht nichts	da igual
oké	OK	d'accord	okay	vale
de portie	portion	portion	Portion	ración
Anders nog iets?	Anything else?	Et avec ça ?	Sonst noch etwas?	¿Algo más?
alstublieft	here you are	voilà	bitte schön; bitte	mire, aquí tiene
de ketchup	ketchup	ketchup	Ketschup	ketchup
de curry	curry	curry	Curry	curry
een broodje shoarma	kebab sandwich	petit pain au kebab	Döner, Brötchen mit geröstetem Lammfleisch	bocadillo de shoarma
de kip	chicken	poulet	Hähnchen, Hühnerfleisch	pollo
diverse	various	plusieurs	verschiedene	variedad
de snack	snack	snack	Snack	tapas
de braadworst	sausage	saucisse	Bratwurst	salchicha frita
de bal gehakt	meatball	*boulette de viande hachée*	Frikadelle	albóndiga de carne picada

de bamihap	chow mein ball	*croquette farcie carrée aux pâtes chinoises*	panierte Frikadelle aus Bami-goreng	croqueta de bami
de nasihap	fried-rice ball	*boulette de riz à l'indonésienne*	panierte Frikadelle aus Nasi-goreng	croqueta de nasi
de frisdrank	soft drink	boisson rafraîchissante	Erfrischungsgetränk	refresco
het blik	can	boîte	Dose	lata
de milkshake	milkshake	milkshake	Milchshake	batido de leche
vanille	vanilla	vanille	Vanille-	vainilla
banaan	banana	banane	Bananen-	banana
chocolade	chocolate	chocolat	Schokoladen-	chocolate
frambozen	raspberry	framboise	Erdbeer-	frambuesa
mango	mango	mango	Mango-	mango
5				
zin hebben in	feel like a	avoir envie de	Lust haben auf	apetecer
het idee	idea	idée	Idee	idea
om de hoek	around the corner	à quatre pas d'ici	um die Ecke	a la vuelta
gezien (zien*)	seen	vu	gesehen	visto
Wat heeft u voor gebak?	What kind of pastry do you have?	Quelles sortes de pâtisserie avez-vous ?	Was für Gebäck/ Kuchen haben Sie?	¿Qué gustos de tartas tiene?
het appelgebak	apple pie	tarte aux pommes	Apfelgebäck, -kuchen	tarta de manzana
de boterkoek	butter biscuit	gâteau au beurre	Butterkuchen	pastel de mantequilla
het stukje	piece	morceau	Stück	trozo
erbij	with it	*ici :* autre chose	dazu	con ello
afrekenen	pay the bill	régler	bezahlen	pagar
ik kom zo	I'll be right there	j'arrive	ich komme sofort/gleich	vuelvo enseguida
dat wordt dan ... bij elkaar	that makes ... in all	c'est ... au total	das macht zusammen ...	entonces son ...
naar keuze	as desired	au choix	je nach Wahl	a elección
de sandwich	sandwich	sandwich	Sandwich	bocadillo
de taart	pie, cake	gâteau	Torte	pastel
de tomatensoep	tomato soup	soupe aux tomates	Tomatensuppe	sopa de tomate
het basilicum	basil	basilic	Basilikum	albahaca
Chinese	Chinese	chinois	chinesische	china
de bamisoep	noodle soup	soupe aux pâtes chinoises	Bamisuppe	sopa de bami
de boerensoep	cottage soup	soupe paysanne	Bauernsuppe	sopa campesina
koud	cold	froid	kalt	platos fríos
de salade	salad	salade	Salat	ensalada
de geitenkaas	goat's cheese	fromage de chèvre	Ziegenkäse	queso de cabra
de avocado	avocado	avocat	Avocado	aguacate
de tartaar	minced steak	bifteck haché	Tatar, Hacksteak	carne de ternera cruda picada
de rosbief	roast beef	rosbif	Roastbeef	rosbif
de (gekookte) ham	(boiled) ham	jambon (cuit)	(gekochter) Schinken	jamón (cocido)
de paté	pâté	paté	Pastete	paté
de taartpunt	wedge of cake	tranche de gâteau	Stück Kuchen	trozo de tarta
een kijkje nemen*	take a look	jeter un coup d'oeil	einen Blick werfen	echar un vistazo
de vitrine	glass case	vitrine	Vitrine	vitrina
het water	water	eau	Wasser	agua
de cappuccino	cappuccino	cappuccino	Cappuccino	capuchino
de koffie verkeerd	*half coffee, half milk*	*café avec beaucoup de lait chaud*	Milchkaffee	café con leche
de prik	pop, fizz	gazeux	Kohlensäure	gas
het appelsap	apple juice	jus de pomme	Apfelsaft	zumo de manzana
de appel	apple	pomme	Apfel	manzana
het sap	juice	jus	Saft	zumo, jugo
de wijn	wine	vin	Wein	vino
de huiswijn	house wine	vin de la maison	Hauswein	vino de la casa
wit	white	blanc	weiß	blanco
rood	red	rouge	rot	tinto
6				
Het gaat om ...	It's about a ...	Il s'agit de ...	Es geht um ...	Se trata de ...
het eens zijn (met)	agree	être d'accord	einverstanden sein	estar de acuerdo
gedag zeggen*	say goodbye	dire au revoir	Auf Wiedersehen sagen	saludan

Woordenlijst per les

op straat	on the street	dans la rue	auf der Strasse	por la calle
betalen	pay	régler	bezahlen	pagar
een voorstel doen*	make a proposition	faire une proposition	einen Vorschlag machen	propone algo
het voorstel	proposition, proposal	proposition	Vorschlag	propuesta
7				
de bestelling	order	commande	Bestellung	orden, pedido
8				
zoet	sweet	sucré	süß	dulce
biljarten	play billiards	jouer au billard	Billard spielen	jugar al billar
de dorst	thurst	soif	Durst	sed
bitter	bitter	amer	bitter	amargo
vlug	quick	vite	schnell	rápido
vet	fat, greasy	gras	*hier:* fettig	grasa
de vinger	finger	doigt	Finger	dedo
duur	expensive	cher	teuer	caro
de slagroom	whipped cream	crème chantilly	Schlagsahne	natillas
het zonnetje	sun	soleil	Sonne	sol
9				
was (imperfectum: zijn*)	*here:* is	-	war	-
smaken	enjoy	-	schmecken	-
Smakelijk eten!	Enjoy your meal!	Bon appétit !	Guten Appetit!	¡Que aproveche!
laat maar zitten	keep the change	gardez la monnaie	passt schon	déjelo así
de ober	waiter	garçon	Kellner	camarero
10				
zal (zullen*)	shall	-	soll	-
ergens gaan eten	eat somewhere	aller manger quelque part	irgendwo essen gehen	ir a comer a algún sitio
er is plaats	there are empty seats	il y a de la place	es gibt Platz	hay sitio
iets uit de muur halen	*get something from a vending machine*	*acheter quelque chose à manger au distributeur automatique*	*Essen aus einem (Wand)Automaten holen*	*coger comida del restaurante automático*
de honger	hunger	faim	Hunger	hambre
de tafel	table	table	Tisch	mesa
reserveren	reserve	réserver	reservieren	reservar
12				
één	one	un	ein	un
een hapje eten	a bite of something	casser la croûte	einen Happen essen	comer algo
het bord	notice board	tableau	Tafel	tablón
N-a				
Vlaanderen	Flanders	Flandres	Flandern	Flandes
de fijnproever	connoisseur	fin gourmet	Feinschmecker	gourmet
overal	everywhere	partout	überall	por todas partes
het opschrift	inscription	suscription	Aufschrift	cartel
Vlaams	Flemish	flamand	Flämisch, flämisch	de Flandes
de friet	chips	frites	Pommes frites	patata frita
te bieden hebben*	have to offer	avoir à offrir	zu bieten haben	para ofrecer
wat ... betreft (betreffen*)	with regard to	en ce qui concerne	was ... betrifft	en lo que respecta a
de Vlaming	Flemish man	Flamand	Flame, Flämin	flamenco, natural de Flandes
genieten* (van)	enjoy	*ici :* aimer	genießen	disfrutan (de)
een rijke tafel	a good/generous table	une table riche	ein voller Tisch	rica mesa
de soort	kind	sorte	Sorte	clase
namelijk	you see, namely	c'est que	nämlich	es que
de traditie	tradition	tradition	Tradition	tradición
de gebeurtenis	event	événement	Ereignis	acontecimiento
het huwelijk	marriage	mariage	Hochzeit	boda
wordt gebrouwen (brouwen)	is brewed	*ici :* on brasse	wird gebraut	se destila
het centrum	centre	centre	Zentrum	centro
de wereldhandel	world trade	commerce mondial	Welthandel	comercio mundial
het product	product	produit	Produkt	producto
de 16de eeuw	16th century	16ième siècle	16. Jahrhundert	siglo dieciséis

kooplieden (sg. de koopman)	merchants	commerçants	Kaufleute	comerciantes
de aardappel	potato	pomme de terre	Kartoffel	patata
de tomaat	tomato	tomate	Tomate	tomate
de kruiden	herbs	herbes	Kräuter	hierbas, especias
de specerijen	spices	épices	Gewürze	especias
bovendien	furthermore	en outre	außerdem	además
rijk	rich	riche	reich	rica
de groentetraditie	vegetable tradition	*tradition en ce qui concerne la consommation des légumes*	Gemüsetradition	tradición de consumo de verduras
de groenten (sg. de groente)	vegetables	légumes	Gemüse	verduras
de asperge	asparagus	asperge	Spargel	espárrago
de spruitjes	(Brussels) sprouts	choux de Bruxelles	Rosenkohl	col de Bruselas
het witloof	chicory	endives	Chicorée	endivia
de doperwten	green peas	petits pois	Zuckererbsen	judía verde
de kropsla	cabbage lettuce	laitue	Kopfsalat	lechuga repolluda
het worteltje	carot	carotte	Möhre, Karotte	zanahoria
zijn ontwikkeld (ontwikkelen)	have been developed	ont été cultivés	sind entwickelt worden	han sido cultivados
verfijnen	refine	affiner	verfeinern	refinar
tot voor kort	till recently	il y a peu de temps encore	bis vor kurzem	hasta hace poco
Frans	French	français	Französisch, französisch	francés
de keuken	kitchen	cuisine	Küche	cocina
dominant	dominant	*ici :* dominait	dominierend	predominante
op de kaart zetten	put on the menu	mettre sur la carte	auf die Speisekarte setzen	en el menú
steeds meer	more and more	de plus en plus de	immer mehr	cada vez más
het toprestaurant	top restaurant	restaurant de haute qualité	Spitzenrestaurant	restaurante de categoría
het gerecht	dish	plat	Gericht	especialidad
de garnaal	shrimp	crevette	Garnele	gamba
het konijn	rabbit	lapin	Kaninchen	conejo
de pruim	plum	prune	Pflaume	ciruela
de stoverij	stewery	potée	Schmorgericht	guisados
de hutspot	hot-pot	hochepot	Eintopfgericht	cocidos
heel wat anders dan	that's quite different from	tout autre chose que	etwas ganz anderes als	algo muy distinto a
heet	hot	très chaud	heiß	hirviendo
het vet	grease	graisse	Fett, Öl	manteca
bakken	fry	frire	braten	freír
de kwaliteit	quality	qualité	Qualität	calidad
de service	service	service	Service	servicio
de goede smaak	good taste	bon goût	guter Geschmack	buen gusto
niet alleen ... maar ook	not only ... but also	non seulement ... mais aussi	nicht nur ..., aber auch ...	no sólo ... sino también
de slager	butcher	boucher	Metzger	carnicero
in de rij staan*	(stand in the) queue	faire la queue	Schlange stehen	estar en la cola
favoriet	favourite	préféré	Lieblings-	favorito
de banketbakker	confectioner	pâtissier	Konditorei	confitero
de croissant	croissant	croissant	Croissant	cruasán
het taartje	cake	petit gâteau	Törtchen	pastelillo
het aanbod	offer	offre	Angebot	oferta
de patisserie	pastry shop	pâtisserie	Konditorei	pastelería
sterk	strong	fortement	stark	fuerte
regionaal	regional	régionalement	regional	regional
gekleurd (kleuren)	coloured	coloré	gefärbt	colorado
Antwerpse	from Antwerp	d'Anvers	aus Antwerpen	de Amberes
het assortiment	assortment	assortiment	Sortiment	surtido
Brugse	from Bruges	de Bruges	aus Brügge	de Brujas
calvinistisch	Calvinistic	calviniste	calvinistisch	calvinista
de Belg	Belgian	Belge	Belgier	belga

katholiek	Catholic	catholique	Katholik, katholisch	católico
de rug	back	dos	Rücken	espalda
het gezicht	face	visage	Gesicht	cara
gestaan (staan*)	stood	*ici :* tenu	gestanden	estado
de publicatie	publication	publication	Veröffentlichung	publicación
het ministerie	ministry	ministère	Ministerium	ministerio
de Gemeenschap	community	Communauté	Gemeinschaft	Comunidad
het citaat	quotation	citation	Zitat	cita
het dagblad	newspaper	journal	Tageszeitung	periódico

Les 9

Titel				
de plaatsbepaling	orientation	complément de lieu	Ortsbestimmung	localización
1				
het plein	square	place	Platz	plaza
de telefooncel	(tele)phone booth	cabine téléphonique	Telefonzelle	cabina telefónica
de bushalte	bus stop	arrêt d'autobus	Bushaltestelle	parada del autobús
voor	for	devant	vor	frente a
achter	behind	derrière	hinter	detrás de
het standbeeld	statue	statue	Standbild, Denkmal	estatua
onder	under	sous	*hier:* unter	debajo de
de brug	bridge	pont	Brücke	puente
het stadhuis	city hall	hôtel de ville	Rathaus	ayuntamiento
de auto	car	voiture	Auto	auto
aan	along	au bord de	an	a orillas de, en
tegenover	opposite	en face de	gegenüber	frente a
de kerk	church	église	Kirche	iglesia
2				
de richtingaanduiding	direction	direction	Richtungsbezeichnung	señalización de la dirección
links	left	à gauche	links	izquierda
linksaf	(to the) left	à gauche	nach links	girar a la izquierda
rechts	right	à droite	rechts	derecha
rechtsaf	(to the) right	à droite	nach rechts	girar a la derecha
rechtdoor	straight on/ahead	tout droit	geradeaus	todo recto
over	across	*ici :* traverser	über	pasando
terug	back	*ici :* revenir	zurück	volver
3				
de tegenstelling	opposite	opposition	Gegensatz	lo contrario
ver weg	far away	loin	weit weg	muy lejos
ver	far	loin	weit	lejos
naar boven	up	en haut	nach oben	hacia arriba
boven	up, above	là-haut	oben	arriba
aankomen*	arrive	arriver	ankommen	llegar
naar beneden	down *(direction)*	en bas	nach unten	hacia abajo
beneden	down *(position)*	bas	unten	abajo
naartoe	to	vers	hin	hacia allí
4				
de weg vragen*	ask the way	demander le chemin	nach dem Weg fragen	preguntar una dirección
de passant	passer by	passant	Passant	transeúnte
iemand anders	someone else	quelqu'un d'autre	jemand anders	otra persona
doei	bye	salut	tschüss	adiós
pardon	excuse me	pardon	pardon	perdone, ¿es usted de por aquí?
bent u hier bekend?	do you know your way (a)round here?	vous connaissez le quartier ?	kennen Sie sich hier aus?	
ja zeker	yes, sure	oui, en effet	ja, sicher(lich)	sí, claro
wachten	hold on	attendre	warten	esperar
toevallig	happen	par hasard	zufällig	casualmente
de plattegrond	(street)map	plan	Stadtplan	plano
dat komt goed uit	that's very convenient	ça tombe bien	das ist prima	viene muy bien
tweede	second	deuxième	zweite	segunda
eerste	first	premier	erste	primera

het station	(railway)station	gare	Bahnhof	estación
de lijn	line	ligne	Linie	línea
vlak naast	right next to	juste à côté de	direkt neben	casi junto a
graag gedaan	you're welcome	je vous en prie	gerne geschehen	de nada
veel plezier	enjoy your stay	bon séjour (à)	viel Spaß	que lo pase bien
5				
aanspreken*	address	adresser la parole à	ansprechen	dirigir la palabra a
verstaat (verstaan*)	understand	comprenez	versteht	entiende
afscheid nemen	say goodbye	dire au revoir	Abschied nehmen / sich verabschieden	despedirse
het afscheid	farewell	-	Abschied	despedida
6				
onderstrepen	underline	souligner	unterstreichen	subrayar
7				
de bezienswaardigheid	place of interest, sight	curiosité	Sehenswürdigkeit	atracción turística
bereikbaar	accessible	accessible	erreichbar	accesible
de tram	tram	tram	Straßenbahn	tranvía
de metro	underground	métro	U-Bahn	metro
8				
de weg wijzen	show the way	indiquer le chemin	den Weg zeigen	enseñar, mostrar el camino
dichtstbijzijnd	nearest	le plus proche	der/die/das nächste	más cercano
aan uw linkerhand/ rechterhand	to your left/right	à votre gauche/droite	auf Ihrer linken/rechten Seite	a su mano izquierda/ mano derecha
aan de linkerkant/ rechterkant	on the left/right	à gauche/droite	auf der linken/rechten Seite	a su mano izquierda/ mano derecha
het hotel	hotel	hôtel	Hotel	hotel
de bank	bank	banque	Bank	banco
het huis	house	maison	Haus, Gebäude	casa
verder(op)	away	plus loin	weiter	más adelante
alsmaar rechtdoor	straight on	toujours tout droit	immer geradeaus	todo recto
langs	along, by	*ici :* le long de	entlang, vorbei	pasando por
hoog	tall	haut	groß	alto
de flat	flat	immeuble	Hochhaus	edificio de apartamentos
het kruispunt	crossing, junction	carrefour	Kreuzung	cruce
de tunnel	tunnel	tunnel	Tunnel	túnel
9				
door	through	à travers	durch	por
de PTT	post office	PTT	Postamt	oficina de correos
10				
geef aan (aangeven*)	indicate, point out	indiquez	*hier:* zeigen Sie	señale
het politiebureau	police station	commissariat de police	Polizeirevier	comisaría
11				
de kleur	colour	couleur	Farbe	color
roze	pink	rose	rosa	rosa
groen	green	vert	grün	verde
geel	yellow	jaune	gelb	amarillo
beige	beige	beige	beige	béis
lichtblauw	light blue	bleu clair	hellblau	azul claro
donkerblauw	dark blue	bleu foncé	dunkelblau	azul oscuro
paars	purple	violet	lila	malva
oranje	orange	orange	orange	naranja
zwart	black	noir	schwarz	negro
de glasbak	bottle bank	conteneur spécial verre	Glascontainer	contenedor de vidrio
de politieauto	police car	voiture de police	Polizeiauto	coche de policía
de bestelbus	delivery van	camionnette	Lieferwagen	camión de correos
de post	post	poste	Post	correo
12				
de geldautomaat	cash dispenser	distributeur automatique	Geldautomat	cajero automático
de brommer	moped	vélomoteur	Moped	motocicleta
het trottoir	pavement	trottoir	Bürgersteig	acera

13				
de lievelingskleur	favourite colour	couleur préférée	Lieblingsfarbe	color preferido
de tas	bag	sac	Tasche	bolso
N-a				
het toerisme	tourism	tourisme	Tourismus	turismo
de tulp	tulip	tulipe	Tulpe	tulipán
de klomp	clog	sabot	Holzschuh	zueco
ooit	ever	jamais	jemals	alguna vez
het karakter	character	caractère	Charakter	carácter
trekt (trekken*)	draws	attire	zieht an	atrae
in eerste instantie	first of all	en premier lieu	in erster Linie	en primer lugar
historisch	historical	historique	historisch	histórico
prachtig	beautiful	magnifique	prächtig, prachtvoll	hermoso
het gebouw	building	bâtiment	Gebäude	edificio
het monument	monument	monument	Monument	monumento histórico
het evenement	event	événement	Ereignis	acontecimientos
in totaal	in total, in all	au total	insgesamt	en total
de museumdichtheid	museum density	densité de musées	Museumsdichte	cantidad de museos
ter wereld	in the world	au monde	weltweit	del mundo
de wereldhavenstad	international (sea)port city	ville de port mondiale	Welthafenstadt	metrópolis portuaria
zich kenmerken door	characterize by, distinguish by	se caractériser par	sich kennzeichnen durch	se caracterizan por
opvallend	striking	remarquable	auffallend	llamativa
modern	modern	moderne	modern	moderno
de architectuur	architecture	architecture	Architektur	arquitectura
de kubuswoning	*cube house*	*maison en forme d'un cube*	*Würfelwohnung*	*vivienda en forma de cubo*
de boulevard	boulevard	boulevard	Boulevard	malecón
bijgenaamd	called	surnommé	so genannt	apodado
de zwaan	swan	cygne	Schwan	cisne
hét	the	*ici :* par excellence	das	el
het bloemenland	flower land	pays des fleurs	Blumenland	país de las flores
het bollenveld	bulb field	champ de bulbes en fleurs	Blumenzwiebelfeld	campos de cultivo de flores de bulbo
de narcis	narcissus, daffodil	narcisse	Narzissen	narciso
de hyacint	hyacinth	jacinthe	Hyazinthen	jacinto
wereldberoemd	world-famous	célèbre dans le monde entier	weltberühmt	mundialmente famoso
jaarlijks	annual, yearly	annuellement	jährlich	todos los años
vele	many	plusieurs	viele	muchos
het bloemenseizoen	flower season	saison des fleurs	Blumensaison	estación de las flores
het seizoen	season	saison	Saison	estación, temporada
maart	March	mars	März	marzo
september	September	septembre	September	septiembre
gedurende	during	pendant	während	durante
het bloemencorso	flower parade	corso fleuri	Blumenkorso	desfile floral
de bloemenveiling	flower auction	vente publique de fleurs	Blumenauktion	subasta de flores
de bezoeker	visitor	visiteur	Besucher	visitante
ruim	more than	plus de	gut	más de
één derde (1/3)	one third	un tiers	ein Drittel	una tercera parte
afkomstig zijn uit	come from	vient de	stammen aus	vienen de
opleveren	bring in	fournir	(ein)bringen	rendir
miljard	billion	milliard	Milliarde	billones
de omzet	returns, sales	chiffre d'affaires	Umsatz	ingresos
besteden	spend	dépensent	*hier:* ausgeben	gastan
de exportwaarde	export value	valeur d'exportation	Exportwert	cifras de exportaciones
de plant	plant	plante	Pflanze	planta
economisch	economic	économique	wirtschaftlich	económico
de factor	factor	facteur	Faktor	factor
Ministerie van Buitenlandse Zaken	Ministry of Foreign Affairs	Ministère des Affaires Etrangères	Außenministerium	Ministerio de Asuntos Exteriores

Woordenlijst per les

Les 10

Titel				
de vrijetijdsbesteding	leisure activities	loisirs	Freizeitbeschäftigung	actividades de tiempo libre
1				
zwemmen*	swim	nager	schwimmen	nadar
tuinieren	be a gardener	jardiner	im Garten arbeiten, gärtnern	jardinería
tennissen	play tennis	faire du tennis	Tennis spielen	tenis
het theater	theatre	théâtre	Theater	teatro
het concert	concert	concert	Konzert	concierto
televisie kijken*	watch television	regarder la télé	fernsehen	ver la televisión
de televisie	television	télévision	Fernsehen	televisión
de muziek	music	musique	Musik	música
iets leuk vinden*	like something	aimer quelque chose	etwas gut/nett finden	gustarle algo a una persona
iets graag doen*	do something you like	aimer faire quelque chose	etwas gern tun	hacer algo con gusto
2				
computeren	work on the computer	travailler sur l'ordinateur	mit dem Computer arbeiten/spielen	trabajar con el ordenador
niet zo	not so much	pas tellement	nicht so	no ... mucho
3				
autorijden*	drive (a car)	conduire	Auto fahren	conducir un coche
schaatsen	skate	patiner	Schlittschuh laufen	patinar
een bioscoopje pikken	go to the cinema	aller au cinéma	ins Kino gehen	ir al cine
hartje centrum	right in the centre	au coeur du centre	Stadtzentrum	centro mismo de la ciudad
de nachttrein	night train	train de nuit	Nachtzug	tren nocturno
4				
het voorbeeld	example	exemple	Beispiel	ejemplo
5				
een standpunt innemen	take a stand	prendre position	Standpunkt vertreten	adoptar un punto de vista
het vliegtuig	aeroplane	avion	Flugzeug	avión
meegaan (naar)	go along/with (to)	aller avec quelqu'un (à)	mitgehen	ir con otra(s) persona(s) (a)
Wenen	Vienna	Vienne	Wien	Viena
Dat weet je toch!	You know why!	Tu sais bien !	Das weißt du doch!	¡Tú sabes el porqué!
moeilijk	difficult	-	schwierig	dificíl
moeilijk doen (over)	make difficulties (over)	faire le compliqué	sich anstellen (wegen)	hacer problemas
eigenlijk	really	au fond	eigentlich	en realidad
omdat	because	parce que	weil	porque
zó	in a minute	en un rien de temps	so	en un instante
de hele dag over iets doen*	take all day	mettre toute une journée à faire qch.	den ganzen Tag über nichts tun/faulenzen	te lleva todo el día
dat is niks voor mij	that's not my sort of thing	je n'aime pas ça	das ist nichts für mich	no me convence
Ik doe geen oog dicht.	I won't sleep a wink.	Je ne ferme pas l'oeil (de toute la nuit).	Ich mache kein Auge zu.	No pego un ojo.
bang zijn* (om te, voor)	be afraid (to, off)	avoir peur (de)	Angst haben (vor)	tener miedo (de/a)
vliegen*	fly	voler	fliegen	volar
doe niet zo gek!	don't be silly!	*ici :* oh, arrête !	Sei nicht so verrückt!	no digas cosas raras
8				
de NS (Nederlandse Spoorwegen)	*Dutch railways*	*S.N.C.F. néerlandaise*	*niederländische Eisenbahnen*	*Ferrocarriles Neerlandeses*
de reiziger	traveller	voyageur	Reisender	pasajero
het interview	interview	interview	Interview	entrevista
hoewel	although	bien que	obwohl	aunque
snel	fast	vite	schnell	rápido
milieuvriendelijk	environment-friendly	non-polluant	umweltfreundlich	ecológico
de parkeerplaats	parking place/space	parking	Parkplatz	aparcamiento
de verbinding	connection	correspondance	Verbindung	conexión

vol	full	plein	voll	lleno
het spoorboekje	(train) timetable	indicateur des chemins de fer	Kursbuch	horario de trenes
9				
het vervoermiddel	(means of) transport	moyen de transport	Verkehrsmittel	medio de transporte
10				
overstappen	change	changer de train	umsteigen	cambiar de
het bos	forest	forêt	Wald	bosque
de hei	heath(land)	bruyère	Heide	brezal
te huur	for rent	à louer	mieten	se alquila
de route	route	itinéraire	Route	ruta
11				
herhalen	repeat	répéter	wiederholen	repetir
bedenken*	think of	imaginer	ausdenken	ocurrir
12				
denken* (aan)	think	penser (à)	denken (an)	pensar (en)
N-a				
de sport	sport	sport	Sport	deporte
aan sport doen*	play a sport	faire du sport	Sport treiben	practicar deporte
het voetbal	soccer, football	football	Fußball (spielen)	fútbol
de volkssport	national sport	sport national	Volkssport	deporte popular
het lid (pl. leden)	member	membre	Mitglied	miembro
de voetbalbond	soccer/football association	fédération du football	Fußballbund	federación de fútbol
de organisatie	organisation	organisation	Organisation	organización
op het gebied van	in the field of	dans le domaine de	auf dem Gebiet von	en el terreno de
het tennis	tennis	tennis	Tennis	tenis
het volleybal	volleyball	volley	Volleyball	balonvolea
de paardensport	equestrian sport	équitation	Pferdesport	hípica
het paard	horse	cheval	Pferd	caballo
het wielrennen	cycle racing	cyclisme	Radsport	ciclismo
een aardig woordje meespreken*	have a say	jouer un rôle assez important	ganz gut mitreden	saber mucho de una cosa
het hebben* over	talk about	parler de	reden über	hablar de
beschikken over	dispose of, have	disposer de	verfügen über	disponer de
zoveel	so many	tant de	so viel	tantos
het fietspad	cycle track/path	piste cyclable	Radweg	carril para bicicletas
het principe	principle	principe	Prinzip	principio
gehele	whole	tout	ganze	toda
verkennen	explore	*ici :* découvrir	erkunden	recorrer
de weg (pl. wegen)	road	chemin	Weg	ruta, camino
de paddestoel	*here:* signpost	*ici :* borne de croisement	*pilzförm. Wegweiser f. Fußgänger u.Radfahrer*	mojón, hito
stenen	stone	de pierre	aus Stein	de ladrillos
het zuiltje	pillar	petite colonne	kleine Säule	columnilla
de fietsroute	cycle route	circuit cyclotouriste	Fahrradroute	ruta para bicicleta
aangeven*	indicate	indiquer	angeben	indicar
ervoor zorgen (dat)	see to it (that)	permettre	dafür sorgen (, dass)	posibilitar (que)
de fietser	cyclist	cycliste	Radfahrer	ciclista
mogelijke	possible	possible	möglich	posible
de veiligheid	safety	sécurité	Sicherheit	seguridad
het verkeer	traffic	circulation	Verkehr	tránsito
deelnemen* (aan)	take part	participer (à)	teilnehmen (an)	tomar parte (en)
sporten	practise a sport	*ici :* faire du sport	Sport treiben	practicar deporte
de kustlijn	coastline	côte	Küstenlinie	costa
volop	plenty, a lot of	plein de	reichlich	abundantes
de gelegenheid	opportunity	possibilité	Gelegenheit	ocasiones, posibilidades
de watersport	water sport	sport nautique	Wassersport	deportes acuáticos
het surfen	surfing	faire de la planche à voile	Surfen	hacer surf, surf
het zeilen	sailing	faire de la voile	Segeln	navegación a vela
het vissen	fishing	pêcher	Fischen, Angeln	pescar
beoefenen	practise	pratiquer	ausüben, betreiben	practicar
landinwaarts	inland	à l'intérieur du pays	landeinwärts	tierra adentro

de ringvaart	ring canal	canal de ceinture	Ringkanal	canal circular
het meertje	lake	petit lac	kleiner See	laguna
de zeilboot	sailing boat	bateau à voile	Segelboot	barco de vela
de kano	canoe	canoë	Kanu	cano
de motorboot	motorboat	bateau à moteur	Motorboot	lancha motora
de tocht	journey	promenade	Fahrt, Ausflug	excursiones
schitterend	magnificent	magnifique	herrlich	magnífico
het natuurgebied	nature reserve	région naturelle	Naturlandschaft	parque natural
de winter	winter	hiver	Winter	invierno
veranderen	change	changer	verändern	cambiar
het scenario	scenario	scénario	Szenario	escenario
populair	popular	populaire	populär	popular
voldoende	enough, sufficient	suffisamment	genügend, ausreichend	suficiente
het ijs	ice	glace	Eis	hielo
de kast	cupboard	armoire	Schrank	armario
bevroren (bevriezen*)	frozen	gelé	zugefroren	congelado
beroemdst	most famous	le plus célèbre	berühmtest	más famoso
uniek	unique	unique	einmalig	único
voorkomen*	occur, happen	*ici :* avoir lieu	sich ereignen, stattfinden	tener lugar
behoorlijk	considerably	considérablement	gehörig, viel	bastante
vriezen*	freeze	geler	frieren	helar
voordat	before	avant que	bevor	antes de
het traject	route	trajet	Strecke	trayecto
genoeg	enough	assez	genug	bastante
de schaatser	iceskater	patineur	Eisläufer	patinador
de toeschouwer	spectator	spectateur	Zuschauer	espectador
maken (tot)	make (into)	*ici :* font (de)	machen (zu)	hacer (de)
algemeen	general	général	allgemein	general
de toeristenbond	tourist association	union touristique	Touristenverband	asociación de turismo
S				
beoordelen	judge, assess	juger	beurteilen	juzgar

Les 11

Titel				
de woning	house	habitation	Wohnung	vivienda
1				
de 3-kamerwoning	three-room house	(logement de) trois pièces	3-Zimmer-Wohnung	casa de tres ambientes
bestaan (uit)	consist (of)	se composer (de)	bestehen (aus)	constar (de)
de kamer	room	chambre	Zimmer	habitación
de badkamer	bathroom	salle de bains	Badezimmer	baño
het toilet	toilet	toilettes	Toilette	lavabo
het flatgebouw	block of flats	immeuble	Hochhaus	edificio de apartamentos
de etage	floor	étage	Stockwerk	piso
vrijstaand	detached	indépendant	freistehend	individual
de verdieping	floor	étage	Stockwerk	planta
de tuin	garden	jardin	Garten	jardín
het rijtjeshuis	terraced house	maison dans une rangée	Reihenhaus	casa adosada
de kant	side	côté	Seite	lado
eraan vast	attached	attaché à	daran fest	fijo
gemeenschappelijk	communal	commun	gemeinsam	común
de muur	wall	mur	Mauer	pared
de buren	neighbours	voisins	Nachbarn	vecinos
de twee-onder-een-kap	semi-detached house	maison jumelée	Doppelhaus(hälfte)	chalet pareado
het dak	roof	toit	Dach	tejado
de woonboot	houseboat	bateau-maison	Hausboot	barco vivienda
de boot	boat	bateau	Boot	barco
ombouwen (tot)	convert	transformer	umbauen	modificar

Woordenlijst per les

2				
de ruimte	room	pièce	Raum	estancia
heten*	be called	s'appeler	heißen	llamarse
de slaapkamer	bedroom	chambre (à coucher)	Schlafzimmer	dormitorio
de kinderkamer	nursery	chambre d'enfants	Kinderzimmer	habitación de los niños
de gang	hall	couloir	Flur	pasillo
de woonkamer	living room	(salle de) séjour	Wohnzimmer	sala
het balkon	balcony	balcon	Balkon	balcón
de WC	WC	toilettes	WC	lavabo
de logeerkamer	guest room	chambre d'amis	Gästezimmer	habitación de huéspedes
de werkkamer	study	bureau	Arbeitszimmer	estudio
spelen	play	jouer	spielen	jugar
knutselen	tinker	bricoler	basteln, werkeln	hacer bricolaje
3				
licht	light	clair	hell	luminoso
rustig	quiet	calme	ruhig	tranquilo
lawaaierig	noisy	bruyant	laut	ruidoso
ongezellig	uninviting	qui manque d'intimité	ungemütlich	de poco ambiente
de lift	elevator	ascenseur	Fahrsuhl	ascensor
de garage	garage	garage	Garage	garaje
goedkoop	cheap	bon marché	billig, preiswert	barato
4				
plannen maken	make plans	faire des projets	Pläne schmieden, planen	hacer planes
het plan	plan	projet	Plan	plan
de uitnodiging	invitation	invitation	Einladung	invitación
hoi	hi, hello	salut	hallo	hola
hou op (ophouden*)	stop it	arrête	hör' auf	calla
Wat ben je aan het doen?	What are you doing?	Qu'est-ce que tu fais ?	Was machst du gerade?	¿Qué estás haciendo?
de koffer	suitcase	valise	Koffer	maleta
pakken	pack	*ici*: faire	packen	empacar
Wat ben je van plan?	What are you up to?	Que comptes-tu faire ?	Was hast du vor?	¿Qué tienes pensado hacer?
van plan zijn	intend to do	compter faire	vorhaben	tener pensado hacer
morgen	tomorrow	demain	morgen	mañana
hoger	*here:* up	plus haut	höher	más arriba
vrij gekomen	became vacant	*ici :* de libre	frei geworden	se ha desocupado
waarvoor	what ... for	la raison pour laquelle	weswegen?	por lo que
mee-eten	join for dinner	manger chez quelqu'un	mitessen	comer con nosotros
de erwtensoep	pea soup	soupe aux pois	Erbsensuppe	sopa de crema de judías verdes
jammer genoeg	unfortunately	malheureusement	leider	lamentablemente
schilderen	paint	peindre	streichen	pintar
5				
het tijdstip	point in time	moment	Zeitpunkt	momento
6				
het telefoongesprek	telephone conversation	conversation téléphonique	Telefongespräch	conversación telefónica
8				
op visite gaan	go visit	rendre visite	besuchen	ir de visita
de visite	visitors	visite	Besuch	visita
9				
behalve	except	sauf	außer	salvo
niemand	nobody	personne	niemand	nadie
10				
zingen	sing	chanter	singen	cantar
pianospelen	play the piano	jouer du piano	Klavier spielen	tocar el piano
de piano	piano	piano	Klavier	piano
timmeren	hammer	*construire quelque chose en bois*	zimmern	hacer trabajos de carpintería
zagen	saw	scier	sägen	serrar

12				
uitbeelden	act out	interpréter	darstellen	representar
13				
mooier	prettier	plus beau	schöner	más hermoso
duurder	more expensive	plus cher	teurer	más caro
weinig	little	peu	wenig	poco
minder	less	moins	weniger	menos
de advertentie	advertisement	annonce	Anzeige, Inserat	anuncio
14				
kleiner	smaller	plus petit	kleiner	más pequeño
goedkoper	cheaper	meilleur marché	preiswerter	más barato
het woningtype	type of house	type d'habitation	Wohnungstyp	tipo de vivienda
open	open	ouvert sur le séjour	offen	abierto
de zolderkamer	attic room	mansarde	Bodenkammer	habitación de la buhardilla
de mogelijkheid	possibility	possibilité	Möglichkeit	posibilidad
het dakterras	roof terrace	terrasse sur le toit	Dachterrasse	terraza
15				
het uitzicht	view	vue	Aussicht	vista, panorama
de voorkant	front	*ici :* devant la maison	Vorderseite	frente
de achterkant	back	*ici :* derrière la maison	Rückseite	parte trasera
de kelder	basement	cave	Keller	sótano
de zolder	attic	grenier	Dachboden	buhardilla
de schuur	barn	remise	Schuppen	cobertizo
de sportvoorziening	sports facility	équipement sportif	Sporteinrichtung, -möglichkeit	gimnasio, instalaciones deportivas
het openbaar vervoer	public transport	transports en commun	öffentliche Verkehrsmittel	transporte público
tevreden	satisfied	content	zufrieden	satisfecho, contento
N-a				
het gordijn	curtain	rideau	Gardine	cortinas
een bezoek brengen* (aan)	pay a visit (to)	visiter	besuchen	visitar
ervaren*	experience	*ici :* voir	erleben	experimentado
een tijdje	for a while	pendant quelque temps	eine Zeit (lang)	un tiempo
wonen	live	habiter	wohnen	vivir
het thema	theme	thème	Thema	tema
het raam	window	fenêtre	Fenster	ventana
de wandeling	walk	promenade	Spaziergang	paseo
de verleiding	temptation	tentation	Verlockung	tentación
weerstaan*	resist	résister à	widerstehen	resistir
gadeslaan*	observe	observer	beobachten	observar
de inrichting	interior	aménagement	Einrichtung	decoración
bewonderen	admire	admirer	bewundern	admirar
schijnen*	appear	sembler	scheinen	parecer
de nieuwsgierigheid	curiosity	curiosité	Neugier	curiosidad
zich storen aan	be annoyed by	être dérangé par	sich stören an	molestarse por
integendeel	on the contrary	au contraire	im Gegenteil	al contrario
iemand deelgenoot maken (van)	share with someone	associer quelqu'un (à)	jemanden zum Teilhaber machen	hacer disfrutar a alguien (de)
de openheid	openness	sincérité	Offenheit	apertura
sympathiek	sympathetic	sympathique	sympathisch	simpático
overblijven*	be left	rester	übrig bleiben	restar
wordt gebruikt	is used	est utilisé	wird benutzt	se usa
functioneel	functionally	de façon fonctionnelle	funktionell	funcional
de reden	reason	raison	Grund	motivo
het gevoel	feeling	sentiment	Gefühl	sensación
de verstandhouding	relations	entente, relation	Verhältnis	entendimiento
hartelijk	cordial	cordial	herzlich	cordial
maar ja	but well	mais enfin	aber ja	pero, en fin
steil	steep	raide	steil	empinado
smal	narrow	étroit	schmal	estrecho
de trap	staircase	escalier	Treppe	escalera
bovenste	upper	le plus haut	oberst	último

pittoresk	picturesque	pittoresque	malerisch	pintoresco
leiden	lead	mener	leiten, führen	conducir
opgevallen (opvallen*)	noticed	remarqué	aufgefallen	llamado la atención
in hemelsnaam	for heaven's sake	mais enfin	um Himmels willen	en nombre del cielo
de hoogslaper	high bed	lit surélevé	Hochbett	cama en alto
piepklein	tiny	tout petit	winzig	pequeñísima
het studentenkamertje	student(s') room	chambre d'étudiant	Studentenbude	habitación de estudiante
de buitenkant	outside	extérieur	Außenseite	exterior
de avondwandeling	evening walk	promenade du soir	Abendspaziergang	paseo nocturno
doorsnee	average	moyen	durchschnittlich	medio
de theorie	theory	théorie	Theorie	teoría
het terrasje	pavement café	terrasse	Terrasse	terraza (de un bar)
de architect	architect	architecte	Architekt	arquitecto
de opdrachtgever	client, customer	*celui qui a passé l'ordre*	Auftraggeber	comitente
in gezelschap	with company	en compagnie	in Gesellschaft	en compañía
het gezelschap	company	compagnie	Gesellschaft	compañía
talloos	innumerable	innombrable	zahllos, unzählig	innumerable
de lunchroom	lunchroom	salon de thé	Konditorei, Café	salón de almuerzos
het Zuiden	South	Sud	Süden	el Sur

Les 12

Titel				
het huisje	house	petite maison	Häuschen	casita
de meubels	furniture	meubles	Möbel	muebles
1				
de lamp	lamp	lampe	Lampe	lámpara
de boekenkast	bookcase	bibliothèque	Bücherschrank	librería
het bureau	desk	bureau	Schreibtisch	escritorio
de fauteuil	armchair	fauteuil	Sessel	butaca
het vloerkleed	carpet	tapis	Teppich	alfombra
het bijzettafeltje	occasional table	table gigogne	Beistelltisch	mesilla
3				
was (zijn*)	was	était	war	era
het platteland	countryside	campagne	Land	campo
met z'n hoevelen	with how many	combien de personnes	Zu wievielt?	¿cuántos?
met z'n vieren	four of us	quatre personnes	zu viert	cuatro
stond (staan*)	*here:* was	se trouvait	stand	había
het nachtkastje	night table	table de nuit	Nachttisch, Schränkchen	mesilla de noche
deed (doen*)	did	faisait	tat	hacía
luisteren	listen	écouter	(zu)hören	escuchar
schreef (schrijven*)	wrote	écrivait	schrieb	escribía
het dagboek	dairy	journal intime	Tagebuch	diario
mogen	be allowed	avoir le droit	dürfen	poder
5				
de grootouders	grandparents	grands-parents	Großeltern	los abuelos
de dijk	dike	digue	Deich	dique
ging (gaan*)	went	allais	ging	iba
regenen	rain	pleuvoir	regnen	llover
kreeg (krijgen*)	got	recevais	bekam	recibió
stoppen	stop	s'arrêter	anhalten	parar(se)
hadden (hebben*)	had	avaient	hatten	tenían
waste (wassen*)	washed	se lavait	wusch	te lavabas
de centrale verwarming	central heating	chauffage central	Zentralheizung	calefacción central
kennen	know	connaître	kennen	conocer
de kolenkachel	coal-fired heater	poêle à charbon	Kohlenofen	estufa a carbón
de warmte	heat	chaleur	Wärme	calor
verspreidde (verspreiden*)	spread	répandait	verbreiteten	irradiaba
ouderwets	old-fashioned	ancien	altmodisch	antiguo
het fornuis	stove	cuisinière	Küchenherd	cocina
daarboven	above it	au-dessus	oben, darüber	(allí) encima
hing (hangen*)	hung	était suspendu	hing	colgaba

het tegeltje	tile	petit carreau	kl. Fliese, Kachel	azulejo
oost	east	est	Osten	este
west	west	ouest	Westen	oeste
waren (zijn*)	were	il y avait	waren	había
het kamertje	little room	petite chambre	Zimmerchen	habitación pequeña
sliep (slapen*)	slept	dormais	schliefen	dormía
logeren	stay	passer quelque temps	wohnen, übernachten	alojarse
zich herinneren	remember	se souvenir	sich erinnern	recordar
zagen (zien*)	looked	*ici :* étaient	sahen	tenían el aspecto
het voortuintje	front garden	petit jardin avant	Vorgarten	jardín delantero
het achtertuintje	back garden	petit jardin à l'arrière	kleiner Garten hinter dem Haus	jardín trasero
had (hebben*)	had	avait	hatte	tenía
achterom	around the back	par derrière	hintenherum	por atrás
de achterdeur	backdoor	porte de derrière	Hintertür	puerta de atrás
kon (kunnen*)	was possible	était possible	konnte	era posible
kwam (komen*)	came	*ici :* rentrais de	kam	llegaba de
dronk (drinken*)	drank	buvais	trank	bebía
warm	warm	*ici :* au chaud	warm	caliente
de kachel	stove, heater	poêle	Ofen	estufa
het liefst	rather	je préférais	am liebsten	preferiblemente
zat (zitten*)	sat	étais assis	saß	estaba
mijn vaders	my father's	de mon père	von meinem Vater	de mi padre
las (lezen*)	read	lisais	las	leía
spannend	exiting	captivant	spannend	emocionante
de ouders	parents	parents	Eltern	padres
het schilderij	painting	peinture	Gemälde, Bild	cuadro
boven	above	au-dessus de	*hier:* über	encima de
6				
het imperfectum	imperfect	imparfait	Imperfekt	pretérito imperfecto
7				
de buitenwijk	suburb	banlieue	Vorort	barrio en las afueras
de poster	poster	poster	Poster	póster
de boekenplank	bookshelf	étagère	Bücherregal	estante para libros
de radio	radio	radio	Radio	la radio
de cassetterecorder	cassette recorder	magnétophone	Kassettenrekorder	reproductor de casetas
vond (vinden*) leuk	liked	aimais	mochtest	gustaba
8				
vroeger	in the old days	autrefois	früher	antes
lievelings-	favourite	préféré	Lieblings-	preferido
het spelletje	game	jeu	Spiel	juego de mesa
het dier	animal	animal	Tier	animal
het plekje	place	endroit	Plätzchen	lugar
9				
wilde (willen*)	wanted	vouliez	wollte	quería
moest (moeten*)	had to	deviez	musste	debía
durfde (durven*)	dared	osiez	traute sich, wagte	atrevía
10				
rekenen	do sums	calculer	rechnen	hacer cálculos
11				
winderig	windy	venteux	windig	ventoso
stormachtig	stormy	orageux	stürmisch	tormentoso
waaien	blow	faire du vent	wehen	hacer viento
stormen	blow hard/blow a gail	faire de la tempête	stürmen	hacer tormenta
bewolkt	clouded	nuageux	bewölkt	nublado
de wolk	cloud	nuage	Wolke	nube
regenachtig	rainy	pluvieux	regnerisch	lluvioso
zonnig	sunny	ensoleillé	sonnig	soleado
scheen (schijnen*)	shone	brillait	schien	brillaba
mistig	foggy	brumeux	neblig	neblinoso
de mist	fog	brouillard	Nebel	neblina
koel	cool	frais	kühl	fresco
fris	chilly	frais	frisch	fresco
de graad	degree	degré	Grad	grado

Woordenlijst per les

12				
het weerbericht	weather forecast	météo	Wetterbericht	informe meteorológico
helder	clear, bright	clair	klar, heiter	despejado
de temperatuur	temperature	température	Temperatur	temperatura
bereiken	reach	atteindre	erreichen	alcanzar
de middag	afternoon	après-midi	(Nach-)Mittag	mediodía
opnieuw	once again	à nouveau	erneut	de nuevo
de mistbank	fog patch	banc de brume	Nebelbank	banco de niebla
ontstaan*	develop	apparaître	entstehen	producirse
droog	dry	sec	trocken	sin precipitaciones
de nevel	mist, haze	brume	Nebel	niebla
vanochtend	this morning	ce matin	heute Morgen	esta mañana
grijs	grey	gris	grau	gris
de bewolking	cloud(s)	nuages	Bewölkung	nubosidad
plaatselijk	local	localement	örtlich, lokal	localmente
de motregen	drizzle	bruine	Nieselregen	llovizna
het klaart op (opklaren)	it's clearing up	le ciel se dégage	es hellt auf	se despeja
vanuit	from	à partir de	von ... aus	desde
het westen	west	ouest	Westen	el oeste
matig	moderate	modéré	mäßig	moderado
westelijk	west	de l'ouest	westlich	del oeste
de wind	wind	vent	Wind	viento
lenteachtig	springlike	printanier	frühlingshaft	primaveral
vallen*	-	*ici :* il y aura	fallen	caer
de bui	shower	averse	Schauer	chubasco
stevig	heavy	fortement	kräftig	con fuerza
het zuidoosten	southeast	sud-est	Südosten	sudeste
13				
verwachtte (verwachten*)	expected	prévoyait	erwartete	esperaba
onbewolkt	clear	sans nuages	unbewölkt	despejado
de regen	rain	pluie	Regen	lluvia
de storm	storm	tempête	Sturm	tormenta
de sneeuw	snow	neige	Schnee	nieve
de hagel	hail	grêle	Hagel	granizo
het onweer	thunder	orage	Gewitter	trueno
de ijzel	black ice	verglas	Eisregen	escarcha
14				
's winters	in the winter	en hiver	im Winter	en el invierno
de Kerstmis	Christmas	Noël	Weihnachten	Navidades
laatst	latest	dernier	letzt	última
15				
de lente	spring	printemps	Frühling	primavera
de herfst	autumn	automne	Herbst	otoño
januari	January	janvier	Januar	enero
februari	February	février	Februar	febrero
maart	March	mars	März	marzo
mei	May	mai	Mai	mayo
juni	June	juin	Juni	junio
juli	July	juillet	Juli	julio
augustus	August	août	August	agosto
november	November	novembre	November	noviembre
december	December	décembre	Dezember	diciembre
N-a				
winters	wintry	hivernal	im Winter	de invierno
de weemoed	wistfulness	mélancolie	Wehmut	melancolía
waarin	where	où	worin	donde
de salontafel	coffeetable	table de salon	Couchtisch	mesa del salón
wiebelen	wobble	balancer	wackeln	temblar
vochtig	damp	humide	feucht	húmedo
wensen	wish, desire	désirer	wünschen	desear
overliet (overlaten*)	left	laissait	ließ übrig	dejar
te wensen overlaten*	leave to be desired	laisser à désirer	zu wünschen übrig lassen	dejar que desear
de plek	place, spot	endroit	Stelle, Ort	sitio

gelegen (liggen*)	lain	amarré	gelegen	estaba anclado
de vaste wal	shore	terre ferme	Festland	en tierra firme
de charme	charm	charme	Charme	encanto
gevroren (vriezen*)	*here:* had been freezing	gelé	gefroren	había helado
werden (worden*)	were	étaient	wurden	-
ondergebonden (onderbinden*)	put on	mis	festgemacht, -schnallt	puesto
het keukenraam	kitchen window	fenêtre de cuisine	Küchenfenster	ventana de la cocina
riep (roepen*)	called	appelait	rief	llamaba
laat op de middag	late in the afternoon	tard dans l'après-midi	am späten Nachmittag	a media tarde
de kop	cup	tasse	Tasse	taza
de chocolademelk	chocolate milk	lait au chocolat	Schokomilch, Kakao	leche chocolatada
tijden	days	*ici :* de beaux jours	Zeit	tiempos

Les 13

Titel				
net	just	juste	gerade	justamente
denken*	think	penser	denken, meinen	pensar
niet-alledaags	extraordinary	extraordinaire	nicht alltäglich	extraordinario
1				
overwerken	work overtime	faire des heures supplémentaires	Überstunden machen	trabajar horas extras
de zakenreis	business trip	voyage d'affaires	Geschäftsreise	viaje de negocios
de afspraak	appointment	rendez-vous	Verabredung	la cita
uitnodigen	invite	inviter	einladen	invitar
2				
het bloemetje	flowers	bouquet de fleurs	Blumenstrauß	flor
meenemen*	bring along	apporter	mitnehmen	llevar
borrelen	have a drink	prendre l'apéritif	einen Drink nehmen	tomar una copa
de zwembroek	swimming trunks	maillot de bain	Badehose	bañador
wisselen	change	changer	wechseln	cambiar
de rommel	mess	désordre	Durcheinander	trastos
verdienen	earn	gagner	verdienen	ganar
de laptop	laptop	ordinateur portable	Laptop	ordenador portátil
de zakenrelatie	business relation	relation d'affaires	Geschäftspartner	relación de negocios
overnachten	stay the night	passer la nuit	übernachten	pasar la noche
het tijdstip	point in time	heure	Zeitpunkt	momento, hora
vastleggen	fix	fixer	festlegen	fijar
opschieten*	hurry up	se dépêcher	sich beeilen	darse prisa
afzeggen	cancel	annuler	absagen	anular
oefenen	practise	faire des exercices, pratiquer	üben	practicar
het bord	blackboard	tableau	Tafel	letrero
uitrusten	rest	se reposer	sich entspannen, relaxen	descansar
3				
hé	hey	*ici :* dis	*hier:* sag mal	¡oye!
de verhuizing	removal	déménagement	Umzug	mudanza
de laatste tijd	lately	ces derniers temps	in letzter Zeit	últimamente
last hebben van	give trouble	avoir mal à	*hier:* Probleme haben mit	dolerle (la espalda)
vast wel	most certainly	sûrement	bestimmt, ganz sicher	seguro
voor zaken	for business	pour des affaires	für Geschäfte	por asuntos de negocios
zou (zullen*)	might	-	würde	-
vergeet (vergeten*)	forget	oublie	vergisst	olvides
zeuren	nag	faire le compliqué	nörgeln	protestar
in de tussentijd	in the meantime	entretemps	in der Zwischenzeit	entretanto
gebroken (breken*)	broken	cassé	gebrochen	se quebró
jeetje	oh dear, gee	oh la la !	oje	vaya
wist (weten*)	knew	savais	wusste	sabía
de wintersport	winter sports	sports d'hiver	Skiurlaub	vacaciones de invierno

vervelend	what a nuisance	embêtant	*hier:* ärgerlich	desagradable
benieuwd zijn*	be curious	être curieux	neugierig sein	preguntarse una cosa
6				
de computer	computer	ordinateur	Computer	ordenador
het spijt me (spijten*)	I am sorry	je regrette	es tut mir Leid	lo siento
7				
P.S. (postscriptum)	P.S. (postscript)	P.S.	P.S.	P.D. (post data)
het belletje	call	un coup de téléphone	Anruf	llamada telefónica
alweer	again	encore	schon wieder	de nuevo
de griep	flu	grippe	Grippe	gripe
8				
aanstaande	next, this	prochain	kommend	que viene, próximo
komend	coming	prochain	kommend	venidero, próximo
12				
Sinterklaas	St Nicolas	St. Nicolas	Sankt Nikolaus	San Nicolás
vieren	celebrate	fêter	feiern	celebrar
13				
jarig zijn*	have one's birthday	fêter son anniversaire	Geburtstag haben	cumplir años
in de rij staan	(stand in the) queue	être aligné	in der Schlange stehen	estar en la fila
degene die	the one who	la personne qui	*hier:* demjenigen der	los que
de hoeveelste	when, what date	quel date	der Wievielte	qué día
14				
Koninginnedag	Queen's Birthday	Jour de la Reine	Geburtstag der Königin	Día de la Reina
de zomervakantie	summer holiday	vacances d'été	Sommerferien	vacaciones de verano
N-a				
christelijk	Christian	chrétien	christlich	cristiano
de feestdag	holiday	jour de fête	Feiertag	las fiestas
Pasen	Easter	Pâques	Ostern	Pascuas de Resurrección
Hemelvaart	Ascension	Ascension	Himmelfahrt	Ascensión del Señor
Pinksteren	Whitsun	Pentecôte	Pfingsten	Pentecostés
traditioneel	traditionally	traditionnellement	traditionell	tradicionalmente
het toeristenseizoen	tourist season	saison touristique	(Touristen-,) Hauptsaison	temporada de turismo
de meubelzaak	furniture shop	magasin de meubles	Möbelgeschäft	mueblería
verbaasd zijn* (over)	be surprised (about)	être étonné (de)	erstaunt sein über	asombrarse (de)
aantreffen*	find	trouver	antreffen, vorfinden	encontrar
het uitstapje	trip	sortie	Ausflug	salida
de prinses	princess	princesse	Prinzessin	princesa
huidig	present	actuel	jetzig	actual
de kroning	coronation	couronnement	Krönung	coronación
iets verklaren	declare something	déclarer quelque chose	etwas ernennen zu	declarar una cosa
officieel	officially	officiel	offiziell	oficialmente
het eerbetoon	tribute	hommage	Ehrerweisung	homenaje
buitenshuis	outside	à l'extérieur	draußen	casa de las afueras
de gemeente	municipality	commune	Gemeinde, Stadt	ayuntamiento
het straatfeest	street party	fête dans la rue	Straßenfest	fiesta callejera
de optocht	parade	défilé	Umzug, Parade	desfile
de braderie	fair	braderie	Straßenmarkt	feria
de rommelmarkt	flee market	marché aux puces	Flohmarkt	mercadillo
organiseren	organise	organiser	organisieren	organizar
de Oranjevereniging	*club that organises the queen's birthday festivities*	*association qui organise les festivités concernant le Jour de la Reine*	*Verein, der die Geburtstagsfeierlichkeiten organisiert*	*Asociación de los Orange*
het vuurwerk	fireworks	feu d'artifice	Feuerwerk	fuego artificial
een bezoek waard zijn*	be worth visiting	meriter d'être visité	einen Besuch wert sein	bien vale una visita
in tegenstelling tot	as opposed to	contrairement à	im Gegensatz zu	al contrario de
Bevrijdingsdag	liberation day	Jour de la Libération	Tag der Befreiung	Día de la Liberación
de werknemer	employee	employé	Arbeitnehmer	empleado
de overheid	government	organisme public	Obrigkeit, Behörde	administración pública
Hemelvaartsdag	Ascencion Day	Ascension	Himmelfahrt	Ascensión del Señor
voorlopig	for the moment	pour le moment	vorerst	provisionalmente
feestelijk	festive	de fête	festlich	festivo
de Sinterklaastijd	St Nicolas time	période de St. Nicolas	Sankt-Nikolaus-Zeit	días previos a la fiesta de San Nicolás

Zwarte Piet	Black Peter	père Fouettard	Knecht Ruprecht	moro Pedro, ayudante de San Nicolás
de stoomboot	steamboat	bateau à vapeur	Dampfer	barco a vapor
het moment	moment	moment	Moment	momento
aanwezig	present	présent	anwesend	presente
de etalage	shop-window	étalage	Schaufenster	escaparate
de speelgoedzaak	toy store	magasin de jouets	Spielzeuggeschäft	tienda de juguetes
het speelgoed	toys	jouets	Spielzeug	juguetes
de reclame	commercial	publicité	Werbung, Reklame	publicidad
de gelovige	believer	croyant	Gläubige	creyente
de schoen	shoe	chaussure	Schuh	zapato
stoppen	put	mettre	hineintun	meter
de wortel	carrot	carotte	Möhre/Karotte	zanahoria
het hooi	hay	foin	Heu	heno
verdwenen (verdwijnen*)	disappeared	disparu	verschwunden	han desaparecido
het cadeautje	present	petit cadeau	kleines Geschenk	regalo
met een beetje geluk	with a little luck	si on a de la chance	mit ein bisschen Glück	con un poco de suerte
heerlijk	delicious	*ici :* agréable	herrlich	*aquí:* agradable
avondje	evening	soirée	Abend	noche
de zak	bag	sac	Sack	saco
de surprise	surprise (package)	surprise	Überraschung	sorpresa
verpakken	wrap	emballer	einpacken	envolver
het gedichtje	poem	poème	Gedicht	poema
de volwassene	adult	adulte	Erwachsene	adulto
de initiaal	initial	initiale	Initiale	inicial
de vorm	shape	forme	Form	forma
de chocoladeletter	chocolate letter	lettre en chocolat	Buchstabe aus Schokolade	letra de chocolate
het Sinterklaasfeest	feast of St Nicolas	la fête de St. Nicolas	Sankt-Nikolaus-Fest	fiesta de San Nicolás
plaats maken (voor)	make room/way (for)	laisser la place à	Platz machen für	hacer lugar (para)
het kerstfeest	(feast of) Christmas	Noël	Weihnachtsfest	celebración de la Navidad
vooral	especially	surtout	vor allem, hauptsächlich	sobre todo
merken	*here:* see	*ici :* voir	*hier:* sehen	*aquí:* ver
de kerstsfeer	Christmas atmosphere	ambiance de Noël	*hier:* weihnachtlich	ambiente navideño
decoreren	decorate	décorer	dekorieren	decorado
de verkoop	sale	vente	Verkauf	la venta
het kerstartikel	Christmas item	article de Noël	Weihnachtsartikel	artículo navideño
de stichting	foundation	fondation	Stiftung	la fundación
nationaal	national	national	national	nacional
het comité	committee	comité	Komitee	comité
vechten*	fight	se battre	kämpfen	luchar
de uitbreiding	expansion, increase	expansion	Ausbreitung	expansión
in ere herstellen	rehabilitate	réhabiliter	als Ehrbezeigung	rehabilitar
de ondernemersbond	employers' union	syndicat patronal	Unternehmerverband	asociación de empresarios
de winkelier	shopkeeper	commerçant	Ladenbesitzer	dueño de tienda
de consument	consumer	consommateur	Konsument	consumidor
vrijwel	practically	pratiquement	nahezu	prácticamente
het eens zijn* (over)	agree (about)	être d'accord (sur)	sich einig sein über	estar de acuerdo (con)
de kerstman	Santa Claus	Père Noël	Weihnachtsmann	Papá Noel

Les 14

Titel				
de dagschotel	today's special	plat du jour	Tagesgericht/-menü	plato del día
1				
de vruchtensalade	fruit salad	salade de fruits	Obstsalat	ensalada de frutas
de vis	fish	poisson	Fisch	pescado
de groente	vegetable	légumes	Gemüse	verdura
de rijst	rice	riz	Reis	arroz
het mes	knife	couteau	Messer	cuchillo

het brood	bread	pain	Brot	pan
de peper	pepper	poivre	Pfeffer	pimienta
het zout	salt	sel	Salz	sal
de garnalencocktail	shrimp cocktail	cocktail de crevettes	Krabbencocktail	cóctel de gambas
de lepel	spoon	cuillère	Löffel	cuchara
de olie	oil	huile	Öl	aceite
de azijn	vinegar	vinaigre	Essig	vinagre
de vork	fork	fourchette	Gabel	tenedor
het servet	napkin	serviette	Serviette	servilleta
2				
het voorgerecht	starter	entrée	Vorspeise	primer plato, entrante
het hoofdgerecht	main course	plat principal	Hauptgericht	plato principal
het nagerecht	dessert (course)	dessert	Nachtisch	postre
3				
het tekstgedeelte	text part	passage	Textteil	secciones de texto
de kaart (= de menukaart)	menu	carte	(Menü-)Karte	menú
de moussaka	moussaka	moussaka	Moussaka	musaka
de sla	lettuce	salade	Kopfsalat	ensalada
de biefstuk	steak	bifteck	Beefsteak	bistec
de appelmoes	applesauce	compôte de pommes	Apfelmus	puré de manzanas
Grieks	Greek	grec	griechisch	griego
het ovengerecht	oven dish	plat cuit au four	Auflauf	plato preparado al horno
de aubergine	aubergine	aubergine	Aubergine	berenjena
het gehakt	meatloaf	viande hachée	Hackfleisch	carne picada
Lijkt me lekker!	That sounds good!	Cela me tente !	*hier:* Das klingt gut!	¡Me parece rico!
Heeft het gesmaakt?	How is it?, What do you think of it?	C'était bon ?	Hat es geschmeckt?	¿Qué tal ha estado?
het vlees	meat	viande	Fleisch	carne
taai	leathery, tough	coriace	zäh	dura
eerder	earlier	plus tôt	früher	antes
het dessert	dessert	dessert	Dessert	postre
het toetje	dessert	dessert	Nachtisch	postre
het aardbeienijs	strawberry icecream	glace à la fraise	Erdbeereis	helado de fresa
de aardbei	strawberry	fraise	Erdbeere	fresa
lusten	like, care for	aimer	mögen, gern essen	apetecer (una comida)
een keuze maken	make a choice	choisir	Wahl treffen	hacer una elección
de keuze	choice	choix	(Aus-)Wahl	elección
de zalm	salmon	saumon	Lachs	salmón
de mosterdsaus	mustard sauce	sauce à la moutarde	Senfsauce	salsa de mostaza
op zijn*	have run out, be gone	ne plus en avoir	aus sein, nicht mehr geben	acabarse
de varkenshaas	pork tenderloin	filet de porc	Schweinelende	solomillo de cerdo
gemengd	mixed	varié	gemischt	mezclado
aanbevelen	recommend	recommander	empfehlen	recomendar
het molentje (de molen)	mill	petit moulin	kleine Windmühle	molinillo
de konijnpaté	rabbit pâté	paté au lapin	Kaninchenpastete	paté de conejo
de toast	toast	toast	Toast	tostada
de vistaart	fish pie	tarte aux poissons	Fischkarte	carta de pescado
de kreeft	lobster	homard	Krebs, Hummer	cangrejo
de roomsaus	cream sauce	sauce à la crème	Sahnesauce	salsa de natillas
de croûtons	croûtons	croûtons	Croûtons	cuscurros
de frites	chips	(pommes) frites	Pommes frites	patatas fritas
de rozemarijn	rosemary	romarin	Rosmarin	romero
roerbakken	stir fry	*faire cuire en remuant*	kurz gebraten	rehogar
het kalfsvlees	veal	viande de veau	Kalbfleisch	carne de ternera
het kalf	calf	veau	Kalb	ternera
het lam	lamb	agneau	Lamm	cordero
het rund	*here:* beef	boeuf	Rind	ternero
de scampi	scampi	scampi	Scampi	langostino
de knoflook	garlic	ail	Knoblauch	ajo
grillen	grill	griller	grillen	asar
de tonijn	tunny	thon	Thunfisch	atún
de forel	trout	truite	Forelle	trucha

de citroen	lemon	citron	Zitrone	limón
vegetarisch	vegetarian	végétarien	vegetarisch	vegetariano
de aardappeltaart	potato pie	tarte aux pommes de terre	Kartoffelkuchen	tarta de patatas
de pasta	pasta	pâtes	Pasta, Nudeln	pasta
de bonensalade	bean salad	salade aux haricots	Bohnensalat	ensalada de judías
de spinazie	spinach	épinards	Spinat	espinaca
de gorgonzolasaus	Gorgonzola sauce	sauce au gorgonzola	Gorgonzolasauce	queso gorgonzola
vers	fresh	frais	frisch	fresco
de room	cream	crème	Sahne	nata
de mousse	mousse	mousse	Mousse	mousse
het frambozenijs	raspberry ice cream	glace à la framboise	Himbeereis	helado de frambuesa
de framboos	raspberry	framboise	Himbeere	frambuesa
de vruchtensaus	fruit sauce	sauce aux fruits	Fruchtsauce	salsa de frutas
de saté	satay	*brochette à l'indonésienne*	Fleischspießchen	brocheta
van de grill	grilled	grillé	vom Grill	asado
de kipsaté	chicken satay	*brochette au poulet à l'indonésienne*	Hähnchenspießchen	brocheta de pollo
de haas	hare	lièvre	Filet	liebre
de drank	drink	boisson	Getränk	bebida
de espresso	espresso	espresso	Espresso	café esprés
het tomatensap	tomato juice	jus de tomates	Tomatensaft	zumo de tomate
het bier	beer	bière	Bier	cerveza
het tapbier	draught beer	bière à la pression	Bier vom Fass	cerveza de barril
het fluitje	flute	flûte	Flöte (Trinkglas)	vaso pequeño de cerveza
het vaasje	vase	vase	Bierglas	vaso grande de cerveza
de pul	tankard, mug	chope	Krug	jarro de cerveza
het flesje (de fles)	bottle	(petite) bouteille	Flasche	botella
per	per	-	pro	por
de karaf	carafe	carafe	Karaffe	la jarra
de rosé	rosé (wine)	rosé	Roséwein	vino rosado
de wijnkaart	wine list	carte des vins	Weinkarte	carta de vinos
op maat	tailored	sur mesure	nach Maß	a medida
vanaf	from	à partir de	ab	desde
chippen	chip	*mode de paiement électronique (petits montants)*	*elektron. Zahlungsmodus*	pagar automáticamente
pinnen	*pay or withdraw cash with your bankcard*	*payer et retirer de l'argent de façon électronique*	*Geld ziehen oder elektronisch zahlen*	*sacar dinero del cajero automático*
de cheque	cheque	chèque	Scheck	cheque
de creditcard	creditcard	carte de crédit	Kreditkarte	tarjeta de crédito
6				
Helaas!	Too bad!	Dommage !	Leider!	¡Lamentablemente!
de pech	bad luck	*ici :* quelle quigne	Pech	mala suerte
de keus (= de keuze)	choice	choix	Wahl	elección
8				
het groepje (de groep)	group	petit groupe	kleine Gruppe	grupo pequeño
9				
het eitje (het ei)	egg	oeuf	Ei	huevo
bakken	bake	cuire	backen	freír
de trui	sweater	pull	Pullover	jersey
aantrekken*	put on	mettre	anziehen	ponerse
pakken	get	prendre	*hier:* holen	coger
zo meteen	in a minute	dans un instant	gleich	ahora mismo
10				
zich vervelen	be bored	s'ennuyer	sich langweilen	aburrirse
openzetten	open	ouvrir	aufmachen	abrir
een spelletje doen	play a game	faire un jeu	ein Spiel machen	jugar
de koelkast	fridge	réfrigérateur	Kühlschrank	frigorífico
de video	video	cassette-vidéo	Video	vídeo
huren	rent	louer	*hier:* ausleihen	alquilar
een blokje om gaan*	go for a walk	faire un petit tour	eine Runde drehen	dar una vuelta

11

het recept	recipe	recette	Rezept	receta
de bereidingswijze	method of preparation	préparation	Zubereitung(sweise)	modo de preparación
het ingrediënt	ingredient	ingrédient	Zutaten	ingrediente
de runderworst	beef sausage	saucisse à la viande de boeuf	Rindswurst	salchicha de carne de vaca
de spliterwten	split peas	pois cassés	Schälerbsen	guisantes secos
de runderpoelet	beef soup meat	dés de viande de boeuf	Suppenfleisch vom Rind	carne de vaca en trocitos
soepgroenten	vegetables for the soup	julienne	Suppengemüse	verduras para sopa
de knolselderij	celeriac	céleri-rave	Knollensellerie	apio nabo
de prei	leek	poireau	Lauch	puerro
de winterwortel	carrot	carotte	Möhre	zanahoria
het bosje	bunch, bundle	bouquet	Bund	ramo
het selderijgroen	celery green	fane de céleri	Selleriegrün	hojas de apio
de runderrookworst	smoked beef sausage	saucisse fumée à la viande de boeuf	Rindswurst, geräuchert	salchicha de carne ahumada de vaca
de peterselie	parsley	persil	Petersilie	perejil
pittig	spicy	épicé	scharf	picante
de bruine bonensoep	kidney beans soup	soupe aux flageolets	braune Bohnensuppe	sopa de judías pintas
el = eetlepel	spoon	cuillerée	Esslöffel	cuchara grande
de taco-kruidenmix	taco spice mix	mélange d'herbes mexicaines	Taco-Gewürzmischung	condimentos para tacos
raspen	grate	râper	raspeln	rayar
het uitje (de ui)	onion	petit oignon	Zwiebel(chen)	cebolla
persen	squeeze	presser	pressen	prensar
de knoflookteen	clove of garlic	gousse d'ail	Knoblauchzehe	diente de ajo
de paprika	(sweet) pepper	poivron	Paprika	pimiento
de vleestomaat	beefsteak tomato	grande tomate	Fleischtomate	tomate
het pakje	packet	paquet	Päckchen	paquete
l = liter	litre	litre	l = Liter	litro
de tomatenpassata	tomato passata	concentré de tomates	pürierte Tomaten	puré de tomates
de bleekselderij	blanched celery	céleri à côtes	Bleichsellerie	apio blanco
het literblik	litre can	boîte d'un litre	Dose (1 Liter)	lata de un litro
de boon	bean	haricot	Bohne	judía
het bouillontablet	stock cube	bouillon-cube	Bouillonwürfel	caldo deshidratado
de maïskorrels	kernels of maize	grains de maïs	Maiskörner	granos de maíz
de kapucijnersoep	marrowfat pea soup	soupe aux pois gris	Erbsensuppe	sopa de alubias pintas
g = gram	gram	gramme	g = Gramm	gramo
de kool	cabbage	chou	Kohl	col
snipperen	cut up	couper en petits morceaux	fein schneiden	cortar pequeño
de kerrie	curry	curry	Curry	curry
de bloem	flour	farine	Mehl	harina
de vleesbouillon	meat stock	bouillon de viande	Fleischbrühe	caldo de carne
de kapucijner	marrowfat (pea)	pois gris	(Kapuziner)Erbse	alubia pinta
de slankroom	low-fat cream	crème non grasse	fettarme Sahne	nata descremada
fruiten	fry	faire revenir	rösten, bräunen	rehogar
roeren	stir	mélanger	rühren	revolver
laten*	let	faire	lassen	hacer
pruttelen	simmer	mijoter	brutzeln, köcheln	hervir
gieten*	pour	verser	gießen	volcar
langzaam	slowly	lentement	langsam	lentamente
het vocht	juice, liquid	jus	Flüssigkeit	líquido
toevoegen	add	ajouter	hinzufügen	agregar
zachtjes	gently	doucement	auf kleiner Flamme	a fuego lento
het reepje	strip	bande	Streifen	tira
versgeknipt	freshly cut	coupé fraîchement	frisch geschnitten	recién cortado
knippen	cut	couper	schneiden	cortar
kruiden	spice	assaisonner	würzen	condimentar
het stokbrood	baguette	baguette	frz. Weißbrot	pan francés
afschuimen	skim (off)	écumer	abschäumen	quitar la espuma
gladroeren	smooth	*lisser en remuant*	glattrühren	revolver hasta que quede una pasta lisa

kleingesneden	cut up into small pieces	coupé finement	klein, fein geschnitten	cortado en pequeños trozos
het blaadje (het blad)	leaf	feuille	Blättchen	hoja
omroeren	stir	remuer	umrühren	revolver
vacuümverpakt	vacuum-packed	emballé sous vide	vakuumverpackt	envasado al vacío
het plakje	slice	tranche	Scheibe	la tajadilla
op het laatst	at the end	au dernier moment	zum Schluss	a último momento
het roggebrood	rye bread	pain de seigle	Roggenbrot	pan de centeno
de roomkaas	cream cheese	fromage à la crème	Frischkäse	queso fresco
mengen	mix	mélanger	vermischen	mezclar
draaien	turn	*ici :* faire	*hier:* formen	hacer
het soepballetje	forcemeat ball	boulette de viande dans la soupe	Hackfleischklößchen	albondiguillas para la sopa
de helft	half	moitié	Hälfte	mitad
pureren	mash	écraser en purée	pürieren	hacer puré
de rest	rest	reste	Rest	el resto
op smaak brengen	season	assaisonner	abschmecken	condimentar a gusto
de tabasco	tabasco	tabasco	Tabasco	salsa tabasco
de tacochips	taco crisps	tacos	Tacochips	tacos fritos
N-a				
zonde van de tijd	waste of time	du temps perdu	schade um die Zeit	es perder el tiempo
onzer = van onze	our	de nos	unser	de nuestro
de redacteur	editor	rédacteur	Redakteur	redactor
de jongeren	youth	jeunes	Jugendliche	jóvenes
wat warms	something hot	*ici :* repas chaud	etwas Warmes	algo caliente
driekwart	three-quarter	trois quarts	drei Viertel	tres cuartos
grijpen (naar)	reach (for)	saisir	greifen nach	coger
meermalen	more than once	plusieurs fois	mehrmals	a menudo
vertrouwd	familiar	familier, habituel	vertraut	acostumbrado
de combinatie	combination	combinaison	Kombination	combinación
kleurloos	colourless	uniforme	farblos	descolorido
de brei	heap, pile	mélange	Brei	pasta
prakken	mash	écraser (à la fourchette)	zermanschen	chafar
de supermarktketen	supermarket chain	chaîne de supermarchés	Supermarktkette	cadena de supermercados
het onderzoeksinstituut	research institute	institut de recherches	Marktforschungsinstitut	instituto de investigaciones
NIPO (Nederlands Instituut voor Publieke Opinie)	*Dutch institute for the public opinion*	*institut néerlandais d'opinion publique*	*Niederländisches Institut für Öffentliche Meinung*	*Instituto Neerlandés de investigación de la Opinión Pública*
uitzoeken*	find out	rechercher	untersuchen	investigar
de ouderen	elderly	personnes plus âgées	ältere Leute	mayores
opvallend	remarkable	remarquablement	auffällig	llamativo
blijken*	appear	s'avérer	sich herausstellen	parecer
het tweepersoons-huishouden	household of two persons	ménage à deux personnes	2-Personen-Haushalt	familia de dos personas
de pan	pan, pot	casserole	Pfanne, Topf	olla
scheppen	scoop	servir	schöpfen	servir
de ene dag	one day	un jour	an einem Tag	un día
langer	longer	*ici :* plus	länger	no más que
terwijl	while	pendant que	während	mientras
variëren	vary	varier	abwechseln	variar
Italiaans	Italian	italien	italienisch	italiano
de maaltijd	meal	repas	Mahlzeit	comida
bidden*	pray	prier	beten	rezar
besteden (aan)	spend (on)	consacrer (à)	etwas aufwenden für	dedicar (a)
de bereiding	preparation	préparation	Zubereitung	preparación
het gezinshoofd	head of the family	chef de famille	Familienoberhaupt	jefe de familia
de bloemkool	cauliflower	chou-fleur	Blumenkohl	coliflor
de sperziebonen	French beans	haricots verts	Brechbohnen	judía verde
de andijvie	endive	endive	Endivie	endivia
vast	fixed	fixe	fest	fijo
een kwart	quarter	quart	ein Viertel	un cuarto

Woordenlijst per les

tussen de middag	at lunch time	à midi	zur Mittagszeit	al mediodía
het tafelkleed	table cloth	nappe	Tischdecke	mantel
afwisselen	vary	varient	abwechseln	variar
Chinees-Indisch	Chinese-Indonesian	chino-indonésien	chinesisch-indonesisch	chino-indonesio

Les 15

Titel				
de kleding	clothes	vêtements	Kleidung	ropa
1				
dragen*	wear	portent	tragen	llevar
de jas	coat	manteau	Mantel	abrigo
het kostuum	costume	costume	Kostüm, Anzug	traje
het pak	suit	costume	Anzug	traje
de broek	trousers	pantalon	Hose	pantalón
de (strop)das	tie	cravate	Krawatte	corbata
het colbert	jacket	colbert	Sakko	chaqueta
de jurk	dress	robe	Kleid	vestido
het shirt	shirt	chemise	Hemd	camisa
het overhemd	shirt	chemise	(Ober-)Hemd	camisa
3				
aanpassen	try on	essayer	anprobieren	probarse (ropa)
de revers	lapel	revers	Revers	solapa
de smaak	taste	goût	Geschmack	gusto
trouwens	by the way	d'ailleurs	außerdem	por cierto
het prijskaartje	price tag	étiquette	Preisetikett	precio
iets goeds	something good	quelque chose de bien	etwas Gutes	algo bueno
nodig hebben*	need	avoir besoin de	brauchen	necesitar
duurst	most expensive	le plus cher	teuerst	duurst
goedkoopst	cheapest	le meilleur marché	billigst	lo más barato
afgeprijsd	reduced	en solde	reduziert	rebajado
(het) gaat wel	all right	ça va	(es) geht schon	bien
de spijkerbroek	jeans	jean	Jeanshose	tejanos, vaqueros
vlot	casual, fashionable	branché	flott	informal
de jeanswinkel	jeans shop	boutique de jeans	Jeansshop	tienda de tejanos
elegant	elegant	élégant	elegant	elegante
4				
behoorlijk	decent	soigné	ordentlich	adecuado
voordelig	cheap	avantageux	preiswert	conveniente
chic	chic	chic	vornehm	chic
5				
de klant	customer	client	Kunde	cliente
contant betalen	pay in cash	payer au comptant	bar, kontant	pagar al contado
passen	fit	aller	passen	quedar bien
de paskamer	fitting room	cabine d'essayage	Ankleidekabine	probador
de eurocheque	Eurocheque	eurochèque	Euroscheck	eurocheque
Dat staat u goed.	That suits you.	Ça vous va bien.	Das steht ihnen gut.	Le queda bien.
7				
de kledingzaak	clothes shop	magasin de vêtements	Bekleidungsgeschäft	tienda de ropa
8				
vrolijkst	happiest	le plus gai	fröhlichst	más alegre
swingendst	coolest	le plus chauffé	pulsierendst	con más marcha
drukst	busiest	le plus animé	lebendigst	más concurrida
beruchtst	most notorious	avec la plus mauvaise réputation	berüchtigst	más infame
meest	most	le plus	meist	más
tellen	count	compter	zählen	contar
Venetië	Venice	Vénise	Venedig	Venecia
voornaam	distinguished	distingué	vornehm, fein	importante
het patriciërshuis	mansion	maison patricienne	Patrizierhaus	casa patricia
smalst	smallest	le plus étroit	schmalst	más estrecha
de voordeur	front door	porte d'entrée	Eingangstür	puerta de entrada
Amsterdams	of Amsterdam	d'Amsterdam	Amsterdamer	de Amsterdam

spannendst	most exciting	le plus palpitant	spannendst	más emocionante
overigens	by the way	d'ailleurs	übrigens	por cierto
de watertaxi	water taxi	bateau-taxi	Wassertaxi	taxi acuático
bekijken*	see, visit	*ici :* visiter	besichtigen	ver
origineelst	most original	le plus original	originellst	más original
verkennen	explore	explorer	erkunden	visitar
wat dacht u van?	how about?	que pensez-vous de	was halten Sie von ... ?	¿qué pensaba usted de?
het museumbezoek	museum visit	visite des musées	Museumsbesuch	visita a un museo
de museumboot	museum boat	*bateau des musées*	Museumsboot	lancha de los museos
de bekeuring	fine, ticket	procès-verbal	Bußgeld	multa
niet mis zijn*	be harsh	ne pas être rien	nicht schlecht sein / nicht von schlechten Eltern sein	no ser nada
overbodig	unnecessary	superflu	überflüssig	superfluo
je wordt gebracht (brengen*)	you are taken	on vous amène	Sie werden gebracht	se llevan
bekendst	most famous	le plus connu	bekanntest	más conocido
het Rijksmuseum	national museum	Rijksmuseum *(musée de l'Etat)*	Reichsmuseum	museo Rijksmuseum
beroemd	famous	célèbre	berühmt	amoso
de tekening	drawing	dessin	Zeichnung	dibujo
de collectie	collection	collection	Sammlung	colección
zoveel	so much	tant de	so viel	tanto
best	best	meilleur	best	mejor
het bruine café	'brown' pub	bistrot	gemütliche Kneipe	café típico de Amsterdam
de binnenstad	town centre	centre ville	Innenstadt	centro de la ciudad
lekkerst	best	le mieux	leckerst	más sabroso
de energie	energy	énergie	Energie	energía
iets over hebben*	have something left	*ici :* il reste	etwas übrig haben	*aquí:* queda
de winkelstraat	shopping street	rue commerçante	Einkaufsstraße	calle comercial
de wijk	district	quartier	Viertel	barrio
voor een habbekrats	for a song	pour une bouchée de pain	für einen Pappenstiel	por cuatro monedas
gekst	craziest	le plus fou	verrücktest	más disparatado
9				
de superlatief	superlative	superlatif	Superlativ	superlativo
het streepje	stripe	trait	Strich	guión
modernst	most modern	le plus moderne	modernst	más moderno
10				
roerendst	most touching	le plus touchant	rührendst	más emocionante
het liefdesverhaal	love story	histoire d'amour	Liebesgeschichte	historia de amor
de tuinbeurs	garden fair	foire du jardin	Gartenbaumesse	feria de jardines
gegarandeerd	guaranteed	certainement	garantiert	garantizado
gratis	for free	gratuit	gratis	gratuito
ruimst	most spacious	le plus spatieux	geräumigst	más amplio
comfortabelst	most comfortable	le plus confortable	komfortabelst	más confortable
taxfree	tax free	hors taxe	tax-free, zollfrei	libre de impuestos
terugbetalen	pay back	rembourser	zurückbezahlen	devolver
sommigen	some	certains	manche	algunos
de familiewagen	family car	voiture familiale	Familienwagen	coche familiar
het standaardtype	standard type	type standard	Standardmodell	tipo estándar
de centimeter	centimetre	centimètre	Zentimeter	centímetro
de uitvoering	model	modèle	Ausführung	modelo
ondanks	despite	malgré	trotz	a pesar de
eenvoudig	simple	facilement	einfach	sencillo
parkeren	park	garer	parken	aparcar
leven	live	vivre	leben	vivir
de oudheid	antiquity	antiquité	Altertum	antigüedad
te gek	fantastic	fantastique	ganz verrückt, irre	fantástico
ideaal	ideal	idéal	ideal	ideal
het groen-idee	green idea	idée verte	grüne Idee	idea verde
ideeën opdoen	get ideas	se laisser inspirer	auf Ideen kommen/ Ideen bekommen	ocurrírsele ideas

Woordenlijst per les

genieten*	enjoy	jouir de	geniessen	disfrutar
sfeervol	attractive	*qui a beaucoup d'ambiance*	stimmungsvoll	de mucho ambiente
de tuindecoratie	garden decoration	décoration de jardin	Gartendekoration	decoración de jardín
de heester	shrub	arbuste	Strauch	arbusto
veelbesproken	much talked-of	fameux	viel diskutiert	muy mentado
de productie	production	production	Produktion	producción
bekroond	awarded	couronné	bekrönt	coronado
de Golden Globes	Golden Globes	Golden Globes	Golden Globes	Globos de Oro
de regie	production	mise en images	Regie	dirección
de titelsong	title song	thème (musical)	Titelsong	título original
gloednieuw	brand new	flambant neuf	brandneu	flamante
de catalogus	catalogue	catalogue	Katalog	catálogo
betaalbaar	payable	raisonnable	bezahlbar	al alcance del cliente
de mode	fashion	mode	Mode	moda
reageren	respond	répondre	reagieren	responder
11				
bedenken	invent	inventer	sich ausdenken	inventarse
12				
het lichaam	body	corps	Körper	cuerpo
het lichaamsdeel	body part	partie du corps	Körperteil	parte del cuerpo
het haar	hair	cheveux	Haar	cabello
de neus	nose	nez	Nase	nariz
de mond	mouth	bouche	Mund	boca
het oor	ear	oreille	Ohr	oreja
de kin	chin	menton	Kinn	mentón
de hals	neck	cou	Hals	cuello
het hoofd	head	tête	Kopf	cabeza
de borst	chest	poitrine	Brust	pecho
de arm	arm	bras	Arm	brazo
de hand	hand	main	Hand	mano
de buik	belly	ventre	Bauch	vientre
de voet	foot	pied	Fuß	pie
de teen	toe	doigt (de pied)	Zeh	dedo del pie
14				
bewegen*	move	bouger	bewegen	mover
de zoen	kiss	baiser	Kuss	temporada de despedida
N-a				
meemaken	see	voir	erleben	ver
zelfs	even	même	sogar	incluso
het voetbalstadion	soccer/football stadium	stade de football	Fußballstadion	estadio de fútbol
de supporter	supporter	supporter	Fan	aficionado de fútbol
gekleed	dressed	habillé	gekleidet	vestido
het T-shirt	T-shirt	T-shirt	T-Shirt	camiseta
de deugd	virtue	vertu	Tugend	virtud
speciaal	special	spécial	speziell	especial
de uitgave	edition	édition	Ausgabe	edición
erachter komen*	try to find out	découvrir	dahinter kommen	descubrir
de schrijver	writer, author	auteur	Autor	escritor
met uitzondering van	with the exception of	à l'exception de	ausgenommen	con excepción de
de overwinning	victory	victoire	Sieg	triunfo
het Nederlands Elftal	Dutch national soccerteam	l'Equipe néerlandaise de football	die niederländische Nationalmannschaft	equipo nacional neerlandés de fútbol
het taboe	taboo	tabou	Tabu	tabú
verkrampt	contorted	forcé	verkrampft	anquilosado
de houding	attitude	attitude	Haltung	actitud
vormen	form	constituer	bilden	formar, constituir
de natie	nation	nation	Nation	nación
negentiende eeuws	of the nineteenth century	du 19ième siècle	aus dem 19. Jahrhundert	del siglo 19
de Wereldoorlog	World War	Guerre Mondiale	Weltkrieg	Guerra Mundial
bindend	binding	qui unit	bindend	aglutinante
gezamenlijk	collective, united	commun	gemeinsam	común

de nationalist	nationalist	nationaliste	Nationalist	nacionalista
verdacht	suspicious	suspect	verdächtig	sospechoso
verre van dat	far from that	loin de là	weit davon	ni mucho menos
welnee	but no	*ici :* non	überhaupt nicht	pues no
punt uit	period	un point c'est tout	Punkt aus	y acabado
doodgewoon	ordinary	comme un autre	ganz normal	muy normal
de individualist	individualist	individualiste	Individualist	individualista
op de borst kloppen	boast	se vanter	auf die Schulter klopfen	presumir
gloeien	glow	s'allumer	glühen	arder
slechts	only	seulement	nur dann	apenas
het Koningshuis	royal family	maison royale	Königshaus	Casa Real
laat staan	let alone	sans parler de	geschweige denn	ni decir que
het nationalisme	nationalism	nationalisme	Nationalismus	nacionalismo
S				
zelfstandig	independent	emploi substantivé	selbstständig	independiente

Les 16

Titel				
Wie is er aan de beurt?	Who is next?	A qui le tour ?	Wer ist dran?	¿A quién le toca?
1				
het halfje wit	half loaf of white	un demi-pain blanc	halbes Weißbrot	medio pan blanco
de peer	pear	poire	Birne	pera
de zeep	soap	savon	Seife	jabón
de telefoonkaart	phonecard	carte téléphonique	Telefonkarte	tarjeta telefónica
de perzik	peach	pêche	Pfirsich	melocotón
het tijdschrift	magazine	magazine	Zeitschrift	revista
de komkommer	cucumber	concombre	Gurke	pepino
de vleeswaren	meat products	charcuterie	Fleisch-/Wurstwaren	embutidos
de courgette	courgette	courgette	Zucchini	calabacín
de strippenkaart	bus and tram card	*ticket pour l'autobus ou le tram*	Streifenkarte	tarjeta multiviaje
de tandpasta	tooth paste	dentifrice	Zahnpasta	pasta de dientes
de kippenpoot	chicken leg	cuisse de poulet	Hühnerbein	pata de pollo
2				
de groenteman	greengrocer	marchand de légumes	Gemüsehändler	verdulero
de boekwinkel	book shop	librairie	Buchhandlung	librería
de drogist	chemist's	droguerie	Drogerie	droguería
3				
het wasmiddel	detergent	lessive	Waschmittel	detergente
4				
enige	some	quelques	einige	alguno
6				
een nummertje trekken	draw a number	tirer un numéro	eine Nummer ziehen	coger un número
de briefkaart	postcard	carte postale	Postkarte	postal
erop	on it	-	darauf	-
het loket	counter, desk	guichet	Schalter	ventanilla
hiernaast	nextdoor	à côté	nebenan	aquí al lado
7				
de kaaswinkel	cheese shop	fromagerie	Käsehändler	queseria
het stuk	piece	morceau	Stück	pedazo
belegen	mature(d)	bien fait	mittelalt	curado
de Goudse	Gouda	Gouda	Goudakäse	queso de Gouda
in de aanbieding zijn*	be on special offer	être en promotion	im Angebot sein	estar de oferta
de aanbieding	offer	promotion	Angebot	oferta
de boerenkaas	farm cheese	fromage de ferme	Bauernkäse	queso casero
proeven	taste	goûter	probieren	probar
pittig	full flavoured	fort	pikant	fuerte
de kilo	kilo	kilo	Kilo	kilo
het pond	pound	livre	Pfund	quinientos gramos
het gram	gram	gramme	Gramm	gramo
8				
kleintjes	small ones	petits	Kleine	pequeños

de snijboon	French bean	haricot mange-tout	Schnittbohne	judía verde
rijp	ripe	mûr	reif	maduro
hè	eh	hein	nicht wahr?	¿vale?
Daag!	Bye!	Au revoir !	Wiedersehen!	¡Hasta luego!
9				
gesneden	cut	tranché	geschnitten	cortado
de taartpunt	wedge of cake	tranche de gâteau	Tortenstück	trozo de pastel
het roomboterkoekje	all-butter biscuit	petit gâteau au beurre fin	Butterplätzchen	galleta de mantequilla
11				
onthouden	remember	retenir	behalten, sich merken	recordar
12				
het zakje	bag	sachet	Tüte	saco
de pot	jar	pot	Glas	bote
de beker	cup	godet	Becher	tazón
het blikje	can	boîte	Dose	lata
de krat	crate	caisse	Kiste	caja
de drop	liquorice	réglisse	Lakritze	regaliz
14				
de levensmiddelen	groceries	aliments	Lebensmittel	comestibles
te weten komen*	find out	découvrir	erfahren	saber
15				
het boodschappenlijstje	shopping list	liste des courses à faire	Einkaufsliste	lista de compras
16				
gezond	healthy	de façon équilibrée	gesund	sano
de tabel	schedule	table	Tabelle	tábula
het voedingsmiddel	food, foodstuff	aliment	Nahrungsmittel	alimenticios
noodzakelijk	vital	nécessaire	notwendig	necesario
onmisbaar	essential	indispensable	unverzichtbar	imprescindible
o.a. (= onder andere)	among other things	entre autres choses	unter anderem	entre otras cosas
de macaroni	macaroni	macaroni	Makkaroni	macarrones
de peulvrucht	pulse	légume sec	Hülsenfrucht	legumbre
het zetmeel	starch	amidon	Stärke	fécula
het eiwit	egg white	protéine	Eiweiß	proteína
de voedingsvezel	nutrition fibre	fibre alimentaire	Ballaststoff	fibras alimenticias
de vitamine	vitamin	vitamine	Vitamine	vitamina
het mineraal	mineral	minéral	Mineralstoff	mineral
de tahoe	tofu	pâte de soja	Tofu	queso de soja
de kalk	calcium	calcium	Calcium	cal
het ijzer	iron	fer	Eisen	hierro
de margarine	margarine	margarine	Margarine	margarina
de halvarine	low-fat margarine	margarine demi-grasse	Halbfettmargarine	margarina semigrasa
de liter	litre	litre	Liter	litro
het voorlichtingsbureau	information service	bureau d'information	Beratung, Auskunft, Information	oficina de información
de voeding	nutrition	alimentation	Ernährung	nutrición
17				
de test	test	test	Test	test
de hoeveelheid	quantity, amount	quantité	Menge	cantidad
de tiener	teenager	adolescent	Teenager	joven
voortaan	from now on	désormais	in Zukunft	desde ahora
het sneetje	slice	tranche	Scheibe	rebanada
de groentelepel	serving spoon	cuiller à légumes	Gemüselöffel	cuchara grande
de vrucht	fruit	fruit	Frucht	fruto
de plak	slice	tranche	Scheibe	loncha
de tempé	tempeh	pâte fermentée de soja	Kuchen aus Soja	tempé
N-a				
wel eens	once or twice	quelquefois	schon mal	alguna vez
zich afvragen*	wonder	se demander	sich fragen	preguntarse
de caissière	cashier	caissière	Kassiererin/Verkäuferin	cajera
de zegel	stamp	timbre	Marke	cupón
de spaarzegel	trading stamp	timbre-épargne	Sparmarke	cupón
de oorlog	war	guerre	Krieg	guerra

bestonden er al (bestaan*)	there already existed	il existait déjà	gab es schon	ya había
de zegelactie	stamp action	action de timbres	Sparmarkenaktionen	campaña de cupones
de rage	craze, rage	rage	Mode	moda
het extraatje	bonus	boni	Bonus	cosa extra
de spaarkaart	trading stamp book	carte à timbres-épargne	Sparkarte	libreta de cupones
meegenomen zijn*	be welcome	être autant de gagné	*hier:* willkommen sein	ser ventaja
tanken	fill up, refuel	prendre de l'essence	tanken	echar gasolina
inruilen	trade in	échanger	eintauschen	rellenar
dingetjes	things	petits objets	Kleinkram	tonterías
dol zijn* op	be crazy about	adorer	verrückt sein auf	adoptar
het voordeeltje	windfall	petit avantage	Vorteil, kleiner Profit	ganga
de airmiles	airmiles	*unités d'épargne*	Airmiles	airmiles
de kristalzegel	crystal stamp	*timbre pour épargner du cristal*	Marke für Kristallgläser	cupón de cristal
het spaarpunt	saving point	point d'épargne	Sparpunkt	cupón
het waspoeder	washing-powder	lessive	Waschpulver	detergente
begrijpen*	understand	comprendre	verstehen	entenderá
sparen	save	épargner	sparen	ahorrar
de vliegreis	flight	voyage en avion	Flugreise	viaje en avión
het retourtje	return ticket	aller et retour	Hin- und Rückfahrkarte	ida y vuelta
Londen	London	Londres	London	Londres
overeenkomen met	correspond with	correspondre à	übereinstimmen mit	equivaler
nieuwst	newest	le plus récent	neuest	reciente
de actie	action	action	Aktion	campaña
de bonuskaart	bonus card	carte de boni	Bonuskarte	tarjeta para descuento
waarmee	by which	avec lequel	womit	con la que
de korting	discount	réduction	Rabatt	descuento
de kassa	cash register	caisse	Kasse	caja
meedoen aan	participate in	participer à	mitmachen bei	participar en
steevast	always, invariable	toujours	fest, regelmäßig	siempre
Les 17				
Titel				
het huishoudelijk apparaat	home appliance	appareil ménager	Haushaltsgerät	electrodoméstico
1				
het gasfornuis	gas cooker	cuisinière à gaz	Gasherd	cocina de gas
de telefoongids	(telephone) directory	annuaire (du téléphone)	Telefonbuch	guía de teléfonos
de wasmachine	washing machine	machine à laver	Waschmaschine	máquina de lavar
de magnetron	microwave	four à micro-ondes	Mikrowelle	microondas
het koffiezetapparaat	coffee-machine	cafétière	Kaffeemaschine	cafetera eléctrica
het strijkijzer	iron	fer à repasser	Bügeleisen	plancha
de handdoek	towel	serviette	Handtuch	toalla
de vaatwasmachine	dishwasher	lave-vaisselle	Spülmaschine	lavaplatos
de föhn	blow-drier	sèche-cheveux	Föhn	secador de mano
2				
het vakantiehuisje	holiday home	maison de vacances	Ferienhaus	casa de verano
onmisbaar	indispensable, essential	indispensable	unentbehrlich	imprescindible
handig	practical, useful	pratique	praktisch	práctico
3				
het appartement	apartment	appartement	Appartement	apartamento
het reserveringsbewijs	reservation confirmation/proof	billet de réservation	Reservierungsnachweis	certificado de reserva
de reservering	booking, reservation	réservation	Reservierung	reserva
het bewijs	proof, confirmation	*ici :* billet	Nachweis	certificado
noteren	note (down), book	noter	notieren	anotar
de boeking	booking	réservation	Buchung	reserva
boeken	book	réserver	buchen	reservar
akkoord	agreed	accord	einverstanden	acuerdo
het reisbureau	travel agency	agence de voyages	Reisebüro	agencia de viajes

de bungalow	bungalow	bungalow	Bungalow	chalé
de aankomstdatum	date of arrival	date d'arrivée	Ankunftsdatum	fecha de llegada
de vertrekdatum	date of departure	date de départ	Abreisedatum	fecha de salida
de suite	suite	suite	Suite	suite
de bijzonderheid	detail	*ici :* remarque	Besonderheit	detalle
de verlenging	extension	prolongation	Verlängerung	prolongación
verlengen	extend	prolonger	verlängern	prolongar
het hoogseizoen	high season	haute saison	Hochsaison	temporada alta
de korting	discount	réduction	Ermäßigung	rebaja
de toeristenbelasting	tourist tax	taxe de séjour	Kurtaxe	impuesto al turismo
de bootkaart	boat ticket	ticket de bateau	Schiffskarte	billete para el barco
totaal	total	total	insgesamt	total
de reissom	total travel expenses	somme emportée en voyage	Reisesumme	gastos de viaje
4				
de afmeting	size, dimensions	dimension	Abmessung	tamaño
toegestaan (toestaan*)	permitted	permis	erlaubt	permitido
de afstand	distance	distance	Entfernung	distancia
het Noordzeestrand	North Sea beach	plage de la Mer du Nord	Nordseestrand	la playa del Mar del Norte
5				
het Waddeneiland	(West) Frisian island	île des Wadden	Watteninseln	isla Waddeneiland
wandelen	walk, stroll	se promener	wandern	pasear
windsurfen	go windsurfing	faire de la planche à voile	windsurfen	hacer windsurf
zwemmen*	swim	se baigner	schwimmen	nadar
vissen	fish	pêcher	fischen, angeln	pescar
paardrijden*	ride (horseback)	faire du cheval	reiten	montar a caballo
6				
logeren	stay	*ici :* séjourner	zu Gast sein, logieren, wohnen	estar alojado
het pension	guest house	pension	Pension	pensión
de tent	tent	tente	Zelt	tienda de campaña
de caravan	caravan	caravane	Wohnwagen	caravana
het strand	beach	plage	Strand	playa
de bergen	mountains	montagnes	Bergen	montañas
de zee	sea	mer	Meer	mar
eenvoudig	simple	simple	einfach	sencillo
luxe	luxurious	luxueux	luxuriös	de lujo
regelen	arrange	régler	regeln	arreglar
onafhankelijk	independent	indépendant	unabhängig	independiente
9				
geachte	dear	cher	geehrte	estimado
hiermee	herewith	par cette lettre	hiermit	por la presente
bevestigen	confirm	confirmer	bestätigen	confirmar
de papieren	papers	papiers	Papiere	papeles
sturen	send	envoyer	schicken	enviar
voor alle zekerheid	to make sure	à tout hasard	sicherheitshalber	para mayor seguridad
nogmaals	once again	encore une fois	noch einmal	otra vez
verkeerd	incorrectly	*ici :* mal	verkehrt, falsch	*aquí:* mal
met vriendelijke groet	with friendly greetings	cordialement	mit freundlichem Gruß	un abrazo cordial
goud waard zijn*	be worth a lot	valoir de l'or	Gold wert sein	no tener precio
langskomen	come by, visit	passer voir quelqu'un	vorbeikommen	pasar
het eindje	little way	-	Stückchen	-
groetjes	greetings	amitiés	Grüße	un fuerte abrazo
N-a				
bewaren	save	garder	erhalten, bewahren	guardar
combineren (met)	combine (with)	mélanger (avec)	kombinieren mit	combinar (con)
het voordeel	advantage	avantage	Vorteil	ventaja
alle kanten op kunnen* (met)	be very flexible	pouvoir tout faire	unbegrenzte Möglichkeiten	ser posible todo
het bedrag	amount, sum	montant	Betrag	suma
de lichtloper	*an easy-going bike*	*vélo léger*	*leichtes Fahrrad*	*bicicleta ligera*

het fietsenverhuurbedrijf	(bi)cycle hire company	entreprise de location de vélos	Fahrradverleih	alquiler de bicicletas
helemaal klaar zijn* (voor)	be ready (for)	être entièrement prêt (à)	fertig sein (für)	estar listo completamente (para)
de ontdekkingsreis	voyage of discovery	voyage de découverte	Entdeckungsreise	viaje de exploración
de duinen	dunes	dunes	Dünen	dunas
het wad	flat, wad	bas-fond	Watt	bajío
de broedvogel	summer bird	oiseau migrateur qui se fixe le temps de nicher	Brutvogel	ave migratoria que anida
de trekvogel	migratory bird	oiseau migrateur	Zugvogel	ave migratoria
zonnen	sunbathe	prendre un bain de soleil	sich sonnen	tomar el sol
vliegeren	fly a kite	jouer au cerf-volant	Drachen steigen lassen	volar cometas
het dorpsgezicht	view of a/the village	vue du village	Dorfansicht	vista del pueblo
het eiland	island	île	Insel	isla
verwijderen	remove	éloigner	entfernen	quedar lejos
de bootreis	boat trip	voyage en bateau	Bootsreise	viaje en barco
de veerboot	ferry	ferry-boat	Fähre	barco transbordador
in beslag nemen*	take	prendre	in Anspruch nehmen	durar
het rustpunt	haven	refuge	Ruhepunkt	pausa
hectisch	hectic	agité	hektisch	agitado
eenmaal	one day	une fois	einmal	una vez
ervaren	experience	éprouver	erfahren	experimentar

Les 18

Titel				
onderweg	on the way	en route	unterwegs	en camino
op reis (zijn*/gaan*)	(be/go) on a trip	(être/aller) en voyage	auf Reisen (sein/gehen)	(estar/ir) de viaje
de reis	trip, journey	voyage	Reise	viaje
1				
de mobiele telefoon	mobile phone	portable	Handy	teléfono móvil
de zonnebril	sunglasses	lunettes de soleil	Sonnenbrille	gafas de sol
de agenda	diary	agenda	Kalender	agenda
het horloge	wristwatch	montre	Armbanduhr	reloj
het medicijn	medicine	médicament	Medikament	medicina
de zonnecrème	suncream	crème solaire	Sonnencreme	crema solar
het snoep	candy	bonbons	Süßigkeiten	dulce
het rijbewijs	driving licence	permis de conduire	Führerschein	permiso de conducir
het ticket	ticket	billet d'avion	Ticket	billete
het (trein)kaartje	ticket	billet (de train)	Zugfahrkarte	billete de tren
het paspoort	passport	passeport	Pass	pasaporte
de reisgids	travel guide	guide touristique	Reiseführer	guía
4				
de voorbereiding	preparation	préparation	Vorbereitung	preparación
het ogenblikje	moment	instant	Augenblick	momento
doorverbinden*	connect, put through	passer	durchstellen	comunicar
de enkele reis	single (ticket)	aller	einfache Fahrt, Hinfahrt	ida
het retour	return (ticket)	aller et retour	*hier:* 'Hin und Zurück'	ida y vuelta
vertrekken*	leave	partir	abfahren	salir
u wordt afgehaald (afhalen)	you will be picked up	on viendra vous chercher	Sie werden abgeholt	le irán a buscar
goede reis	have a good trip/ journey	bon voyage	gute Reise	buen viaje
5				
kosten	cost, be	coûter	kosten	costar
de nacht	night	nuit	Nacht	noche
inclusief	inclusive, including	compris	inklusiv	inclusive
6				
zakelijk	business	d'affaires	geschäftlich	comercial
7				
de reiziger	traveler	voyageur	Reisender	viajero

8				
opzoeken*	look up	chercher	heraussuchen	buscar
10				
het passivum	passive	passif	Passiv	construcción pasiva
olympische	olympic	olympique	olympisch	olímpico
de vlag	flag	drapeau	Flagge	bandera
Amerikaans	American	américain	amerikanisch	estadounidense
plaatsvinden*	take place	avoir lieu	stattfinden	tener lugar
de slotceremonie	closing ceremony	cérémonie finale	Abschlussfeier	ceremonia final
de winterspelen	winter games	jeux olympiques d'hiver	Winterspiele	juegos de invierno
Japans	Japanese	japonais	japanisch	japonés
de Verenigde Staten	United States of America	Etats-Unis	die Vereinigten Staaten	Estados Unidos
de fan	fan	admirateur	Fan	admirador
het doek	cloth	toile	Tuch	telón
de ring	ring	bague	Ring	anillo
het portret	portrait	portrait	Portrait	retrato
de fractie	fraction	fraction	Bruchstück	fracción
oorspronkelijk	original	original	ursprünglich	original
de waarde	value	valeur	Wert	valor
het veilinghuis	auctioneering firm	maison de vente aux enchères	Auktionshaus	empresa de subastas
het eind	end	fin	Ende	fines
veilen	put up for auction	vendre aux enchères	versteigern	subastar
melden	report	annoncer	melden	informar
Brits	British	brittanique	britisch	británico
onlangs	recently	l'autre jour	vor kurzem	hace poco
de papierfabriek	paper factory	usine de papéterie	Papierfabrik	fábrica de papel
inmiddels	meanwhile	entretemps	inzwischen	ya
overleden (overlijden*)	deceased	décédé	gestorben	fallecido
de Japanner	Japanese	Japonais	Japaner	japonés
het recordbedrag	record amount	montant record	Rekordbetrag	suma récord
mysterieus	mysterious	mystérieux	mysteriös	misterioso
het kistje	box	boîte	Schatulle	arca
gesloten (sluiten*)	closed	fermé	verschlossen	cerrado
de restaurateur	restorer	restaurateur	Restaurateur	restaurador
het grafmonument	grave monument	tombeau	Grabdenkmal	monumento funerario
de stadhouder	viceregent, governor	gouverneur	Statthalter	estatúder
de piëteit	piety	piété	Pietät	piedad
de nabestaanden	(surviving) relatives	proches parents	Hinterbliebene	parientes del fallecido
des vaderlands	of the fatherland, homeland	de la patrie	des Vaterlands	de la patria
openen	open	ouvrir	öffnen	abrir
nader	further	plus approfondi	weiter, eingehend	más detallado
de Rijksvoorlichtingsdienst	*Government Information Service*	*service d'information et de diffusion du gouvernement*	*Regierungspresseamt*	*Servicio Estatal de Información*
namens	on behalf of	au nom de	namens	en nombre de
de directeur	director	directeur	Direktor	director
het archief	archives	archives	Archiv	archivo
tijdelijk	temporarily	temporairement	vorläufig	temporalmente
bijzetten	bury	ensevelir	beisetzen	sepultar
het familiegraf	family grave	caveau de famille	Familiengrab	panteón familiar
de grafkelder	tomb, vault	caveau	Gruft	cripta
de restauratie	restoration	restauration	Restauration	restauración
terugplaatsen	place back	remettre	zurückstellen	volver a poner
aldus	according to	a déclaré	so	así
de woordvoerder	spokesman	porte-parole	Sprecher	portavoz
marmeren	marble	de marbre	aus Marmor	de mármol
het beeld	statue	statue	Statue	estatua
het graf	grave	tombe	Grabdenkmal	tumba
aantasten	affect	éroder	angreifen	afectar
de restauratiewerkzaamheid	restoration work	travail de restauration	Restaurationsarbeit	trabajos de restauración

houten	wooden	en bois	aus Holz	de madera
vermoedelijk	probably	probablement	vermutlich	presuntamente
loden	lead(en)	de plomb	aus Blei	de plomo
het hart	heart	coeur	Herz	corazón
de ingewanden	intestines	intestins	Eingeweide	vísceras
de prins	prince	prince	Prinz	príncipe
het document	document	document	Dokument	documento
vlak na	right after	juste après	kurz danach	poco después
de dood	death	mort	Tod	muerte
de echtgenote	wife	épouse	Ehefrau	esposa
stierf (sterven*)	died	mourut	starb	murió
de bouw	construction	construction	Bau	construcción
in gang zijn*	be in progress	être en cours	im Gang sein	durar
inmetselen	incarcerate	sceller	einmauern	empotrar
de kroonprins	crown prince	prince royal, Dauphin	Kronprinz	príncipe heredero
benoemd (zijn*/worden*) tot	(be) appointed to	être/a été nommé	ernannt (sein/worden sein) zu	nombrado (ser/haber sido)
het lid	member	membre	Mitglied	miembro
het Internationaal Olympisch Comité (IOC)	International Olympic Committee	Comité International Olympique	Internationales Olympisches Komitee	Comité Olímpico Internacional
het bestuursorgaan	governing body	organisme administratif	Verwaltungsorgan	órgano directivo
de sportwereld	sports world	monde du sport	Sportwelt	mundo de los deportes
het congres	congress	congrès	Kongress	congreso
voordragen* (aan)	recommend	proposer (à)	vorgeschlagen	presentar (a)
zich kandidaat stellen	stand up	poser sa candidature	als Kandidat aufstellen (lassen)	presentar su candidatura
de kandidaat	candidate	candidat	Kandidat	candidato
de folie	foil	feuil	Folie	lámina, hoja
Limburgs	Limburg	limbourgeois	Limburger	limburgo
de proef	test	expérience	Versuch	prueba
ter bescherming tegen	for the protection against	pour (les) protéger contre	zum Schutz gegen	para proteger
laaggelegen	low-lying	situé dans les basses terres	tief gelegen	situado en un terreno bajo
het pand	building	immeuble	Gebäude	inmueble
beveiligd	protected	protégé	gesichert	protegido
binnenkort	soon	sous peu	bald	entre poco
provisorisch	provisional	provisoire	provisorisch	provisional
beschermen	protect	protéger	beschützen	proteger
interesse tonen (voor)	show interest (for)	porter de l'intérêt (à)	Interesse zeigen (an)	tener interés (para)
het systeem	system	système	System	sistema
teisteren	scourge, ravage	ravager	heimsuchen	arrasar
de VS (Verenigde Staten)	US	Etats-Unis	USA	EE.UU. (Estados Unidos)
zowel ... als	as well as, both ... and	aussi bien ... que	sowohl ... als auch	tanto ... como
zwaar	heavy, severe	fort	schwer, stark	fuerte
metershoog	several metres high	haut de plusieurs mètres	meterhoch	de metros de altura
schade toebrengen (aan)	inflict damage (to)	faire des dégâts (à)	Schaden zufügen	dañar
de weg	road	route	Straße	camino
de regenval	rainfall	chûtes de pluie	Regenfall	precipitaciones
overstromen	overflow	sortir de son lit	überfluten, überlaufen	inundar
getroffen (treffen*)	hit	frappé	getroffen	afectado
de modderstroom	mudflow	flot de boue	Schlammmasse	corriente de barro
toegeschreven (toeschrijven*) aan	blamed, attributed to	imputé à	zugeschrieben	imputado a
klimatologisch	climatological	climatologique	klimatologisch	climatológico
het effect	effect	effet	Effekt	efecto
het weerpatroon	weather pattern	modèle météorologique	Wettermodell	patrón del tiempo
de Stille Oceaan	Pacific Ocean	Océan Pacifique	Stiller Ozean	Pacífico
verschuiven	shift	se déplacer	verschieben	cambiar de sitio
actief	active	actif	aktiv	activo
passief	passive	passif	passiv	pasivo
11				
het artikel	article	article	Artikel	articulo

N-a				
denderen	thunder	passer avec un bruit fracassant	donnern	retumbar
de hartklopping	palpitation (of the heart)	battement de coeur	Herzklopfen	palpitación del corazón
kapot	broken	en panne	kaputt	roto
de treindeur	train door	porte du train	Zugtür	puerta del tren
vonken	sparkle	produire des étincelles	funken	echar chispas
automatisch	automatic	automatique	automatisch	automático
het spijkerjack	jeans jacket	blouson en jean	Jeansjacke	traje de vaqueros
uitstappen	get off	descendre	aussteigen	salir
het keertje	once more	fois	Mal	otra vez
het eindstation	terminal (station)	gare terminus	Endstation	estación terminal
de stoptrein	slow train	train omnibus	Nahverkehrszug	tren ómnibus
druk in de weer zijn* (met)	be busy (with)	être occupé (à)	beschäftigt sein (mit)	estar en danza haciendo algo
kletsen	chat	bavarder	plaudern	charlar
de overbuurvrouw	neighbour opposite	voisine d'en face	Nachbarin von gegenüber	vecina de enfrente
glimlachen	smile	sourire	lächeln	sonreír
opvangen	overhear	entendre	*hier:* mitbekommen	oír
net	just	venir de	gerade	acabar de
afgestudeerd zijn	have graduated	avoir terminé ses études	Studium beendet haben	acabar de terminar la carrera
drukken	press	mettre	drücken	apretar
de chemicus	chemist	chimiste	Chemiker	químico
wennen	settle down	s'installer	sich einleben, sich gewöhnen	acostumbrarse
de assistentie	assistance	aide	Hilfe	asistencia
Haags	Hague	de La Haye	Haager, aus Den Haag	de La Haya
het nachtleven	night life	noctambulisme	Nachtleben	vida nocturna
storten	throw	se plonger	stürzen	lanzarse a
gaan* stappen	go out	sortir	ausgehen	salir
de achtergrond	background	fond	Hintergrund	fondo
het rumoer	noise	tumulte	Lärm	alboroto
de Arabier	Arab	Arabe	Araber	árabe
ineens	suddenly	tout à coup	auf einmal, plötzlich	de repente
vastgrijpen*	grasp	s'agripper	festhalten	agarrar
prompt	immediately	sur-le-champ	prompt	inmediatamente
de lach	laugh	sourire	Lächeln	risa
de krullen	curls	boucles	Locken	rizos
de rit	ride	trajet	Fahrt	viaje
gluren	peep, peek	reluquer	anstarren	mirar a escondidas
studerend	student	étudiant	studierend	que estudiaba
stom	stupid	stupide	blöd	tonto
uitgepraat zijn*	have nothing more to say	n'avoir plus rien à dire	nichts mehr zu sagen haben	no tener nada más que decir
de contactadvertentie	personal ad(vert)	annonce	Kontaktanzeige	anuncio personal

Les 19

Titel				
erg verkouden zijn	have a nasty cold	être très enrhumé	sehr erkältet sein	estar acatarrado
de gezondheidsklachten	health problems	troubles	Beschwerden	quejas
1				
de maagpijn	stomachache	mal à l'estomac	Magenschmerzen	dolor de estómago
de hoofdpijn	headache	mal à la tête	Kopfschmerzen	dolor de cabeza
de verkoudheid	cold	rhume	Erkältung	resfriado
de oorpijn	earache	mal à l'oreille	Ohrenschmerzen	dolor de oído
de wond	wound	blessure	Wunde	herida
de koorts	fever	fièvre	Fieber	fiebre
de hoestbui	fit of coughing	quinte de toux	Hustenanfall	ataque de tos
de hoest	cough	toux	Husten	tos

Woordenlijst per les

de keelpijn	sore throat	mal à la gorge	Halsschmerzen	dolor de garganta
de spierpijn	muscular pain	courbature	Muskelschmerzen/-kater	dolor muscular
3				
het recept	prescription	ordonnance	Rezept	receta
Beterschap!	Get well soon!	Prompt rétablissement !	Gute Besserung!	¡Que te mejores!
onderzocht (onderzoeken*)	examined	examiné	untersucht	examinado
de apotheek	pharmacy	pharmacie	Apotheke	farmacia
ziek	ill	malade	krank	enfermo
4				
de assistente	assistant	assistante médicale	Arzthelferin	asistenta
zeer doen*	hurt	faire mal	weh tun	doler
dringend	urgent	urgent	dringend	urgente
het spreekuur	surgery (hours)	(heures de) consultation	Sprechstunde	consulta
thuisgestuurd krijgen	sent home	recevoir à la maison	zugeschickt bekommen	enviado
indienen	send in, submit	présenter	einreichen	entregar
het ziekenfonds	*Dutch National Health Service*	*Caisse d'assurance maladie*	*Krankenkasse*	*Seguridad Social*
5				
flink	bad, nasty	fort	kräftig, tüchtig	fuerte
het advies	advice	conseil	Rat	consejo
innemen*	take	prendre	einnehmen	tomar
6				
zich (niet) lekker voelen	(not) feel well	(ne pas) se sentir bien	sich (nicht) gut fühlen	(no) sentirse bien
8				
het probleem	problem	problème	Problem	problema
de buikpijn	stomachache	mal au ventre	Bauchschmerzen	dolor de tripas
de kiespijn	toothache	mal aux dents	Zahnschmerzen	dolor de muela
de diarree	diarrhoea	diarrhée	Durchfall, Diarrhö(e)	diarrea
de insectenbeet	insect bite	piqûre d'insecte	Insektenstich	picadura de insecto
de reisziekte	travel sickness	mal de voyage	Reisekrankheit	mareo
de slapeloosheid	insomnia	insomnie	Schlaflosigkeit	insomnio
de alcohol	alcohol	alcool	Alkohol	alcohol
de tand	tooth	dent	Zahn	diente
poetsen	brush	brosser	putzen	limpiarse
de aspirine	aspirin	aspirine	Aspirin	aspirina
slikken	swallow	avaler	schlucken	tragar
de tandarts	dentist	dentiste	Zahnarzt	dentista
het druppeltje	drop	goutte	Tropfen	gota
snoepen	eat sweets	manger des bonbons	naschen	comer dulces
9				
voor het laatst	the last time	la dernière fois	zuletzt	por última vez
10				
bewegen*	exercise	faire de l'exercice	sich bewegen	moverse
de Hartstichting	*Heart Foundation*	*Fondation du Coeur*	*Herzstiftung*	*Fundación del Corazón*
de gezondheid	health	santé	Gesundheit	salud
plezierig	fun	agréable	vergnüglich	agradable
minstens	at least	au moins	mindestens	como mínimo
inspannen	exert	faire de l'exercice	anstrengen	esforzarse
het streven	goal, aim	but	Bestreben	anhelo
stevig	brisk	bon	stark, kräftig	grande
intensief	intensive	intensif	intensiv	intensivo
achter elkaar	in succession	de suite	hintereinander	prolongado
de beweging	exercise	exercice physique	Bewegung	movimiento
de beweegtest	exercise test	test de l'exercice physique	Bewegungstest	prueba motriz
nagaan*	check	vérifier	kontrollieren	averiguar
het rondje	round	petit cercle	Kreis	vuelta
de bewegingsactiviteit	exercise activity	activité d'exercice physique	Bewegungstätigkeit	actividad motora
bijhouden*	register, note	enregistrer	*hier:* notieren, aufschreiben	registrar
grasmaaien	mow	tondre l'herbe	Rasen mähen	cortar la hierba

de bladeren (het blad)	leaves	feuilles	Blätter	hojas
harken	rake	ratisser	harken	rastrillar
joggen	jog	faire du jogging	joggen	hacer footing
hardlopen*	run	courir	schnell laufen	correr
de toertocht	non-competitive ride	randonnée récréative	Fahrradtour	excursión
ramen wassen	wash the windows	laver les vitres	Fenster putzen	limpiar las ventanas
de zaalsport	indoor sport	sport en salle	Hallensport	deporte en sala
het squash	squash	squash	Squash	squash
de ochtendgymnastiek	morning exercises	gymnastique matinale	Morgengymnastik	gimnasia matinal
roeien	row	ramer	rudern	remar
kanoën	canoe	faire du canoë	Kanu fahren	ir en canoa
langlaufen	ski cross-country	faire du ski de fond	langlaufen	hacer esquí de fondo
de uitslag	result	résultat	Ergebnis	resultado
doorgaan*	continue	continuer	weitermachen	seguir
vasthouden*	stick to, hold on	maintenir	*hier:* beibehalten	mantener
opvoeren	increase	augmenter	steigern	aumentar
in principe	in principle	en principe	im Prinzip, prinzipiell	en principio
toevoegen (aan)	add (to)	ajouter (à)	zufügen	añadir (a)
N-a				
seksueel	sexual	sexuel	sexuell	sexual
nadenken* (over)	think (about)	réfléchir (à)	nachdenken (über)	pensar (sobre)
vrijwillig	voluntary	volontaire	freiwillig	voluntario
de beperking	limitation	restriction	Beschränkung	limitación
de bond	association, union	fédération	Bund, Verband	unión
de vereniging	association, club	association	Verein	asociación
ethisch	ethical	éthique	ethisch	ético
de kwestie	issue, question	question	Frage	cuestión
het anticonceptiemiddel	contraceptive	contraceptif	Verhütungsmittel	anticonceptivo
een zekere	a certain	un certain	ein gewisser	un tal
de leiding	control	direction	Leitung	dirección
individueel	individual	individuel	individuell	individual
de onderdrukking	suppression	oppression	Unterdrückung	represión
de seks	sex	sexe	Sex	sexo
oprichten	found	fonder	errichten	constituir
de hervorming	reform(ation)	réforme	Reformation	reforma
van mening zijn*	be of the opinion	être d'avis que	der Meinung sein	opinar
de seksualiteit	sexuality	sexualité	Sexualität	sexualidad
evenwichtig	balanced	équilibré	gleichgewichtig	equilibrado
de ontplooiing	development	développement	Entfaltung	desarrollo
het consultatiebureau	health centre	dispensaire	Beratungsstelle	consultorio
de anticonceptie	contraception	contraception	Verhütung	anticoncepción
het seksualiteitsprobleem	sexuality problem	problème de sexualité	Sexualitätsproblem	problemática de la sexualidad
het voorbehoedmiddel	contraceptive	contraceptif	Verhütungsmittel	anticonceptivo
het condoom	condom	préservatif	Kondom	condón
geheimzinnig	mysterious	mystérieux	geheimnisvoll	misterioso
radicaal	radical	radicalement	radikal	radical
potentieel	potential	potentiel	potentiell	potencial
afschrikken	scare off	intimider	abschrecken	desanimar
de splitsing	schism	division	Spaltung	división
ideëel	idealistic	idéel	ideell	idealista
de doelstelling	objectives	but	Zielsetzung	objetivo
professioneel	professional	professionnel	professionell	profesional
de hulpverlening	assistance, aid	assistance	Hilfeleistung	asistencia
te vinden zijn*	be found	se trouver	zu finden sein	encontrarse
onopvallend	inconspicuous	discret	unauffällig	que no llama la atención
het achterafstraatje	backstreet	rue isolée	abgelegene Straße	callejuela
het naambordje	nameplate	plaque	Namensschild	letrero
verborgen (verbergen*)	hidden	caché	verborgen	escondido
de vestiging	establishment, office	succursale	Zweigstelle	oficina
verspreid (verspreiden*)	spread	répandu	verteilt	dispersado
ergens terecht kunnen* (voor)	be able to turn to	pouvoir aller quelque part	irgendwohin können	dirigirse a

medisch	medical	médical	medizinisch	médico
seksuologisch	sexological	sexuel	sexologisch	sexológico
de verpleegkundige	nurse	infirmier	Krankenpfleger	enfermero
de seksuoloog	sexologist	sexologue	Sexologe	sexuólogo

Les 20

Titel				
de nationaliteit	nationality	nationalité	Nationalität	nacionalidad
1				
de uitzondering	exception	exception	Ausnahme	excepción
de Française	Frenchwoman	Française	Französin	francesa
de Russin	Russian woman	Russe	Russin	rusa
de Griek	Greek	Grec	Grieche	griego
de Amerikaan	American	Américain	Amerikaner	estadounidense
Deens	Danish	danois	dänisch	danés
de Deen	Dane	Danois	Däne	danés
de Fransman	Frenchman	Français	Franzose	francés
Engels	English	anglais	englisch	inglés
de Engelsman	Englishman	Anglais	Engländer	inglés
Zuid-Afrikaans	South African	sud-africain	südafrikanisch	surafricano
de Zuid-Afrikaan	South African	Sud-Africain	Südafrikaner	surafricano
Zwitsers	Swiss	suisse	schweizerisch	suizo
de Zwitser	Swiss	Suisse	Schweizer	suizo
Marokkaans	Moroccan	marocain	marokkanisch	marroquí
de Marokkaan	Moroccan	Marocain	Marokkaner	marroquí
de Italiaan	Italian	Italien	Italiener	italiano
Oostenrijks	Austrian	autrichien	österreichisch	austriaco
de Oostenrijker	Austrian	Autrichien	Österreicher	austriaco
Chinees	Chinese	chinois	chinesisch	chino
de Chinees	Chinese	Chinois	Chinese	chino
Portugees	Portuguese	portugais	portugiesisch	portugués
de Portugees	Portuguese	Portugais	Portugiese	portugués
Indonesisch	Indonesian	indonésien	indonesisch	indonesio
de Indonesiër	Indonesian	Indonésien	Indonesier	indonesio
Spaans	Spanish	espagnol	spanisch	español
de Spanjaard	Spaniard	Espagnol	Spanier	español
Turks	Turkish	turc	türkisch	turco
de Turk	Turk	Turc	Türke	turco
Russisch	Russian	russe	russisch	ruso
de Rus	Russian	Russe	Russe	ruso
mannelijk	male	masculin	männlich	masculino
2				
het blad	sheet	feuille	Blatt	hoja
ruilen	swap	échanger	tauschen	cambiar
er helemaal naast zitten	be totally wrong	être loin du compte	sich völlig täuschen	estar completamente equivocado
4				
de jeugd	youth	jeunesse	Jugend	juventud
doorgebracht (doorbrengen*)	spent	passé	verbracht	pasado
de rijsttafel	*a combination of several Indonesion dishes*	*ensemble de plusieurs plats indonésiens accompagnés de riz*	Reistafel	*plato chino-indonesio*
bij elkaar komen*	get together	se réunir	zusammenkommen	juntarse
de schaal	dish	plat	Schale	fuente
de kom	bowl	récipient	Schüssel	cuenco
tropisch	tropical	tropical	tropisch	trópico
zilveren	silver	en argent	aus Silber	de plata
het bestek	cutlery	couvert	Besteck	cubierto
de boerenkool	curly kale	potée de chou frisé	*Eintopf aus Grünkohl u. gestampften Kartoffeln*	col
de rookworst	smoked sausage	saucisse fumée	Rauchwurst	salchicha ahumada

begrijpelijk	understandable	compréhensible	verständlich	se entiende
belachelijk	ridiculous	ridicule	lächerlich	ridículo
raar	funny, odd	bizarre	komisch, merkwürdig	extraño
stijf	stiff, formal	froid	steif	formal
rumoerig	noisy	bruyant	laut	ruidoso
6				
waarschijnlijk	probably	probablement	wahrscheinlich	probablemente
de aarzeling	hesitation	hésitation	Zögern	hesitación
de stamppot	*mashed potatoes and vegetable dish*	purée de légumes	Eintopfgericht	puré de patatas y verdura
het gedeelte	part	partie	Teil	parte
liefdevol	loving	affectueux	liebevoll	con amor
de hotdog	hotdog	hot-dog	Hotdog	perito caliente
de loempia	spring/pancake role	*sorte de pâté impérial chinois*	Frühlingsrolle	rollo de primavera
de nasi goreng	*Indonesian rice dish*	*riz à l'indonésienne*	gekochter Reis mit Hühnerfleisch	arroz frito
de kroepoek	prawn crackers	*accompagnement croquant à base de farine de poisson*	*indon. Garnelencracker*	pan de harina de gambas
afhalen	take away	emporter	abholen	recoger
scherp	spicy	piquant	scharf	picante
het stokje	chopstick	baguette (à manger)	Stäbchen	palito
7				
dat gaat er wel in!	that goes down very well!	je ne refuse pas !	das scheint zu schmecken!	¡bien sabe!
oplopen*	mount up, add up	finir par chiffrer	steigern	subir, aumentar
ploffen	explode, pop	être gavé	platzen	explotar
betoeterd zijn*	be crazy	être fou	verrückt sein	estar loco
snakken naar	long for	mourir d'envie de	sich sehnen nach	desear
royaal	generous	généreux	großzügig	generoso
het gebaar	gesture	geste	Geste	gesto
rammelen van de honger	starve	claquer du bec	vor Hunger sterben	morirse de hambre
8				
het stripverhaal	comic strip	bande dessinée	Comicstrip	tebeo
da's helemaal wat moois	here's a pretty kettle of fish	c'est vraiment du joli	das hat man gern!	que rollo
trakteren	treat	payer	spendieren, einladen	invitar
uitzoeken*	choose	choisir	aussuchen	escoger
de ananas	pineapple	ananas	Ananas	piña
de nasi rames	Indonesian rice dish	*plat indonésien*	kleine Reistafel	comida indonesia con arroz frito
zoet-zuur	sweet-and-sour	aigre-doux	süßsauer	agridulce
rekenen	add up, calculate	calculer	rechnen	sacar la cuenta
Verdorie!	Darned!	Nom d'une pipe !	Verflixt!	¡Jolines!
uitkomen* met	manage, have to make do	s'en sortir avec	auskommen mit	salir con
opkrijgen*	finish	finir	*hier:* aufessen	acabar
vies	vile, revolting	dégoûtant	*hier:* eklig	asqueroso
10				
vreemd	foreign	étranger	fremde	extranjero
11				
de persoonlijkheid	personality	personnalité	Persönlichkeit	personalidad
inzamelen	collect	receuillir	einsammeln	recoger
ophangen	hang up	afficher	aufhängen	colgar
12				
de variatie	variation	variation	Variation	variedad
het varkensvlees	pork	porc	Schweinefleisch	carne de cerdo
roosteren	grill	rôtir	rösten	asar
gaar en mager	done and lean	cuit et maigre	gar/durch und mager	hecho y magro
de kalkoenfilet	fillet of turkey	filet de dinde	Putenfilet	filete de pavo
de scharrelkip	free-range chicken	poulet fermier	Freilandhuhn	pollo de corral
de lamsbout	leg of lamb	gigot d'agneau	Lammkeule	pierna de cordero

het blok	chunk	cube	Würfel	trozo
Aziatisch	Asian	asiatique	asiatisch	asiático
dun	thin	fin	dünn	fino
de reep	strip	bande	Streifen	tira
de marinade	marinade	marinade	Marinade	adobo
intrekken	soak, take up, absorb	être absorbé	ein-, durchziehen	absorber
van binnen	(on the) inside	à l'intérieur	von innen	de dentro
schelen	save	faire une différence	einen Unterschied machen	hacer diferencia
de wachttijd	waiting (time)	temps d'attente	Wartezeit	tiempo de espera
het kraampje	stall, booth	étal	Bude	puesto
de kabeljauw	cod(fish)	cabillaud	Kabeljau	bacalao
de schelvis	haddock	aiglefin	Schellfisch	pescadilla
de mossel	mussel	moule	Muschel	mejillón
de schelp	shell	coquille	Schale	concha
geschikt zijn*	can be used	être approprié	geeignet sein	ser apto
de Quorn	Quorn	*aliment végétarien*	*vegetarisches Lebensmittel*	*alimento vegetariano*
gloeiende houtskool	glowing charcoal	braise	glühende Holzkohle	brasa
de gembersiroop	ginger syrup	sirop de gingembre	Ingwersirup	jarabe jengibre
het citroensap	lemon juice	jus de citron	Zitronensaft	zumo de limón
de sojasaus	soy(a) sauce	sauce de soja	Sojasauce	salsa soja
het mespunt	tip of a knife	pincée	Messerspitze	mizca
de geelwortel	curcuma	curcuma	Gelbwurzel	cúrcuma
het komijnpoeder	cumin powder	cumin en poudre	Kümmelpulver	comino
het laospoeder	laos powder	laos en poudre	Art Ingwerpulver	laos
het korianderpoeder	coriander powder	coriandre en poudre	Korianderpulver	culantro
afdekken	cover	couvrir	zudecken	tapar
ontsteken*	light	allumer	anzünden	encender
de barbecue	barbecue	barbecue	Grill	barbacoa
de appelstroop	apple syrup	mélasse de pommes	Apfelkraut	melaza de manzana
de sambal	sambal	piment (rouge)	scharfe Gewürzpaste	condimento picante
de trassi	*Indonesian condiment*	*fines tranches de pâte de crevettes*	*dünne Scheibe getrocknete Garnelenpaste*	*ingrediente picante indonesia de gambas machacadas*
de santen	creamed coconut	lait de coco concentré	Kokosmilch	leche de coco
de ketjap	soy(a) sauce	sauce de soja	Sojasauce	salsa de soja
de pinda	peanut	cacahuète	Erdnuss	cacahuete
het kokos	coconut fibre	coco	Kokos	coco
snipperen	cut up, shred	couper en petits morceaux	schnippeln	cortar muy fino
indikken	thicken	réduire	eindicken	espesarse
mooi van dikte	nice thickness	une bonne consistance	von guter Konsistenz	bien de espeso
aanrijgen*	skewer	enfiler	aufspießen	adicionar
N-a				
de minderheid	minority	minorité	Minderheit	minoría
circa	about	environ	zirka	cerca de
de Middellandse Zee	Mediterranean	Méditerranée	Mittelmeer	Mediterráneo
voormalig	former	ancien	ehemalig	antiguo
overzees	overseas	d'outre-mer	Übersee-	ultramar
het gebiedsdeel	territory, dependency	territoire	Gebietsteil	territorio
Suriname	Surinam	Surinam	Surinam	el Surinám
de Antillen	Antilles	Antilles	Antillen	las Antillas
de allochtoon	migrant	allochtone	Ausländer	alóctono
de geboorteaanwas	birthrate	augmentation de la natalité	Geburtenanstieg	número de nacimientos
de gezinshereniging	family reunion	regroupement familial	Familienzusammenführung	reunificación familiar
de gezinsvorming	family forming	fonder une famille	Familiengründung	formación familiar
de komst	coming, arrival	arrivée	Ankunft, Eintreffen	llegada
de asielzoeker	person seeking asylum	demandeur d'asile	Asylbewerber	solicitante de asilo
het minderhedenbeleid	minorities policy	politique des minorités	Minderheitenpolitik	la política de las minorías
gericht zijn* op	be directed towards	viser	ausgerichtet sein auf	estar concentrado en

Woordenlijst per les

de opvang	accommodation	accueil	Aufnahme, Betreuung	acogida
de inburgering	naturalization	acclimatement	Einbürgerung	inserción social
de nieuwkomer	newcomer	nouveau-venu	Neuling	recién venido
het inburgeringsbeleid	naturalization policy	politique d'acclimatement	Einbürgerungspolitik	política de inserción social
preventief	preventive	préventif	präventiv	preventivo
trachten	try	tâcher	versuchen	tratar de
de fase	phase	phase	Phase	etapa
het integratieproces	integration process	processus d'intégration	Integrationsprozess	proceso de integración
de maatregel	measure	mesure	Maßnahme	medida
buitenschools	extracurricular	parascolaire	außerschulisch	extraescolar
de sfeer	atmosphere	*ici :* domaine	Atmosphäre	ambiente
daarnaast	furthermore	en plus	parallel dazu, außerdem	además
de acceptatie	acceptation	acceptation	Akzeptanz	aceptación
multicultureel	multiracial	multiculturel	multikulturell	multicultural
de samenleving	society	société	Gesellschaft	sociedad
bevorderen	encourage, stimulate	favoriser	fördern	fomentar
toegankelijk	accessible	accessible	zugänglich	accesible
afkomstig zijn* uit	come from	originaire de	herkommen (aus), stammen (aus)	provenir de
wiens	whose	dont	wessen	cuyo
het tegenovergestelde	opposite	contraire	Gegenteil	contrario
de autochtoon	autochthon	autochtone	Einheimischer	autóctono
het beleid	policy	politique	Leitlinie, Politik	política
aanpakken	handle, deal with	*ici*: traiter	in Angriff nehmen	abordar
de politiek	politics	politique	Politik	política
de justitie	justice	justice	Justiz	justicia

Bronvermelding

pagina 9: foto linksboven: Flip Franssen; rechtsboven/onder: Julia de Vries; linksonder: Torsten Warmuth, Kassel
18: foto's: Julia de Vries, Torsten Warmuth, Flip Franssen, Julia de Vries
28: foto: MHV-Archiv (Franz Specht)
34: teksten uit: Libelle © VNU tijdschriften b.v., Haarlem
35: cartoon: Toon van Driel, Amsterdam
41: realia: Artis, Amsterdam; Van Gogh Museum, Amsterdam; Reederij P. Kooij, Amsterdam
42: CBS, Voorburg/Heerlen; NSS, RAI, Amsterdam
45: foto: Bavaria Bildagentur, Gauting (FPG)
48: tekst uit: Hans Kaldenbach: Doe maar gewoon, 99 tips voor het omgaan met Nederlanders © Uitgeverij Prometheus, Amsterdam; foto uit: Libelle © VNU tijdschriften b.v., Haarlem
50: A, C, D: SunArt, Berlijn; B: Family Circle, North Matton
55: foto's: Josina Schneider-Broekmans, Mühltal
56: tekst uit: Hans Kaldenbach: Doe maar gewoon, 99 tips voor het omgaan met Nederlanders © Uitgeverij Prometheus, Amsterdam
60: foto: Bavaria Bildagentur, Gauting (FPG)
64: foto: Jan Griffoen, Zutphen; tekst en ets: Wim van der Meij, Zutphen
71: foto: Toerisme Vlaanderen, Brussel
74: tekst: Ministerie van de Vlaamse Gemeenschap, Brussel; Europese Commissie, Den Haag; Dagblad de Limburger, Maastricht; afbeelding: Mark Janssen, Valkenburg
80: tekening: Daniela Eisenreich, München
86: foto: Weens Verkeersbureau
93: foto's: IKEA Einrichtungs-GmbH Süd, Eching; foto rechts: Duravit AG, Horneberg
104: Van Gogh: slaapkamer in Arles 1889 © AKG-Photo, Berlijn
107: foto: Werner Bönzli, Reichertshausen
108: tekst uit: Libelle © VNU tijdschriften b.v., Haarlem
123: tekst en foto's uit: Libelle © VNU tijdschriften b.v., Haarlem
124: tekst: © NRC Handelsblad, Rotterdam; afbeelding: SunArt, Berlijn
126: foto links: Quelle AG, Fürth; foto rechts: HIJ Mannenmode B.V., Utrecht
127: foto boven: HIJ Mannenmode B.V.; onder: ZIJ Mode, Utrecht
130: onder: Museumboot, Amsterdam
133: Het Nationale Ballet © Deen van Meer, Amsterdam
134: foto: dpa Berlijn
142/143: Voorlichtingsbureau voor de Voeding, Den Haag
144: afbeeldingen: Albert Heijn, Zaandam
147/148: afbeeldingen: VVV Vlieland
149/150 boven: afbeeldingen: VVV Waddeneilanden
152: kaart: VVV Waddeneilanden; foto's: VVV Texel
155: foto's links en midden: MHV Archiv (Siegfried Kuttig)
158/159: alle artikelen: NRC Handelsblad, Rotterdam; afbeelding boven: Van Gogh: portret van Dr. Paul Gachet, 1890 © Artothek, Peissenberg; afbeelding onder: Wilhelm I. van Oranje © AKG-Photo, Berlijn; foto p.159: dpa Frankfurt
165: tekst: NOC *NSF, Arnhem
166: realia: Rutgers Stichting, Den Haag
169: tekening: Yvonne Pattché, Rijswijk
171/173: tekst en afbeeldingen uit: Libelle © VNU tijdschriften b.v., Haarlem
174: Ministerie van Justitie, Den Haag

pagina 14/37/85/87/155 rechts/156/160: afbeeldingen en teksten: NS, Utrecht
pagina 16/21/26/46/101/102: foto's: MHV-Archiv (Dieter Reichler)
pagina 94/111/112/119, 128, 129: foto's: MHV-Archiv (Jack Carnell)
pagina 66 links, 69, 78, 90, 92 (3), 98, 108, 115, 116, 130, 131, 150 onder: foto's: Nederlands Bureau voor Toerisme, Keulen
pagina 30, 38, 47, 56, 66 rechts, 67, 68, 77, 82, 92, 118, 137, 138, 170: foto's: Jan Balsma, Amersfoort
pagina 24: PTT Post Filatelie, Haarlem